LENDÁRIO

LENDÁRIO

STEPHANIE GARBER

Tradução
Ivar Panazzolo Junior

Novo Conceito

Produção editorial: Equipe Novo Conceito
Preparação de texto: Lígia Alves
Revisão: Carlos Villarruel
Design da capa: Erin Fitzsimmons
Diagramação: Futura

Dados Internacionais de Catalogação na Publicação (CIP)
(Câmara Brasileira do Livro, SP, Brasil)

Garber, Stephanie
Lendário / Stephanie Garber; tradução Ivar Panazzolo Junior. – Ribeirão Preto, SP: Novo Conceito Editora, 2019.

Título original: Legendary.
ISBN 978-85-8163-906-2

1. Ficção norte-americana I. Título.

19-24788 CDD-813

Índices para catálogo sistemático:
1. Ficção : Literatura norte-americana 813
Cibele Maria Dias – Bibliotecária – CRB-8/9427

Novo Conceito

Rua Dr. Hugo Fortes, 1885
Parque Industrial Lagoinha 14095-260 – Ribeirão Preto – SP
www.editoranovoconceito.com.br

Para Matthew, pela pedra-sabão.
Para Allison, por me dizer que Dashiell era o nome errado.
E para vocês dois, por serem irmãos incríveis.

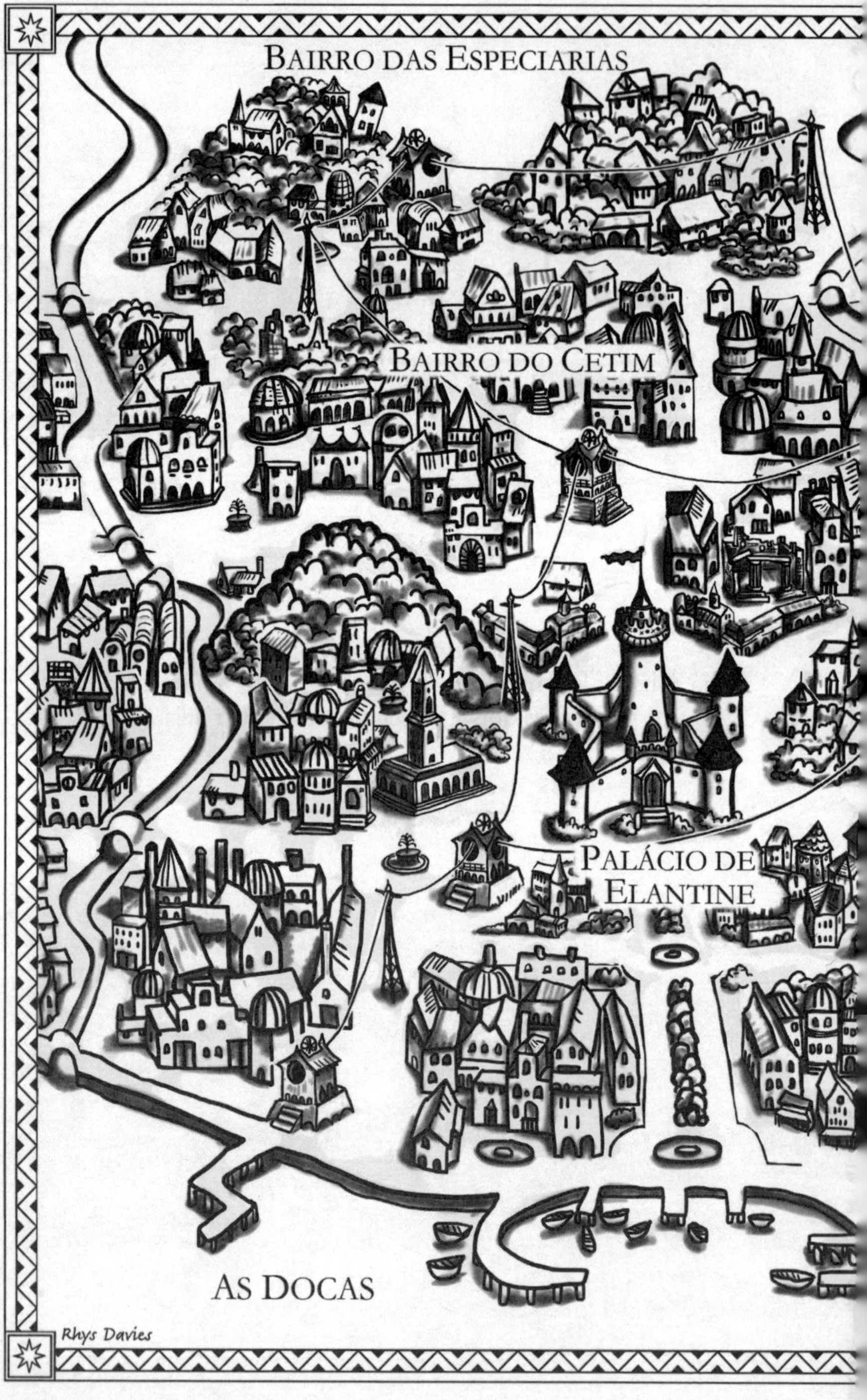
BAIRRO DAS ESPECIARIAS
BAIRRO DO CETIM
PALÁCIO DE
ELANTINE
AS DOCAS
Rhys Davies

DISTRITO DO TEMPLO
CASTELO IDYLLWILD
CÍRCULO UNIVERSITÁRIO
VALENDA

Sete anos atrás...

Embora alguns dos aposentos da mansão tivessem monstros escondidos embaixo das camas, Tella jurava que a suíte da mãe escondia encantos. Nesgas de luz esmeralda salpicavam o ar, como se fadas saíssem para brincar sempre que a mãe se ausentava. O aposento tinha a fragrância de flores colhidas de jardins secretos, e, mesmo quando não havia uma brisa, as cortinas transparentes se inflavam e se moviam ao redor da magnífica cama com dossel. Mais acima, um candelabro de citrinos saudava Tella com os sons musicais de beijos em vidro, facilitando-lhe imaginar que a suíte era um portal mágico para outro mundo.

Os pezinhos de Tella não faziam nenhum som enquanto ela avançava na ponta dos pés pelos grossos carpetes cor de marfim até a cômoda da mãe. Rapidamente, ela deu uma olhada por cima dos ombros e em seguida pegou o porta-joias. Liso e pesado nas mãos de Tella, a caixa era feita de madrepérola e coberta com filigranas de ouro em forma de teias de aranha; Tella gostava de fingir que a caixa também era encantada, pois até mesmo quando estavam sujos seus dedos felizmente não deixavam nenhuma impressão digital na superfície.

A mãe de Tella não se importava que as filhas brincassem com seus vestidos ou experimentassem suas sandálias elegantes, mas tinha pedido que não tocassem nessa caixa — o que simplesmente a tornara mais irresistível para Tella.

Scarlett podia passar suas tardes sonhando acordada com espetáculos itinerantes como o Caraval, mas Tella gostava de ter aventuras *reais*.

Hoje ela fazia de conta que uma rainha maligna tinha tomado um jovem príncipe élfico como prisioneiro, e, para salvá-lo, Tella precisava roubar o anel de opala da mãe. A joia favorita de Tella. A pedra leitosa era áspera e irregular, com o formato de uma estrela ascendente e pontas afiadas que às vezes lhe espetavam os dedos. Entretanto, quando Tella erguia a opala para a luz, a pedra faiscava, cobrindo o quarto com brasas de vermelho-cereja e dourado luminescentes e lilás que aludiam a maldições mágicas e ao pó de fadas rebeldes.

Infelizmente, o anel de latão era grande demais para o dedo de Tella, embora toda vez que abria a caixa ela o colocasse no dedo, só para o caso de ele ter crescido mais um pouco. Neste dia, porém, bem no momento em que fez o anel deslizar pelo dedo, Tella percebeu outra coisa.

O candelabro acima dela ficou imóvel, como se também tivesse sido pego de surpresa.

Tella conhecia de cor cada item que havia no porta-joias da mãe: uma fita de veludo bordada em ouro cuidadosamente dobrada, brincos vermelho-sangue, um frasco de prata oxidada que a mãe alegava guardar lágrimas de anjos, um camafeu de marfim que não abria, uma pulseira negra que parecia combinar melhor com o braço de uma bruxa do que com o pulso elegante da mãe.

O único objeto que Tella nunca tocava era o sachê cinzento e de aparência suja, com cheiro de folhas emboloradas e a fragrância adocicada da morte. *Isso afasta os monstros*, brincou a mãe certa vez. Mas o sachê também afastava Tella.

Hoje, porém, aquela bolsinha feia reluziu, atraindo Tella em sua direção. Em um momento, parecia uma trouxa cheia de coisas deterioradas e cheirava a podridão. Um piscar de olhos depois, repousava em seu lugar um baralho cintilante, envolto por uma delicada fita de cetim. Em seguida, em um átimo, voltara a ser a bolsa repulsiva antes de se transfigurar nas cartas novamente.

Abandonando a missão de faz de conta, Tella pegou rapidamente o cordão sedoso e tirou o baralho da caixa. E instantaneamente elas pararam de se transformar.

As cartas eram lindas, simplesmente belíssimas. Tinham um tom tão escuro de erva-moura que eram quase negras, com minúsculos detalhes dourados que cintilavam sob a luz e filamentos volteantes em alto-relevo de um vermelho-violeta escuro que fazia Tella pensar em flores úmidas, no sangue das bruxas e em magia.

Não eram nem um pouco parecidas com as cartas de baralho impressas em preto e branco com as quais os guardas de seu pai a ensinaram as regras dos jogos de apostas. Tella sentou-se no carpete. Os dedos ágeis formigavam quando desatou a fita e virou a primeira carta.

A jovem retratada na carta fez Tella se lembrar de uma princesa capturada. O belo vestido branco estava esfarrapado, e os olhos em forma de lágrimas eram tão lindos quanto o vidro polido pelas ondas do mar, mas tão tristes que até mesmo fitá-los era doloroso. Provavelmente porque a cabeça da jovem estava encerrada em um globo arredondado de pérolas.

As palavras *A Morte Donzela* estavam escritas no pé da carta.

Tella estremeceu. Ela não gostou daquele nome, e jaulas não lhe apeteciam, mesmo que fossem feitas de pérolas. Subitamente, teve a sensação de que sua mãe não iria querer pegá-la vendo essas cartas, mas isso não impediu Tella de virar outra.

O nome ao pé daquela carta era *O Príncipe de Copas.*

Ela mostrava um jovem com o rosto feito de ângulos e os lábios tão afiados quanto duas lâminas de faca. Uma das mãos perto do queixo pontiagudo segurava a empunhadura de uma adaga, e lágrimas rubras lhe caíam dos olhos, combinando com o sangue que manchava o canto da boca estreita.

Tella soltou um pequeno gemido conforme a imagem do príncipe tremeluziu, subitamente ali e em seguida não mais, da mesma maneira que acontecera com o sachê fedorento anteriormente.

Devia ter parado naquele momento. Aquelas cartas definitivamente não eram brinquedos. Mesmo assim, uma parte de Tella sentia que encontrá-las fazia parte do seu destino. Eram mais reais do que a rainha maligna ou o príncipe élfico de sua imaginação, e Tella se atrevia a pensar que talvez elas a levassem a viver uma aventura genuína.

A carta seguinte parecia especialmente morna nos dedos de Tella quando ela a virou.

O Aráculo.

Ela não sabia o que aquele nome estranho significava, e, diferentemente das outras cartas, esta não parecia violenta. As bordas eram cobertas por espirais ornamentadas com ouro derretido, e o centro era prateado como um espelho... não, aquilo *era* um espelho. A porção central, brilhante, refletia os cachos loiros como mel de Tella e seus olhos arredondados, castanhos como amêndoas. Quando Tella olhou mais de perto, a imagem estava errada. Os lábios rosados de Tella tremiam, e lágrimas gordas lhe corriam pelas faces.

Tella nunca chorava. Nem mesmo quando o pai usava palavras ríspidas ou quando Felipe a ignorava em favor da irmã mais velha.

— Estava imaginando se a encontraria aqui, meu amorzinho. — O soprano suave da voz de sua mãe encheu o quarto quando ela entrou. — Qual é a aventura em que você se meteu hoje?

Conforme a mãe se curvava para o tapete onde Tella estava sentada, seus cabelos lhe caíram ao redor do rosto inteligente em cascatas elegantes. As madeixas da mãe eram do mesmo castanho-escuro que as de Scarlett, mas Tella tinha a pele morena da mãe, que reluzia como se tivesse sido beijada pelas estrelas. E bem naquele momento Tella viu a mãe ficar pálida como uma pedra da lua quando os olhos dela se fixaram nas imagens viradas da Morte Donzela e do Príncipe de Copas.

— Onde você achou isso? — A voz da mãe continuava doce, mas suas mãos pegaram rapidamente as cartas, dando a Tella a impressão de que fizera algo muito errado. E, embora Tella frequentemente fizesse coisas que não devia, geralmente a mãe não se importava. Ela corrigia gentilmente a filha, ou ocasionalmente lhe mostrava como sair impune após cometer seus pequenos crimes. Era o pai quem se irritava facilmente. A mãe era o sopro fresco que fazia arrefecer as faíscas do pai antes que elas pudessem ganhar força e se transformar em chamas. Mas agora a mãe parecia querer acender uma fogueira e usar aquelas cartas como lenha.

— Eu as achei no seu porta-joias — disse Tella. — Desculpe. Eu não sabia que elas eram ruins.

— Está tudo bem. — A mãe passou a mão pelos cachos de Tella. — Não tive a intenção de assustá-la. Mas nem mesmo eu gosto de tocar nessas cartas.

— Então por que você as tem?

A mãe escondeu as cartas entre as saias do vestido antes de colocar a caixa numa prateleira alta ao lado da cama, longe do alcance de Tella.

Tella temeu que aquela conversa estivesse encerrada, como indubitavelmente aconteceria se estivesse falando com o pai. Mas a mãe não ignorava as perguntas das filhas. Quando a caixa estava guardada em segurança, a mãe se acomodou no carpete ao lado de Tella.

— Eu gostaria de nunca ter encontrado aquelas cartas — sussurrou ela. — Mas vou lhe contar, se você jurar nunca tocar naquele baralho, ou em nenhum outro baralho como aquele, outra vez.

— Achei que você tivesse dito a Scarlett e a mim para nunca jurar.

— Neste caso, é diferente. — Um canto do sorriso da mãe reapareceu, como se estivesse prestes a revelar a Tella um segredo muito especial. Era sempre assim: quando a mãe escolhia concentrar sua atenção luminosa apenas em Tella, ela fazia a filha sentir que era uma estrela e que o mundo girava somente ao seu redor. — O que foi que eu sempre lhe falei sobre o futuro?

— Que toda pessoa tem o poder de escrever o próprio futuro — recitou Tella.

— É isso mesmo — disse a mãe. — O seu futuro pode ser da maneira que desejar. Todos nós temos o poder de escolher nosso próprio destino. Mas, minha doçura, se brincar com essas cartas, você dará aos Arcanos retratados nelas a oportunidade de mudar o seu caminho. As pessoas usam os Baralhos do Destino, similares àquele que você acabou de tocar, para prever o futuro. E, uma vez que um futuro seja previsto, esse futuro se torna uma coisa viva e vai lutar duramente para se transformar em realidade. É por isso que eu preciso que você nunca mais toque nessas cartas outra vez. Você entendeu?

Tella assentiu, embora não houvesse entendido verdadeiramente; ainda estava naquela tenra idade na qual o futuro parece distante demais para ser real. Ela também não deixou de perceber o fato de que sua mãe nunca disse de onde as cartas vieram. E isso fez com que os dedos de Tella se fechassem com um pouco mais de força ao redor daquela que ainda tinha na mão.

Na pressa para recolher o baralho, a mãe de Tella não percebera a terceira carta que a menina havia virado. Aquela que ainda estava em seu poder. O Aráculo. Tella a escondera cuidadosamente sob as pernas cruzadas enquanto dizia:

— Eu juro nunca mais tocar num baralho como esse outra vez.

ISLA DE LOS SUEÑOS

1

Tella não estava mais flutuando.

Estava no chão úmido, sentindo-se muito, muito distante da coisa luminosa e cintilante onde estivera na noite passada. Na época em que a ilha particular de Lenda irradiara luzes de âmbar, que respirara com encantos e maravilhas, junto com um toque de mentiras. Uma combinação deliciosa. E Tella se refestelara naquilo. Durante a festa para celebrar o fim do Caraval, ela dançou até que suas sandálias estivessem manchadas pela grama e bebericou de taças cheias de vinho espumante até estar praticamente voando.

Entretanto, neste momento, estava deitada de bruços no chão duro e frio da floresta.

Sem se atrever a abrir os olhos, ela gemeu e arrancou fragmentos da natureza dos cabelos, desejando que alguns dos outros resquícios da noite passada pudessem ser descartados com a mesma facilidade. Tudo à sua volta cheirava a bebida azeda, folhas de pinheiro e erros. Sua pele coçava e formigava, e a única coisa pior do que a sensação de que a cabeça girava era a dor inclemente nas costas e no pescoço. Por que diabo ela pensara que dormir ao relento seria uma ideia brilhante?

— Argh — alguém soltou um grunhido não muito satisfeito de uma pessoa prestes a despertar.

Tella abriu os olhos, virou o rosto um pouco para o lado e em seguida fechou as pálpebras imediatamente. *Santos imundos.*

Não estava sozinha.

Por entre as árvores imensas e as folhagens indômitas que cobriam o chão da floresta, Tella abrira os olhos apenas pelo tempo suficiente para vislumbrar uma cabeça com cabelos escuros, a pele bronzeada, um pulso coberto de cicatrizes e a mão de um rapaz coberta com a tatuagem de uma rosa negra. *Dante.*

Uma explosão de memórias borradas encheu sua cabeça aos borbotões. A sensação das mãos experientes de Dante envolvendo seus quadris. Os beijos que ele dera em seu pescoço, em seu queixo, e em seguida em sua boca conforme os lábios de ambos se conheciam mais intimamente.

Que diabo ela tinha na cabeça?

Claro, Tella sabia exatamente quais eram os seus pensamentos durante a festa para os artistas do Caraval na noite anterior. O mundo tinha sabor de magia e do brilho das estrelas, de desejos concedidos e sonhos realizados. Mesmo assim, por baixo de tudo aquilo, a morte ainda embebia a língua de Tella. Não importa quanto champanhe bebesse ou quanto o ar se aquecesse de tanto dançar, Tella ainda estremecia com a lembrança gélida da sensação que tivera ao morrer.

Seu salto do terraço de Lenda não fora um ato de desespero; fora um salto de fé. Mas, pelo menos por uma noite, ela não queria pensar naquilo nem no motivo pelo qual seu ato importava. Queria celebrar seu sucesso, esquecer-se de todo o resto. E Dante parecera ser a melhor maneira de fazer as duas coisas. Era atraente, sabia ser encantador, e já fazia muito tempo desde que alguém a beijara do jeito certo. E, por todos os santos, Dante realmente sabia beijar.

Com outro grunhido, ele se espreguiçou ao lado dela. Sua mão grande pousou sobre a base da coluna de Tella, morna e firme, e muito mais tentadora do que devia ser.

Tella disse a si mesma que precisava escapar antes que ele despertasse. Mas, mesmo adormecido, Dante era bom demais com as mãos. Deslizou displicentemente os dedos por sobre a coluna de Tella até o pescoço, enfiando-se preguiçosamente por entre os cabelos da garota, apenas o bastante para fazer as costas dela se arquearem.

Os dedos de Dante pararam de se mover.

Sua respiração ficou subitamente silenciosa de uma maneira que mostrava a Tella que ele agora também estava acordado.

Engolindo um xingamento, ela rapidamente se ergueu do chão, afastando-se daqueles dedos imóveis e habilidosos. Não se importava se ele a visse se esgueirando para longe; seria muito menos desconfortável do que trocar quaisquer comentários amistosos antes que um deles reunisse audácia suficiente para recitar uma justificativa sobre por que precisava sair correndo. Tella já havia beijado uma quantidade suficiente de rapazes para saber que qualquer coisa dita por um garoto logo antes ou diretamente depois de beijá-lo era algo no qual não se podia acreditar. E ela realmente precisava ir embora.

As memórias de Tella poderiam estar embaçadas, mesmo assim ela não conseguia se esquecer da carta que recebera antes que as coisas começassem a ficar interessantes com Dante. Um estranho, o rosto escondido sob o manto da noite, enfiou o bilhete em seu bolso e desapareceu antes que ela pudesse segui-lo. Queria reler a mensagem imediatamente, mas, considerando o que devia ao *amigo* que a enviara, não achou que aquilo seria uma atitude inteligente. Precisava retornar aos seus aposentos.

Terra úmida e espinhos afiados das árvores se enfiaram por entre seus pés conforme ela começava a escapulir. Devia ter perdido as sandálias em algum lugar, mas não queria desperdiçar tempo procurando por elas. A floresta estava tingida por uma luz indolente cor de mel e pontilhada por roncos pesados e murmúrios que faziam Tella pensar que ela e Dante não eram os únicos que haviam adormecido sob as estrelas. Não se importava se algum deles a visse fugindo do garoto bonito, mas não queria que ninguém contasse à irmã.

Dante agira de um modo mais do que simplesmente desagradável com Scarlett durante o Caraval. Ele trabalhava para Lenda, então tudo aquilo fazia parte de sua atuação — mas, embora o Caraval houvesse terminado, ainda era um pouco difícil separar os pedaços dos fatos da ficção. E ela não queria que a irmã se magoasse ainda mais porque Tella havia decidido se divertir com um garoto que fora tão cruel com Scarlett durante o jogo.

Por sorte, o mundo continuou adormecido quando Tella alcançou os limites da floresta e, dali, a residência com torretas de Lenda.

Mesmo agora, com o Caraval oficialmente encerrado e todas as velas e lampiões que havia ali dentro apagados, a mansão ainda respirava com toques de uma luz de âmbar de brasas, lembrando Tella de truques ainda por fazer.

Até ontem esta propriedade abrigara o mundo inteiro do Caraval. Seus grandiosos pórticos de madeira levaram visitantes a camarotes elegantes drapeados com cortinas vermelhas luxuosas que cercavam uma cidade feita de canais, ruas que tinham vontade própria e lojas inusitadas cheias de prazeres mágicos. Mas, no breve intervalo de tempo desde que o jogo terminara, a casa com suas torretas diminuíra de tamanho e a efêmera terra de maravilhas escondida por trás de seus muros desaparecera, deixando para trás somente as partes que normalmente seriam encontradas no interior de uma propriedade abastada.

Tella subiu aos trotes pela escadaria mais próxima. Seu quarto ficava no segundo andar. Com a porta redonda pintada no tom azul-claro dos ovos de pintarroxo, era fácil de encontrar. E também era impossível não perceber Scarlett e Julian, ao lado da porta, atracados em um abraço como se tivessem se esquecido de como se dizia a palavra *adeus*.

Tella ficou feliz que a irmã finalmente se deixasse perder em meio a um pouco de felicidade. Scarlett merecia cada alegria que havia no Império, e Tella esperava que aquilo durasse. Ouvira dizer que Julian não tinha a reputação de dar falsas esperanças a garotas, que não continuava com seus relacionamentos após o Caraval e que não estava previsto no roteiro que ele continuaria a acompanhar Scarlett depois que a trouxesse à ilha de Lenda. Mas ele ganhava a vida mentindo, o que tornava difícil para Tella confiar nele. Mesmo assim, conforme o casal continuava ali, um com os braços ao redor do outro e as cabeças encostadas, os dois se pareciam com as duas metades do mesmo coração.

Seus olhares permaneciam fixos enquanto Tella se esgueirava ao redor deles para chegar ao quarto.

— Isso é um sim? — murmurou Julian.

— Preciso conversar com a minha irmã — disse Scarlett.

Tella parou diante da porta. Jurava que a carta em seu bolso tinha ficado subitamente mais pesada, como se estivesse impaciente para ser lida outra vez. Mas, se Julian tivesse acabado de perguntar a Scarlett o que Tella esperava acontecer, então Tella precisava fazer parte dessa conversa.

— Sobre o que você quer conversar comigo?

Scarlett se afastou de Julian, mas as mãos dele continuaram ao redor de sua cintura, entrelaçando-se por entre as fitas avermelhadas do vestido, mostrando claramente que não estavam preparadas para deixar que ela se fosse.

— Eu perguntei à sua irmã se vocês duas irão conosco a Valenda para o septuagésimo quinto aniversário da Imperatriz Elantine. Haverá outro Caraval, e eu tenho dois ingressos. — Julian piscou um olho.

Tella abriu um sorriso para a irmã. Isso era exatamente o que ela estava esperando, embora uma parte de Tella ainda não conseguisse acreditar que os rumores que ouvira nos últimos dias fossem verdadeiros. O Caraval ocorria somente uma vez por ano, e ela nunca ouvira falar de dois jogos sendo feitos em datas tão próximas. Mas Tella supunha que até mesmo Lenda abria exceções para a imperatriz.

Tella continuou a olhar para a irmã, cheia de esperança.

— Estou surpresa por você ter que perguntar!

— Eu achava que você não gostasse do Dia de Elantine porque ele sempre encobria o seu aniversário.

Tella balançou lentamente a cabeça enquanto ponderava a resposta. As verdadeiras razões para querer ir tinham pouco a ver com o Dia de Elantine, embora sua irmã estivesse correta. Desde que Elantine se tornara a imperatriz do Império Meridiano, seu aniversário era um feriado: o Dia de Elantine, precedido por uma semana inteira de festas e bailes, regras burladas e leis quebradas. Na ilha natal das garotas, Trisda, o feriado era celebrado somente por um dia, o trigésimo sexto da Estação Germinal, mas ainda assim acabava encobrindo o aniversário de Tella, que tinha o infortúnio de ocorrer no dia seguinte.

— Vai valer a pena visitar Valenda — disse Tella. — Quando partimos?

— Em três dias — respondeu Julian. Scarlett apertou os lábios.

— Tella, precisamos discutir isso antes.

— Achei que você sempre quisesse ir à capital para ver todas aquelas ruínas antigas e as carruagens que flutuam pelo céu, e essa vai ser a festa do século! O que há para discutir?

— O conde.

A pele morena de Julian ficou cinzenta.

O mesmo devia estar ocorrendo com o rosto de Tella.

— O conde vive em Valenda, e não podemos deixar que ele a veja — disse Scarlett.

Scarlett era uma irmã excessivamente cautelosa, mas Tella não podia culpá-la por essa hesitação.

O Conde Nicolas d'Arcy era o ex-noivo de Scarlett, com quem o pai de Scarlett fizera arranjos para que ela se casasse. Antes do Caraval, Scarlett somente lhe escrevera cartas, mas acreditara que estivesse apaixonada por ele. Pensara também que o conde manteria tanto ela quanto Tella a salvo — até que Scarlett o conheceu durante o Caraval e descobriu que ele era uma espécie detestável de ser humano.

Scarlett tinha razão em se preocupar com o conde. Se o ex-noivo de Scarlett descobrisse que Tella estava viva, poderia mandar uma mensagem ao pai das duas — que acreditava que Tella estava morta — e acabaria destruindo tudo.

Mas as coisas também desmoronariam sobre o próprio peso se Tella não fosse com Lenda e seus atores até a capital do império, Valenda. Talvez não tivesse a oportunidade de reler a carta do amigo, mas sabia o que ele queria, e nunca iria conseguir aquilo para ele se fosse separada de Lenda e de seus atores.

Durante o Caraval, Tella não tinha certeza absoluta sobre quem trabalhava para Lenda. Mas todos os seus atores estariam no navio para Valenda; o próprio Lenda poderia também estar no barco, dando-lhe a oportunidade de que precisava de finalmente conseguir aquilo que seu amigo exigia.

— O conde é tão preocupado consigo mesmo que provavelmente não me reconheceria mesmo se eu me aproximasse dele para lhe dar um tapa no rosto — disse Tella. — Só nos encontramos por um momento, e eu não estava com a melhor das aparências.

— Tella...

— Eu sei, eu sei, você quer que eu aja com seriedade — interrompeu Tella. — Não estou tentando zombar de você. Tenho plena noção do perigo, mas não acho que precisamos sentir medo. Podemos perecer com a mesma facilidade num naufrágio, mas, se deixarmos esse medo nos deter, nunca vamos sair desta ilha outra vez.

Scarlett fez uma careta e olhou para Julian.

— Você pode dar licença a mim e à minha irmã por um momento?

Julian respondeu algo perto da orelha de Scarlett, baixo demais para que Tella conseguisse escutar. O que quer que tenha dito, fez Scarlett corar. Em seguida ele saiu, e a boca de Scarlett se apertou em uma linha enquanto acompanhava Tella para dentro do seu quarto.

Lá dentro, coisas inenarráveis estavam jogadas por toda parte. Meias espiavam pelas gavetas de uma cômoda encimada por toucas e chapéus, enquanto uma variedade de capas, vestidos e anáguas formava um caminho até a cama, coberta por uma pilha enorme de casacos de pele que ela havia ganhado em um jogo de cartas.

Tella sabia que Scarlett a achava desleixada. Mas Tella tinha uma teoria: quartos organizados eram fáceis de ser revirados e revistados de maneira despercebida porque era simples recolocar coisas cuidadosamente organizadas nos lugares onde estavam antes. Os ambientes bagunçados, por sua vez, eram difíceis de recriar. Com uma olhada geral, Tella podia ver que ninguém havia sido suficientemente audacioso para colocar um dedo em seu desastre pessoal. Tudo parecia estar intocado, mesmo que agora houvesse uma cama adicional, que Tella imaginou que devia ter aparecido magicamente ou, mais provavelmente, que fora trazida até ali para a irmã.

Tella não sabia por quanto tempo eles poderiam permanecer na ilha. Estava aliviada por não estarem sendo tocados dali imediatamente, embora, se fossem expulsos, talvez Scarlett ficasse mais ansiosa com a possibilidade de ir a Valenda. Tella não queria que a irmã fosse forçada a nada; esperava que Scarlett fizesse a escolha por conta própria. Mesmo assim, Tella conseguia compreender a relutância da irmã. Tella morrera durante o último jogo. Mas aquilo tinha sido sua decisão e acontecera por um bom motivo, e ela não planejava morrer outra vez. A experiência tinha sido horrenda tanto para Tella quanto para Scarlett. E ainda havia muitas coisas que Tella queria — *e precisava* — fazer.

— Scar, sei que você imagina que eu não estava falando sério lá fora, mas acho que precisamos começar a ser felizes em vez de sérias. Não estou dizendo que precisamos participar do Caraval, mas acho que devemos pelo menos ir a Valenda com Julian e os outros. O que importará essa felicidade gloriosa se não a aproveitarmos? O pai é quem vai vencer se continuarmos vivendo como se estivéssemos presas sob aqueles punhos pesados.

— Você tem razão.

Tella achou que tivesse ouvido alguma coisa errada.

— Você disse que estou certa? Scarlett fez que sim com a cabeça.

— Estou farta de sentir medo o tempo todo. — Ela ainda falava como se o nervosismo a afetasse, mas seu queixo agora se erguia com algo parecido com determinação. — Prefiro não jogar outra vez, mas quero ir a Valenda com Julian. Não quero me aprisionar aqui como o pai nos aprisionava em Trisda.

Tella sentiu uma onda de orgulho. Quando estavam em Trisda, Scarlett se apegara ao medo, como se isso a mantivesse segura, mas Tella percebia que a irmã agora lutava para se livrar dele. Ela realmente havia mudado durante o Caraval.

— Você estava certa na noite passada quando me encorajou a dar a Julian outra chance. Fico feliz por ter ido à festa e sei que vou me arrepender se não partirmos com ele. Mesmo assim... — acrescentou Scarlett.

— Se formos a Valenda, você tem que me prometer que vai tomar cuidado. Não posso perdê-la de novo.

— Não se preocupe. Juro que vou tomar cuidado. — Tella tomou solenemente as mãos da irmã nas suas e as apertou. — Gosto demais da minha liberdade para perdê-la. E, enquanto estivermos na capital, vou sempre usar vestidos de cores incrivelmente berrantes, de modo que seja impossível você me perder de vista.

A boca de Scarlett começou a se inclinar para formar um sorriso. Tella viu a irmã se esforçando para contê-lo, mas o sorriso logo se transformou numa risada melodiosa. A felicidade deixava Scarlett ainda mais bonita. Tella riu com a irmã até que os dois sorrisos se igualassem, como se preocupações fossem coisas destinadas a outras pessoas. Mesmo assim, Tella não conseguia se esquecer da carta em seu bolso, lembrando-a de uma dívida a ser paga e de uma mãe que ainda precisava ser salva.

2

Já fazia sete anos desde que Paloma, a mãe de Tella e Scarlett, desaparecera.

Houve um período de tempo, que começou cerca de um ano depois que a mãe partiu, em que Tella preferia a ideia de que Paloma estivesse morta. Se ainda estivesse viva, calculava Tella, havia tomado a decisão de nunca mais retornar para junto das filhas, o que significava que não poderia tê-las amado verdadeiramente. Mas, se Paloma estivesse morta, então talvez tivesse tido a intenção de retornar, mas nunca recebera a oportunidade; se estivesse morta, era possível que ainda amasse Scarlett e Tella.

Assim, durante anos Tella se apegou à esperança de que a mãe havia falecido, porque, não importa o quanto a jovem se esforçasse, não conseguia parar de amar a mãe. E lhe doía demais imaginar que a mãe não retribuía seu amor.

Tella pegou a carta que recebera do amigo. Scarlett saíra para dizer a Julian que as duas iriam com ele a Valenda. Como Tella não sabia por quanto tempo a irmã ficaria fora, leu a carta rapidamente.

Caríssima Donatella,

Parabéns por conseguir escapar de seu pai e sobreviver ao Caraval. Fico feliz por nosso plano haver funcionado, embora eu não tivesse dúvidas de que você sobreviveria ao jogo.

Tenho certeza de que sua mãe ficará muito orgulhosa e creio que você deve conseguir vê-la em breve. Mas, antes de mais nada, você precisa cumprir sua parte em nosso acordo. Espero que você não tenha esquecido do que me deve em troca de tudo que compartilhei com você.

Tenho planos de receber o meu pagamento muito brevemente.

Cordialmente,

Um amigo

A dor que Tella sentira na cabeça retornou, e desta vez não tinha nada a ver com as bebidas que consumira na noite anterior. Não conseguia afastar a sensação de que faltava alguma coisa na carta. Jurava que havia mais alguma coisa quando a lera na festa.

Tella segurou a mensagem diante da luz caramelada que entrava pela janela. Nenhuma linha manuscrita escondida apareceu. Nenhuma palavra se transformou diante de seus olhos. Diferentemente de Lenda, seu amigo não mesclava truques mágicos em suas cartas, mas ela sempre esperava que o fizesse. Talvez então ela conseguisse confirmar sua identidade.

Tella fizera contato com ele pela primeira vez havia mais de um ano, pedindo que a ajudasse, juntamente com a irmã, a escapar de seu pai. E Tella ainda não fazia ideia de quem era seu amigo. Por algum tempo se perguntara se seu correspondente seria realmente Lenda. Mas seu amigo e Lenda não poderiam ser a mesma pessoa; o pagamento que o amigo mencionava fazia Tella ter certeza disso.

Ela ainda precisava conseguir o tal pagamento. Mas, agora que iria acompanhar Scarlett até Valenda com os atores de Lenda, Tella sentia-se mais confiante, sabendo que conseguiria. Tinha de conseguir.

Sua pulsação dançou mais rapidamente enquanto ela escondeu a carta do amigo e abriu seu menor baú — aquele que não permitira que os atores revirassem durante o Caraval. Havia enchido a arca com dinheiro furtado do pai. Mas aquele não era o único tesouro que a caixa escondia. O interior estava forrado com um brocado feio em tons de laranja queimado e verde-lima que a maioria das pessoas jamais olharia suficientemente de perto para perceber uma fenda ao redor do rebordo que lhe permitira esconder o catalisador para toda essa situação: *O Aráculo*.

Os dedos de Tella formigaram como sempre acontecia quando ela puxava aquele pequeno cartão amaldiçoado. Depois que a mãe desapareceu, o pai ficou enlouquecido pela raiva. Não era violento antes, mas, quando a esposa o deixou, o homem mudou quase instantaneamente. Jogara as roupas na sarjeta, transformara a cama onde ela dormia em lenha e queimara todo o resto até virar cinza. Os únicos objetos que escaparam foram os brincos escarlate que Paloma dera a Scarlett, o anel de opala que Tella havia roubado e a carta mística na mão dela. Se não tivesse pegado essa carta e o anel pouco antes de a mãe partir, Tella não teria nada que a ajudasse a se lembrar de Paloma.

O anel de opala mudara de cor pouco depois do desaparecimento da mãe, ficando vermelho-fogo e púrpura. As bordas da carta do Aráculo ainda eram feitas de ouro derretido, mas a imagem no centro reluzente havia mudado também, inúmeras vezes. Tella não sabia o que era quando a roubara do Baralho do Destino da mãe pela primeira vez. Mesmo alguns dias depois, quando se olhou no espelho e viu lágrimas gordas escorrendo por suas faces — recriando a imagem que o Aráculo havia revelado a princípio —, não chegara a juntar as peças. Foi somente depois que mais algum tempo se passou que ela percebeu que, quando o Aráculo revelava uma imagem, esta sempre se tornava realidade.

No início as imagens eram inconsequentes: uma das governantas experimentando o vestido preferido de Tella; o pai trapaceando num jogo de cartas. Depois, as visões do futuro foram ficando mais inquietantes; até que um dia, imediatamente depois que Scarlett ficou noiva do conde, Tella viu uma imagem muito perturbadora.

Scarlett trajava um vestido de noiva branco como a neve, cravejado de rubis e pétalas, e rendas trançadas com as linhas mais delgadas. Devia ser uma imagem muito bonita. Mas, na visão do Aráculo, o vestido estava manchado com lama e sangue conforme Scarlett soluçava violentamente, cobrindo o rosto com as mãos.

A imagem horrenda continuou a aparecer por meses, como se a carta estivesse pedindo a Tella que impedisse o casamento arranjado da irmã e mudasse o futuro. Não que Tella precisasse de estímulos para fazer isso; já vinha formulando um plano para ela e a irmã fugirem do pai controlador, um plano que envolvia Lenda e o Caraval. Tella sabia que, se havia alguma coisa capaz de tentar a irmã avessa a riscos a se atrever a buscar outra vida, seria o Caraval. Mas Lenda não respondia a nenhuma das cartas de Tella, assim como nunca respondera às de Scarlett.

A imagem no Aráculo incitou Tella a procurar por mais informações a respeito de Lenda. Havia rumores insanos sobre Lenda haver matado alguém durante um jogo que acontecera anos antes, e Tella esperava conseguir descobrir algo mais a respeito. Algo que o convenceria a lhe dar atenção.

Para aprimorar sua busca, Tella cobrou cada favor que lhe era devido até que lhe disseram para escrever a um estabelecimento chamado Os Mais Procurados de Elantine. Supunha-se que fosse algum tipo de empresa em Valenda, a capital do Império Meridiano. Ninguém nunca lhe disse exatamente em que tipo de negócio aquela empresa estava envolvida. Entretanto, depois que Tella solicitou informações sobre Lenda, a loja respondeu com uma mensagem que dizia:

Encontramos um homem que concordou em ajudá-la,
mas esteja avisada: ele frequentemente exige pagamentos
que envolvem mais do que dinheiro.

Quando Tella escreveu de volta para perguntar o nome do homem, ele mesmo respondeu, de maneira bem simples:

Será melhor se você não souber.
— Um amigo

Tella sempre imaginou que essa resposta indicava que o seu *amigo* era um criminoso, mas ele vinha sendo um correspondente fiel e inteligente. As informações que lhe dera sobre Lenda não eram o que ela esperava, mas, usando-as, Tella escrevera a Lenda novamente e implorara por sua ajuda.

E desta vez Tella tinha conseguido. Lenda respondera para ela, e assim que concordara em ajudar a jovem e a irmã a escapar do pai, a imagem do Aráculo mudou de Scarlett em um vestido de noiva destroçado para Scarlett em um baile elegante, com um vestido feito de rubis que atraía os olhos de cada pretendente por quem passava. *Esse* era o futuro que Tella queria para a irmã, cheio de glamour, celebrações e possibilidades. Infelizmente, um dia depois a imagem foi substituída por outro vislumbre do futuro que não mudava desde então.

Tella não sabia se a carta encantada mostraria a mesma gravura horrível hoje; depois de tudo que aconteceu durante o Caraval, ela esperava que talvez houvesse mudado.

Mas a imagem continuava a mesma.

Todo o ar e a esperança fugiram dos pulmões de Tella.

A carta ainda mostrava sua mãe. Parecia uma versão surrada da Dama Prisioneira, retratada nos Baralhos do Destino, coberta de sangue e enclausurada atrás das barras de ferro severa de uma cela em alguma prisão escura. Esse era o futuro que estimulara Tella a fazer outro pedido a seu amigo, perguntando-lhe se poderia também ajudar a encontrar sua mãe. As buscas anteriores que Tella empreendera por Paloma não haviam levado a lugar algum, mas seu amigo, que não estava restrito a uma ilha remota como Tella, claramente tinha ideias e métodos melhores sobre como procurar.

Ela havia memorizado aquela resposta e era capaz de recitá-la sem precisar da carta.

Caríssima Donatella,

Estou cuidando do pedido referente à sua mãe e já tenho indícios fortes a respeito. Acredito que a razão pela qual você não foi capaz de encontrá-la antes se deve ao fato de que Paloma não é o nome verdadeiro dela. Entretanto, não poderei reunir vocês duas até que você me pague pelas informações que lhe enviei sobre Lenda, o Mestre do Caraval.

Caso tenha se esquecido, eu preciso saber o verdadeiro nome de Lenda. Todos os outros a quem confiei essa tarefa falharam. Entretanto, como você irá passar algum tempo na ilha particular de Lenda, tenho certeza de que terá sucesso. Quando tiver o nome, poderemos discutir meu pagamento por encontrar sua mãe.

Cordialmente,

Um amigo

A notícia sobre o nome de Paloma era a única informação que Tella tinha conseguido desde que a mãe partira, sete anos antes. E aquilo lhe dava esperanças genuínas. Ela não fazia ideia do motivo pelo qual seu amigo queria saber o nome de Lenda, se era para seu próprio uso ou se se tratava de uma informação que outro cliente tentara comprar. Mas Tella não se importava; faria qualquer coisa para descobrir o nome de Lenda. Se conseguisse fazer isso, acreditava que finalmente iria ver a mãe outra vez. Seu amigo nunca a deixara na mão antes.

— Por Deus!

Tella ergueu os olhos e viu os olhos grandes da irmã se arregalarem quando ela entrou no quarto novamente.

— Onde você encontrou todas essas moedas? — Scarlett estava apontando para o baú aberto da irmã.

Ao ouvir o som da palavra *moedas*, os pensamentos de Tella subitamente estavam bem longe. Seu amigo havia colocado uma moeda estranha dentro da última carta que enviara. Era disso que ela sentia falta! Devia ter caído do seu bolso enquanto ela estava rolando pelo chão da floresta com Dante.

Tella precisava voltar à floresta e encontrá-la. Escondeu o Aráculo no bolso enquanto partiu em disparada rumo à porta.

— Não se preocupe — respondeu Tella. — Peguei tudo dos cofres de papai, e ele acha que estou morta.

Antes que Scarlett pudesse responder, Tella saiu do quarto a toda a velocidade. Ela avançou tão rapidamente que em pouco tempo já estava fora da casa com as torretas, em uma rua ladeada por lojas em formato de caixas de chapéu, quando percebeu que ainda estava descalça. Um erro que sentiu rapidamente.

— Suas malditas! — gritou Tella. Mal havia chegado à metade do caminho e já era a terceira vez que dava uma topada com o dedão do pé. Desta vez jurou que uma pedra tinha saltado do calçamento da rua e atacado seus pés expostos de propósito. — Juro que, se alguma outra de vocês morder os meus dedos, vou afogá-las no oceano, onde as sereias podem usá-las para limpar suas...

Tella ouviu uma risada baixa, grave e irritantemente familiar. Disse a si mesma para não se virar para trás. Para não ceder à curiosidade. Mas ser proibida de fazer alguma coisa — mesmo que a proibição viesse dela mesma — só aumentava a vontade de Tella de fazer o contrário.

Cuidadosamente, ela deu uma olhada por cima do ombro. E se arrependeu instantaneamente.

Dante vinha caminhando pelo outro lado da rua silenciosa com olhos que pareciam se divertir, fixos nela.

Tella desviou o olhar, esperando que, se o ignorasse, ele continuaria do outro lado da rua e fingiria que não tinha acabado de vê-la gritando com uma pedra.

Em vez disso, ele atravessou a rua, vindo intencionalmente em sua direção com aquelas pernas impossivelmente longas, e a boca larga sorrindo como se tivesse um segredo.

3

Tella disse a si mesma que o estômago só estava se retorcendo porque ela não havia comido nada naquela manhã. Dante poderia ter dormido no chão de uma floresta, mas nem mesmo uma folha de grama havia grudado em suas botas engraxadas. Vestido em tons retintos de preto, sem usar nem mesmo um lenço folgado ao redor do pescoço, ele parecia um anjo tenebroso e sem asas que fora jogado dos céus e pousara em pé na Terra.

Tella teve um lampejo súbito da maneira como ele se aproximara dela na festa da noite anterior, e o estômago dela se retorceu outra vez. Reagira com um desinteresse que chegava quase às raias de ignorá-la quando ela disse olá pela primeira vez. Posteriormente, ela o apanhara quando Dante a observava do outro lado da festa — somente olhares rápidos, aqui e ali — até que, vindo de lugar nenhum, ele aparecera a seu lado e a beijara até que os joelhos de Tella cedessem.

— Por favor, não interrompa um discurso tão interessante por minha causa — disse ele, trazendo-a de volta ao momento presente. — Tenho certeza de que já ouvi impropérios muito mais criativos.

— Você está insultando o meu uso de palavras de baixo calão?

— Achei que eu tivesse pedido por mais palavras sujas. — A voz dele tinha um som tão grave que Tella podia jurar que era capaz de enrolar as fitas da parte de trás do vestido.

Mas aquele era Dante. Ele falava dessa maneira com todas as garotas, exibindo seu sorriso devastador e dizendo coisas maldosas e atraentes até conseguir fazê-las desabotoar as blusas ou erguer as saias. Em seguida, fingia que elas não existiam. Tella ouvira as histórias durante o Caraval. Assim, devia se sentir segura em presumir que, depois da noite passada, o rapaz nunca mais voltaria a falar com ela — exatamente o que Tella queria.

Tella tinha gostado dos beijos e talvez, em alguma outra ocasião, pudesse até mesmo se sentir tentada pela ideia de haver algo mais. Mas o problema com o algo mais era que aquilo também poderia trazer outros sentimentos, como o amor. Tella não queria nada com o amor; aprendera havia muito tempo que aquilo não estava em seu destino. Dava a si mesma a liberdade de beijar todos os rapazes que quisesse, mas nunca mais do que uma vez.

— O que você quer? — perguntou Tella.

Os olhos de Dante se arregalaram o suficiente para trair sua surpresa com o tom ríspido que ela usou, e mesmo assim a voz do rapaz continuou agradável quando ele respondeu:

— Você deixou isto cair na floresta na noite passada. — Ele estendeu a palma grande, mostrando-lhe uma moeda grossa de latão entalhada com uma imagem desconjuntada que lembrava a metade de um rosto.

Era a sua moeda! Tella poderia ter se jogado sobre ele para pegá-la, mas duvidava que fosse recomendável agir com tanto ímpeto.

— Obrigada por recolhê-la — respondeu ela, friamente. — Não é valiosa, mas gosto de levá-la comigo como um amuleto da sorte.

E fez menção de pegá-la.

Dante recolheu a mão e jogou o disco de latão para cima antes de agarrá-lo outra vez.

— É uma escolha interessante para um amuleto. — Subitamente ele pareceu mais sério, as sobrancelhas grossas se juntando sobre olhos negros como o carvão enquanto jogava a moeda para o alto várias e várias vezes, deixando-a dançar por entre os dedos tatuados. — Já vi algumas coisas muito estranhas durante o Caraval, mas nunca soube de alguém que levasse uma dessas moedas consigo para ter sorte.

— Suponho que eu goste de ser original.

— Ou então você não faz a menor ideia do que seja isto. — Aquela voz rica parecia estar se divertindo mais do que antes.

— E o que você acha que é?

Dante lançou a moeda ao ar mais uma vez.

— Dizem que estas moedas foram forjadas pelos Arcanos. As pessoas costumavam chamá-las de "moedas sem sorte".

— Não é de admirar que nunca tenha funcionado direito. — Tella conseguiu soltar uma risada, mas alguma coisa lhe roía por dentro — a estupidez, talvez — por não haver reconhecido o objeto.

Tella era obcecada pelos Arcanos desde que encontrara o Baralho do Destino de sua mãe. Havia trinta e dois deles, perfazendo uma corte de dezesseis imortais, oito lugares e oito objetos. Cada Arcano era conhecido por ter um poder particular, mas essa não era a única razão pela qual eles conseguiram governar a maior parte do mundo, séculos atrás. Também se dizia que não podiam ser assassinados por mortais, e que eram mais rápidos e mais fortes.

Séculos atrás, antes de desaparecerem, os Arcanos retratados nos Baralhos do Destino governaram a maior parte da Terra como deuses — divindades cruéis. Tella leu tudo que conseguiu sobre eles e por isso havia ouvido falar sobre as moedas sem sorte, mas se sentia ridícula em admitir aquilo agora.

— As pessoas as chamam de moedas sem sorte porque encontrar uma sempre era um mau presságio — disse Dante. — Os rumores diziam que as moedas tinham o poder mágico de rastrear a localização de uma pessoa. Os Arcanos as enfiavam nos bolsos de seus servos humanos, seus amantes ou qualquer pessoa que desejassem seguir, manter por perto ou controlar. Eu nunca tinha visto uma antes de hoje, mas ouvi dizer que, se você girar uma das moedas sem sorte, é possível saber a qual Arcano ela pertenceu.

Dante colocou a moeda na beira de um banco que estava por perto.

Um arrepio desagradável subiu pela espinha de Tella. Embora parecesse conhecer bastante sobre histórias obscuras, não sabia se Dante tinha fé no poder dos Arcanos, mas ela acreditava neles.

Dizia-se que a Morte Donzela era capaz de prever a morte de um ente querido ou membro da família. E, em questão de dias, após ter virado a carta e ver a donzela com a cabeça encerrada em uma gaiola de pérolas, a mãe de Tella desaparecera. Ela sabia que era infantil acreditar que virar a carta causara o desaparecimento. Mas nem todas as crenças infantis estavam erradas. A mãe a avisara de que os Arcanos tinham seus próprios meios de distorcer futuros. E Tella havia visto o Aráculo, vez após vez, prever futuros que chegaram a acontecer.

Tella prendeu a respiração enquanto Dante fez o objeto girar com um movimento brusco.

Vrum, vrum, vrum.

A moeda girou até que os entalhes dos dois lados começaram a ganhar uma forma sólida, mesclando-se para compor uma imagem brutalmente familiar. Um jovem encantador com um sorriso ensanguentado, o tipo de sorriso matreiro que fazia Tella imaginar dentes mordendo corações e lábios pressionados contra veias perfuradas.

Embora fosse pequena, Tella conseguia ver claramente a imagem. O jovem cruel tinha uma das mãos perto do queixo pontiagudo, segurando a empunhadura de uma adaga, enquanto lágrimas vermelhas lhe caíam dos olhos, iguais ao sangue que manchava o canto de sua boca.

O Príncipe de Copas.

Um símbolo de amor não correspondido e de erros irreparáveis que nunca cessava de encher Tella, ao mesmo tempo, de pavor e de uma atração mórbida.

Scarlett passara metade da infância obcecada por Lenda e pelo Caraval. Mas Tella fora fascinada pelo Príncipe de Copas desde que ele previra que não haveria amor em seu futuro, quando o sacara do Baralho do Destino da mãe.

Os mitos diziam que os beijos do Príncipe de Copas eram algo pelo qual valia a pena morrer, e Tella sempre se perguntara qual seria a sensação de um beijo tão letal. Mas, conforme cresceu e beijou uma quantidade suficiente de garotos para perceber que não valia a pena morrer por nenhum beijo, Tella começou a suspeitar de que as histórias fossem meras fábulas para ilustrar os perigos de se apaixonar.

Também diziam que o Príncipe de Copas não era capaz de amar, já que o seu coração tinha parado de bater havia muito tempo. Somente uma pessoa poderia fazê-lo bater novamente: seu verdadeiro amor. Falavam que seu beijo fora fatal a todas, exceto a ela — sua única fraqueza —, e, conforme a procurava, deixava para trás uma trilha de cadáveres.

Um arrepio fresco lambeu a nuca de Tella, e ela bateu na moeda com a palma.

— Posso presumir que você não é fã do príncipe? — perguntou Dante.

— Parecia que a moeda iria cair do banco, e depois eu teria que sair correndo atrás dela.

O canto da boca de Dante se ergueu; não parecia estar nem um pouco convencido daquilo.

Tella também não deixou de perceber que ele acabara de falar sobre o Príncipe de Copas como se ele e os outros Arcanos ainda estivessem caminhando pelo Império em vez de haverem desaparecido há mais de um século.

— Não sei por que motivo você leva essa moeda consigo — disse Dante. — Mas tome cuidado. Nada de bom jamais veio de qualquer coisa que um Arcano tenha tocado. — Seus olhos se ergueram para o céu, como se os Arcanos estivessem observando tudo de cima, espionando-os enquanto conversavam.

E então, antes que Tella pudesse responder, Dante estava se afastando com bastante autoconfiança, deixando Tella para trás com uma moeda que ardia em sua palma e a sensação esquisita de que talvez houvesse mais naquele rapaz bonito do que ela suspeitara originalmente.

4

Tella se apanhou pensando em amores não correspondidos e em beijos pelos quais valeria a pena morrer enquanto girava a moeda do Príncipe de Copas sobre o mesmo banco em que Dante fizera a mesma coisa. Por que o amigo havia lhe dado uma relíquia de um mito tão antigo? Esperava que não fosse porque ele não confiava nela e quisesse saber por onde andava.

Talvez a moeda rara fosse um presente do amigo para demonstrar a ela a habilidade de obter coisas que dificilmente as pessoas conseguem encontrar — uma lembrança de que ele era o único capaz de localizar a mãe de Tella.

A sineta de uma loja tocou. Era somente um som miúdo e parecido com o tilintar de uma fada, mas Tella pegou a moeda e olhou para um ponto mais adiante da rua, onde um rapaz saía de uma das lojas. Ela seguiu as linhas vermelho-escuras do casaco matinal que ele usava até os olhos vibrantes do rapaz, mais verdes do que esmeraldas recém-lapidadas...

E uma cascata de carmim encobriu a visão de Tella.

Ela conhecia aquele rapaz. Ele havia tirado o tapa-olho desde o Caraval, mas ainda tinha os mesmos cabelos negros retintos, as roupas exageradas de um aristocrata e a expressão impossivelmente vã do Conde Nicolas d'Arcy — o ex-noivo de Scarlett.

As mãos de Tella se fecharam em punhos, e as unhas lhe cravaram luas crescentes nas palmas. Só havia se encontrado oficialmente com o Conde Nicolas d'Arcy uma vez, mas o espionara em várias ocasiões durante o Caraval. Ela o vira correr atrás da irmã e ouvira dizer que, uma vez que a apanhara, estava disposto a fazer coisas indizíveis para mantê-la consigo. Scarlett tinha conseguido escapar. Mas Tella poderia tê-lo estrangulado, envenenado ou até mesmo mutilado aquele rosto bonito se Lenda não lhe houvesse prometido, em uma de suas cartas, que removeria a irmã do jogo caso Tella ignorasse o papel que tinha a cumprir e interferisse de qualquer maneira.

Assim, Tella fora forçada a não fazer nada.

Mas o jogo estava encerrado agora; Tella poderia fazer o que quisesse. O conde estava, naquele momento, a várias lojas de distância, ocupa do demais admirando o próprio reflexo em uma vitrine para perceber Tella. O mais sensato a fazer seria se esgueirar por uma rua diferente para que ele não descobrisse que ela ainda estava viva.

Mas Tella estava convicta quando dissera que duvidava que o conde a reconheceria se ela se aproximasse dele e lhe desse um tapa no rosto. Pelo que fizera à sua irmã durante o Caraval, ele merecia mais do que somente um tapa, mas Tella não estava levando nenhum veneno nos bolsos.

Ela se aproximou às escondidas. Talvez pudesse desferir um pontapé bem mirado e...

Uma mão se fechou sobre a boca de Tella, enquanto outra passou ao redor de sua cintura. Ela esperneou, mas isso não impediu seu agressor de arrastá-la para um beco estreito como uma farpa.

— Tire as mãos de mim!

Tella se inclinou para a frente quando os braços ao redor de seu corpo afrouxaram.

— Está tudo bem. — A voz era baixa e tinha um sotaque melodioso.

— Não vou machucá-la, mas não corra.

Tella virou-se para trás.

Os cabelos escuros de Julian ainda estavam embaraçados por causa dos dedos de Scarlett, mas os olhos não eram mais o cálido âmbar de quando ele olhou para a irmã mais cedo. Estavam repuxados nos cantos, duramente.

— Julian? Que diabo você está fazendo aqui?

— Estou tentando impedi-la de cometer um erro do qual vai se arrepender. — O olhar dele disparou pelo corredor estreito ladeado por paredes de tijolos vermelhos, apontando novamente para a rua por onde passava o odioso Conde Nicolas d'Arcy.

— Não — disse Tella. — Tenho certeza de que, se cometer esse erro, vou ficar muito feliz. Estou surpresa que você não queira bater nele também, pelo que ele permitiu que o meu pai fizesse com você. — Ela indicou com a cabeça a cicatriz irregular que ia do queixo de Julian até o canto do olho. Os jogadores do Caraval poderiam voltar à vida se morressem durante o jogo, mas as cicatrizes permaneceriam. Tella ouvira dizer que, durante o Caraval, o noivo de Scarlett simplesmente ficara imóvel, sem fazer nada para impedir o pai de Tella enquanto ele abria aquele corte no rosto de Julian.

— Confie em mim — disse Julian por entre os dentes. — Já quis arrebentar Armando mais de uma vez, mas...

— Armando? — interrompeu Tella. Não o conde. Não Nicolas. Não d'Arcy, aquele lixo imundo chamado Conde Nicolas d'Arcy. Julian o havia chamado de Armando. — Por que você o chamou de Armando?

— Pela expressão em seu rosto, acho que você já adivinhou. Armando nunca chegou a ficar noivo de sua irmã. Ele trabalha para Lenda, assim como eu.

Tella vacilou sobre os pés descalços conforme o mantra familiar do Caraval invadiu sua mente: *Lembre-se, é somente um jogo. Queremos vê-los arrebatados, mas cuidado; não se deixem levar longe demais...*

Aquele vilão.

Tella pensara ser imune, já que vinha escrevendo cartas para Lenda conforme ele planejava o jogo. Mas, aparentemente, estava errada. Lenda a havia enganado, exatamente como enganara todos os outros. Nunca ocorrera a Tella que um ator poderia estar desempenhando o papel do noivo da irmã.

Lenda realmente merecia o nome que havia tomado para si. Tella perguntou-se se os jogos de Lenda realmente chegavam a terminar ou se seu mundo era um labirinto infinito de fantasia e realidade que deixava aqueles que eram capturados em seu interior eternamente suspensos entre os dois. Diante dela, Julian coçou a parte de trás do pescoço, parecendo estar mais nervoso do que arrependido. Julian era impulsivo. Tella duvidava que ele havia pensado em todas as consequências de lhe contar a verdade. Provavelmente havia apenas reagido quando a espionara, prestes a sair no encalço de Armando.

— Minha irmã não faz a mínima ideia, não é?

— Não — disse Julian. — E, por enquanto, quero que ela continue sem saber.

— Está me pedindo para mentir para ela?

— Não é como se você nunca tivesse feito isso antes.

Tella bufou.

— Eu fiz aquilo para o bem dela.

— Isso também é para o bem dela. — Julian cruzou os braços esguios e encostou-se contra o muro do beco.

Naquele momento, Tella não tinha certeza de que gostava dele. Detestava a alegação que ele acabara de fazer. Dizer que algo era em prol do bem de outra pessoa era quase sempre uma maneira de justificar algo errado. É claro, como ela disse aquilo primeiro, não teria o menor direito de criticar Julian da maneira que queria.

— Nós vamos partir para Valenda daqui a alguns dias — prosseguiu Julian. — O que você acha que sua irmã faria se descobrisse que nunca chegou a conhecer o verdadeiro noivo durante o Caraval?

— Ela sairia à procura dele — admitiu Tella. Seria fácil fazer isso, já que ele vivia em Valenda. Tella nunca entendera aquilo, mas Scarlett realmente queria se casar com um homem do qual nunca vira um único retrato. Ela o imaginava com corações nos olhos, sempre lendo as coisas mais maravilhosas em suas cartas insossas e pouco românticas.

Scarlett provavelmente diria que era curiosidade, mas, conhecendo a irmã, no fundo ela provavelmente sentiria que precisava dar uma chance ao conde, o que poderia ser desastroso. Mais uma vez, Tella viu a imagem de Scarlett soluçando em um vestido de noiva ensanguentado. O Aráculo mostrava que ela havia apagado aquele futuro, mas ainda havia uma chance de que ele pudesse se realizar.

— Scarlett não vai gostar quando descobrir que você mentiu para ela — disse Tella.

— Penso nessa situação como se estivesse lutando por ela. — Julian esfregou a barba rala que cobria o queixo. Parecia e falava como um garoto um pouco ansioso demais para se jogar em uma briga de rua, mesmo assim Tella sentia um arrojo genuíno por trás das suas palavras. Ainda estava um pouco incerta em relação a quanto tempo durariam suas afeições pela irmã, mas, naquele momento, Tella imaginava que Julian cruzaria todo e qualquer limite moral para ficar com o coração de Scarlett. Estranhamente, isso a fazia confiar ainda mais nele.

Rejeitá-lo talvez acabasse facilitando a vida de Tella; assim, Scarlett não se preocuparia com a possibilidade de Tella ser avistada pelo conde enquanto estivessem em Valenda, porque o *verdadeiro* conde nunca vira seu rosto. Mas, apesar do quanto aquilo poderia tornar as coisas mais simples, Tella não podia se arriscar a contar a verdade à irmã. Uma união entre Scarlett e o conde terminaria em corações partidos e na devastação. O Aráculo havia mostrado aquilo, e a carta nunca mentira para Tella.

— Tudo bem — disse ela. — Concordo em não dizer nada a Scarlett sobre Armando.

Um breve assentir, como se Julian soubesse que Tella levaria aquela mentira adiante.

— Apesar de minhas ações durante o Caraval, não gosto de enganar minha irmã.

— É difícil parar depois que se começa.

— É assim que acontece com você? Passa tanto tempo mentindo que é incapaz de contar a verdade? — As palavras saíram mais ríspidas do que Tella pretendia, mas, em seu próprio favor, Julian não retrucou.

— Você pode achar que o Caraval é uma mentira, mas ele é a minha vida; a minha verdade. Este último jogo foi tão real para mim quanto foi para sua irmã. Enquanto ela estava lutando por você, eu estava lutando por ela. — A voz de Julian foi ficando mais áspera. — Posso ter mentido para sua irmã sobre quem eu era, mas meus sentimentos por ela eram genuínos. Preciso de mais tempo com ela antes que Scarlett aprenda mais alguma coisa que possa lhe causar dúvidas a meu respeito.

— E o que vai acontecer se Scarlett souber que Armando ainda está na ilha?

— Lenda vai mandá-lo para Valenda com antecedência, junto com alguns dos outros atores.

Muito conveniente.

— Como estou fazendo isso com você, quero um favor em troca — emendou Tella, com um toque de inspiração.

Julian balançou a cabeça para a frente e para trás, parecendo considerar a situação.

— Que tipo de favor?

— Quero saber o verdadeiro nome de Lenda. Quem é Lenda, *realmente*?

Julian riu antes que Tella conseguisse terminar a frase.

— Não me diga que você está apaixonada por ele também.

— Sei que não devo me apaixonar por Lenda.

— Ótimo. E, não — disse Julian, que não estava mais rindo. — Isso não chega nem perto de ser uma troca justa. Mesmo que fosse, não posso lhe dizer o nome de Lenda.

Tella cruzou os braços diante do peito. Não esperava realmente que ele fosse responder. Os poucos artistas que conseguira questionar lhe deram respostas similares. Ela recebeu muitas risadas e sorrisos tortos, e alguns, inclusive, a ignoraram completamente. Imaginou que aquilo tinha acontecido porque a maioria não fazia a menor ideia de quem Lenda realmente era, mas a resposta de Julian era suficientemente diferente para lhe dar esperanças de que finalmente encontrara alguém mais bem informado.

— Se você não puder me dizer o nome de Lenda, então me indique alguém que possa. Caso contrário, nosso acordo está desfeito.

Todos os traços de humor que restavam em Julian desapareceram.

— A identidade de Lenda é seu segredo mais bem guardado. Ninguém nesta ilha vai revelá-lo a você.

— Então, suponho que terei que revelar a verdade sobre Armando a Scarlett. — Tella se virou para sair do beco.

— Espere... — Julian a agarrou pelo pulso.

Tella resistiu ao impulso de sorrir. Ele estava desesperado.

— Se você prometer não falar a Scarlett sobre Armando, eu lhe dou o nome de um ator que talvez responda a algumas perguntas.

— "Talvez"?

— Ele está no Caraval desde o início e sabe de muitas coisas. Mas não dá informações de graça.

— Eu não acreditaria nele se o fizesse. Diga-me o nome dele e selamos o acordo.

— É Nigel — respondeu Julian, em voz baixa. — Ele é o clarividente de Lenda.

Tella nunca havia conversado com Nigel, mas sabia quem ele era. O jovem era inconfundível. Cada centímetro do corpo de Nigel, incluindo o rosto, estava coberto por tatuagens chamativas e vívidas que ele usava para prever o futuro. Claro, o papel de Nigel soava diferente nos lábios de Julian, como se ele não estivesse ali para aqueles que jogavam o Caraval, mas para passar informações ao Mestre do Caraval.

— Tenha cuidado — acrescentou Julian, como se Tella precisasse de outro aviso. — Clarividentes não são como você e eu. Eles veem o mundo da maneira que ele poderia ser e às vezes tentam influenciar sobre aquilo que eles querem, em vez daquilo que deveria ser.

5

O ar estava cheio de sal e segredos. Tella respirou fundo, esperando que a noite também estivesse entremeada com a mágica que assombrava o navio de Lenda, o *La Esmeralda*.

Toda a embarcação respirava a encantamentos. Até mesmo suas velas infladas pareciam ser mágicas. Reluziam vermelhas durante o dia e prateadas à noite, como o manto de um mágico, dando indícios sobre os mistérios escondidos em seu interior que Tella planejava desvelar naquela noite.

Risadas embriagadas flutuavam acima dela conforme Tella penetrava nas profundezas do casco do navio em busca de Nigel, o Clarividente. Em sua primeira noite na embarcação, ela cometera o erro de dormir, percebendo somente no dia seguinte que os atores de Lenda haviam trocado seus horários de sono enquanto se preparavam para o próximo Caraval. Eles dormiam durante o dia e despertavam após o pôr do sol.

Tudo que Tella conseguira descobrir no primeiro dia a bordo do *La Esmeralda* era que Nigel estava no navio, mas ainda não o avistara. Os salões que rangiam nos conveses inferiores eram como as pontes do Caraval, levando a lugares diferentes em horários diferentes e tornando difícil saber quem ficava em cada aposento. Tella se perguntava se Lenda havia criado o navio daquela maneira ou se era obra da natureza imprevisível da magia.

Ela imaginava Lenda com sua cartola, rindo da pergunta e da ideia de que a magia exercia mais controle do que ele. Para muitos, Lenda era a definição da magia.

Assim que chegou à Isla de los Sueños, Tella começou a suspeitar que qualquer um poderia ser Lenda. Julian tinha tantos segredos que ela questionara se a identidade de Lenda seria uma delas, até o momento em que ele brevemente morreu. Caspar, com seus olhos faiscantes e riso arrebatador, interpretou o papel de Lenda no último jogo, e às vezes era tão convincente que Tella se perguntava se ele realmente estava atuando. À primeira vista, Dante, que era quase bonito demais para ser real, parecia-se com o Lenda que ela sempre imaginara. Tella conseguia visualizar os ombros largos de Dante enchendo um fraque negro, enquanto uma cartola de veludo lhe cobria a cabeça. Quanto mais pensava sobre Lenda, mais ela imaginava se ele realmente usava uma cartola. Talvez o símbolo fosse outra coisa criada para despistar as pessoas. Talvez Lenda fosse mais magia do que homem, e Tella nunca o houvesse conhecido em carne e osso.

O barco jogava conforme avançava pelo mar, e um riso de verdade cortou o silêncio.

Tella ficou paralisada.

O riso cessou, mas o ar naquele corredor estreito mudou. O que antes cheirava a sal, madeira e umidade se transformou em algo denso e doce como o veludo. O aroma de rosas.

A pele de Tella se eriçou; brotoejas cobriram seus braços nus.

A seus pés, uma poça de pétalas formava um caminho sedutor de vermelho.

Tella talvez não conhecesse o verdadeiro nome de Lenda, mas sabia que ele tinha preferência por vermelho, rosas e jogos.

Será que essa foi uma maneira que ele encontrou de brincar com ela? Será que sabia o que ela estava planejando?

As brotoejas em seus braços subiram até o pescoço e alcançaram o couro cabeludo enquanto seu par mais novo de sandálias esmagava as pétalas delicadas. Se Lenda sabia o que ela estava buscando, Tella não conseguia imaginar que ele a levaria na direção correta; mesmo assim, a trilha de pétalas era tentadora demais para evitar. Elas levavam até uma porta que brilhava em tons de cobre nas beiradas.

Ela girou a maçaneta.

E seu mundo se transformou em um jardim, um paraíso feito de flores que desabrochavam e romances encantados. As paredes eram formadas de luar. O teto era feito de rosas que escorriam em direção à mesa no centro da sala, coberta com travessas de bolos, luz de velas e vinho espumante adoçado com mel.

Mas nada daquilo era para Tella.

Era tudo para Scarlett. Tella havia entrado na história de amor da irmã, e aquilo era incrivelmente romântico e doloroso de assistir. Scarlett estava do outro lado da câmara. Seu vestido longo de rubi tinha cores mais vivas do que quaisquer outras flores, e sua pele reluzente rivalizava com a lua enquanto ela olhava para Julian.

Eles não tocavam em nada, exceto um no outro. Enquanto Scarlett pressionava os lábios nos de Julian, os braços dele a envolviam como se o rapaz houvesse encontrado a única coisa da qual jamais desejava se separar.

Era por isso que o amor era tão perigoso. O amor transformava o mundo em um jardim, tão atraente que era fácil se esquecer de que pétalas de rosa eram tão efêmeras quanto sentimentos, que após algum tempo elas iriam murchar e morrer, não deixando nada além dos espinhos.

Tella deu meia-volta e saiu pela porta antes que pudesse formular algum outro pensamento cruel. Scarlett merecia essa felicidade. E talvez ela durasse. Talvez Julian se mostrasse digno de Scarlett e cumprisse suas promessas. Parecia que ele realmente estava se esforçando para tanto.

E, diferentemente de Tella, Scarlett não era a única que havia sido condenada a um amor não correspondido pelo Príncipe de Copas.

O corredor se transformou outra vez assim que Tella fechou a porta. A trilha de pétalas diante dela desapareceu, e um novo caminho se formou com a fumaça de gengibre e incenso — os aromas que sempre pairavam ao redor de Nigel.

Novamente, Tella sentiu que Lenda estava brincando com ela conforme a fumaça volteante do incenso se alargava até ganhar a forma de mãos, acenando para que ela viesse até uma porta aberta.

A pele de Tella esquentou quando ela entrou no cômodo. Velas de cera amarelada contornavam o aposento, e no meio de tudo aquilo estava Nigel, relaxando em cima de uma cama coberta por uma colcha de veludo com uma cor escura de vinho de ameixas. Seus lábios, emoldurados por tatuagens de arame farpado azul, abriram-se largamente; não exatamente um sorriso, e sim algo mais parecido com uma armadilha que se abria.

— Eu estava me perguntando quando você viria me visitar, senhorita Dragna. — Ele fez um gesto para que Tella se sentasse junto à montanha de almofadas decoradas colocadas ao pé de seu estrado temporário. Assim como aconteceu durante o Caraval, Nigel vestia somente um pedaço de tecido marrom, deixando expostas todas as suas tatuagens vibrantes.

Os olhos de Tella pousaram nas cenas circenses retratadas nas pernas grossas do clarividente, transfixada pela imagem de uma mulher com penas no lugar dos cabelos, dançando com um lobo de cartola. Sem desejar que Nigel interpretasse o significado, ela ergueu rapidamente os olhos, e eles pousaram em seu braço e na imagem de um coração negro partido.

— O que posso fazer por você? — perguntou Nigel.

— Não quero que você preveja o meu futuro. Quero informações sobre Lenda.

As estrelas tatuadas ao redor dos olhos de Nigel brilharam como tinta úmida, ansiosas e intrigadas.

— Quanto você está disposta a pagar por isso?

Tella tirou uma bolsa de moedas do bolso.

Nigel fez um sinal negativo com a cabeça. É claro que ele não aceitaria seu dinheiro. Moedas não eram o meio de pagamento preferencial no mundo do Caraval.

— Tradicionalmente, nós nos apresentamos uma vez por ano, o que resulta em vários meses para que possamos nos recuperar — disse Nigel. — Desta vez, Lenda nos deu menos de uma semana.

— Não vou lhe dar nenhum dia da minha vida.

— Não desejo a sua vida. Quero o seu repouso.

— Quanto? — perguntou Tella cautelosamente. Ela já havia passado vários dias sem dormir antes. Abrir mão de algumas noites de repouso não parecia um sacrifício tão grande. Mas era assim que esses acordos sempre pareciam ser. Na superfície, os artistas de Lenda faziam com que parecessem ser inconveniências insignificantes, mas as coisas nunca aconteciam de maneira tão direta.

— Vou tomá-lo de você na proporção do que eu lhe der — disse Nigel. — Quanto mais perguntas eu responder, maior será o repouso que vou ganhar. Se eu não lhe der nenhuma resposta de valor, você não perderá nada.

— E quando você vai tomar o meu sono?

— Assim que você deixar estes aposentos.

Tella tentou pensar em todas as ramificações possíveis daquele acordo. Era a noite do vigésimo quarto dia, e a comitiva deveria chegar a Valenda na manhã do vigésimo nono. Ainda restavam quatro dias de viagem. Dependendo de quanto sono Nigel lhe tomasse, ela estaria exausta quando chegassem a Valenda. Mas, se o clarividente lhe desse informações concretas sobre Lenda, valeria a pena.

— Tudo bem. Mas só lhe darei o meu sono enquanto estivermos neste navio. Você não vai poder tomar nada de mim enquanto estivermos em Valenda.

— Esse é um acordo que posso aceitar. — Nigel pegou uma escova, juntamente com um pequeno caldeirão cheio de um líquido alaranjado incandescente da mesinha ao lado da cama. — Vou precisar do seu pulso para completar a transação.

Tella hesitou.

— Você não vai pintar nada que seja permanente nele, não é?

— Qualquer coisa que eu desenhar vai desaparecer assim que você completar o pagamento da sua dívida.

Tella estendeu o braço. Nigel se moveu com bastante perícia; seu pincel frio girou e volteou sobre a pele de Tella, como se ele frequentemente usasse partes de corpos como telas.

Quando terminou, um par de olhos, exatamente como os de Tella, encarava-a. Redondos e com um tom brilhante de amêndoa. Por um momento, ela jurou que eles lhe imploravam para não fazer essa escolha. Mas perder um pouco de sono parecia um sacrifício pequeno se ele lhe desse a informação de que ela precisava para pagar a dívida com seu amigo e acabar definitivamente com os sete anos de tormento que haviam começado no dia em que sua mãe partira.

— Agora... o que você deseja saber? — perguntou Nigel.

— Quero o verdadeiro nome de Lenda. Aquele pelo qual ele era chamado antes de se tornar Lenda.

Nigel deslizou um dedo pelos lábios cercados por arame farpado, extraindo uma gota de sangue... ou o sangue estava tatuado na ponta do dedo?

— Mesmo que eu quisesse, não poderia lhe dizer o nome de Lenda — disse Nigel. — Nenhum dos atores pode revelar esse segredo. A mesma bruxa que baniu os Arcanos da terra séculos atrás deu a Lenda os poderes que ele tem. Sua magia é muito antiga, mais velha do que ele, e força todos nós a guardarmos o segredo.

Embora ninguém soubesse ao certo por que os Arcanos desapareceram e deixaram que os humanos governassem a si próprios, havia rumores de que eles haviam sido proscritos por uma bruxa poderosa. Mas Tella nunca ouvira ninguém dizer que essa tinha sido a mesma bruxa que deu a Lenda os seus poderes.

— Isso não me diz nada sobre a verdadeira identidade de Lenda.

— Eu ainda não terminei — diz Nigel. — Eu ia lhe dizer o seguinte: a magia de Lenda impede que seu verdadeiro nome seja proferido ou revelado, mas é possível conquistá-lo.

Patas de aranha dançavam sobre a pele de Tella, e um dos olhos pintados em seu pulso começou a se fechar. A pálpebra caiu rapidamente, de uma maneira que a fez sentir como se estivesse ficando sem dinheiro, mas também como se estivesse muito próxima da resposta da qual precisava.

— E como posso conquistar o nome? — perguntou ela rapidamente.

— Você deve participar do próximo Caraval. Se vencer o jogo, ficará frente a frente com Lenda.

Tella podia jurar que uma das estrelas tatuadas ao redor dos olhos de Nigel caiu quando ele terminou de falar. Provavelmente era por causa de toda aquela fumaça de gengibre e do incenso pungente que lhe embotavam o cérebro, dando-lhe visões de tatuagens vivas.

Ela devia ter saído naquele momento. As pálpebras em seu punho já cobriam mais da metade dos dois olhos, e ela já tinha a resposta de que precisava: se vencesse o Caraval, finalmente teria o nome de Lenda. Mas alguma coisa nas últimas palavras de Nigel a deixou com ainda mais perguntas.

— O que você acabou de dizer é uma profecia ou está me dizendo que o prêmio do próximo Caraval é o verdadeiro Lenda?

— Um pouco de cada. — As tatuagens de arame farpado que perfuravam os lábios de Nigel se transformaram em espinhos, e rosas negras brotaram entre eles. — Lenda não é o prêmio, mas, se você vencer o Caraval, o primeiro rosto que verá será o de Lenda. Ele planeja dar pessoalmente a recompensa ao próximo vencedor do Caraval. Mas esteja avisada: vencer o jogo vai custar um preço do qual você irá se arrepender depois.

A pele de Tella ficou gelada conforme os olhos pintados em seus pulsos se fecharam totalmente, e o alerta familiar de sua mãe lhe voltou à mente: *uma vez que um futuro seja previsto, ele se torna uma coisa viva, e vai lutar duramente para se transformar em realidade.*

E foi então que aquilo a atingiu. Uma onda de fadiga tão intensa que a derrubou contra a cama almofadada. A cabeça dela girou, e os ossos das pernas se transformaram em poeira.

— O que está acontecendo? — resfolegou ela, com uma dificuldade súbita para respirar enquanto lutava para conseguir erguer o corpo. Será que havia mais fumaça na sala ou sua visão realmente estava ficando borrada?

— Eu provavelmente devia ter esclarecido a situação — disse Nigel. — O feitiço no seu pulso não remove sua capacidade de dormir. Ele faz com que você adormeça de modo que possa transferir o restante do sono que receber para mim.

— Não! — disse Tella quando fez força para se levantar da cama, a visão ficando cada vez mais estreita até que tudo que conseguia enxergar eram vislumbres de tatuagens zombeteiras e a luz debochada das velas. — Não quero dormir durante toda a viagem até Valenda.

— Receio que seja tarde demais. Da próxima vez, não aceite barganhas tão facilmente.

6

Já houvera naufrágios mais elegantes e graciosos do que Tella. Enquanto cambaleava para longe dos aposentos de Nigel, as pernas se recusavam a andar em linha reta. Os quadris trombavam o tempo todo com as paredes. A cabeça bateu contra mais de um dos lampiões que estavam pendurados. A jornada até seu quarto tinha sido tão perigosa que ela perdera as sandálias — de novo. Mas já estava quase lá.

A porta vacilou diante de seus olhos, um último obstáculo a conquistar. Tella concentrou toda a sua força para abri-la. E então...

Ou ela tinha entrado no quarto errado ou já começara a sonhar.

Dante tinha asas. E, pela divina mãe dos santos, eram lindas — negras como azeviche e com veios em azul-noturno, a cor dos desejos perdidos e da poeira estelar. Ele estava virado para sua mesinha de cabeceira, lavando o rosto ou talvez estivesse beijando o próprio reflexo no espelho.

Tella não tinha noção exata do que aquele rapaz arrogante estava fazendo. Tudo que os olhos embaçados conseguiam ver era que sua camisa e seu casaco haviam desaparecido e que um par enorme de asas negras se abria por sobre as vértebras e costelas das costas dele.

— Você poderia ser um anjo da morte com essas coisas.

Dante olhou para ela por cima do ombro. Cabelos úmidos da cor do pelo de uma raposa negra lhe tocavam a testa.

— Já fui chamado de muitas coisas, mas não sei se alguém chegou a dizer que eu era um anjo.

— Quer dizer, então, que já foi chamado de morte? — Tella desabou sobre a soleira da porta, as pernas finalmente cedendo. Ela se chocou contra o chão com um baque bastante deselegante.

Um riso, delicado, leve e muito feminino, veio do outro lado do quarto.

— Acho que ela desmaiou porque viu você.

E *agora* ela sentia vontade de vomitar. Havia outra garota no quarto. Tella percebeu o vislumbre nauseante de um vestido verde-jade e cabelos escuros e sedosos antes que o corpo de Dante entrasse em sua linha de visão.

Ele balançou lentamente a cabeça.

— Mas o que você...

O olhar de Dante se fixou no par de olhos fechados pintados no pulso de Tella.

Ele soltou um som entrecortado que podia até ser uma risada contida. Mas Tella não tinha certeza. A audição dela estava quase tão entorpecida quanto a cabeça. Os olhos cederam e se fecharam.

— Estou surpreso que ele tenha conseguido fazer isso. — As palavras de Dante estavam muito próximas agora, e baixas.

— Eu estava entediada — balbuciou Tella. — Parecia uma maneira interessante de passar o tempo.

— Se isso for verdade, você devia simplesmente ter vindo falar comigo.

— Dante definitivamente estava rindo agora.

Os próximos dias foram um borrão de alucinações infelizes. Nigel tomou todos os sonhos de Tella, mas deixou que ela ficasse com os pesadelos. Eram imagens assustadoramente realistas de seu pai, eternamente removendo as luvas roxas, assim como visões de sombras e tons escuros que não existiam no mundo mortal. Mãos frias e úmidas acariciavam seus cabelos e outras lhe arrancavam o coração, enquanto lábios ressecados sorviam o tutano de seus ossos.

Antes de passar pela experiência da morte durante o Caraval, Tella talvez dissesse que os sonhos lhe davam a sensação de morrer várias e várias vezes. Mas nenhuma sensação era igual à morte, exceto a própria Morte. Não devia se deixar levar pela ingenuidade de que a Morte não a assombraria depois que escapara. Tella era incrível; é claro que a Morte iria querer mantê-la consigo.

Embora houvesse sonhado com os demônios da Morte, quando Tella recuperou a consciência, ela foi saudada por uma deusa.

Scarlett estava ao lado de sua cama, empunhando uma bandeja de tesouros, coberta com biscoitos de creme, ovos fritos em manteiga, creme com noz-moscada, grossas tiras de bacon caramelado e uma caneca fumegante de chocolate quente com especiarias.

Tella afanou o mais gordo dos biscoitos de creme. Sentia-se grogue, apesar de ter dormido por dias, mas comer a ajudou.

— Eu já lhe disse o quanto a amo?

— Achei que você estaria com fome depois do que aconteceu.

— Scar, desculpe. Eu...

— Não precisa se desculpar. Entendo o quanto é fácil se deixar enganar pelos artistas de Lenda. E todos a bordo deste navio pensam que Nigel tirou muito de você. — Scarlett encarou Tella como se esperasse que a irmã fosse confessar exatamente o motivo pelo qual tinha ido até o clarividente.

Embora Tella quisesse justificar suas ações, sentiu que aquele não era o melhor momento para mencionar o acordo que fizera com seu amigo. Scarlett ficaria horrorizada se soubesse que a irmã vinha se correspondendo com um estranho que conhecera por meio dos Mais Procurados de Elantine, um estabelecimento que, na melhor das hipóteses, poderia ser chamado de "suspeito".

Tella contara a verdade a Julian quando disse que não gostava de mentir para a irmã. Infelizmente, isso nem sempre a impedia de fazê-lo. Tella escondia segredos de Scarlett para impedir que se preocupasse. O desaparecimento de sua mãe significava que Scarlett deixara de ser uma garota descuidada ainda jovem, assumindo a função de cuidadora de Tella.

Não era justo, e Tella detestava ter de acrescentar fardos ainda mais pesados àqueles que a irmã já carregava.

Mas Tella começou a se perguntar se Scarlett já descobrira o que ela havia feito.

Scarlett alisava o tempo todo as dobras do vestido, que pareciam ficar ainda mais amarrotadas com cada toque. Durante o

Caraval, Lenda dera a Scarlett um vestido mágico que mudava de aparência — e, agora, parecia estar tão ansioso quanto a própria Scarlett. Suas mangas eram feitas de renda cor-de-rosa, mas agora estavam assumindo um tom cinzento.

Tella tomou um gole fortificante do chocolate e forçou-se a ficar sentada com o corpo mais ereto na cama.

— Scar, se você não está irritada pela troca que fiz com Nigel... então o que a está deixando aflita?

A boca de Scarlett se curvou para baixo.

— Eu queria conversar com você sobre Dante.

Maldição. Não era o que ela esperava, mas não era também nada de bom. Tella se esquecera de haver desmaiado no quarto de Dante. Ele provavelmente a trouxera de volta para cá, e Scarlett o vira, seminu e segurando Tella contra o peito.

— Scar, não sei o que você está pensando, mas juro que não há nada entre Dante e mim. Você sabe o que sinto em relação a rapazes que são mais bonitos do que eu.

— Quer dizer, então, que não aconteceu nada entre vocês dois depois que o Caraval terminou? — Scarlett atravessou a minúscula cabine e pegou um par de sandálias prateadas, as mesmas que Tella havia deixado na floresta. — Ele trouxe isto ontem, junto com um bilhete bem interessante

O estômago de Tella revirava enquanto ela pegava a pequena folha de papel que aparecia por dentro de um dos calçados.

> *Estou querendo devolvê-las desde a noite que passamos juntos na floresta.*
> *— D*

Ele realmente era um canalha. Tella amassou o bilhete, fechando o punho com força. Dante devia ter escrito aquilo para atormentar Scarlett, já que ela o rejeitara durante o Caraval.

— Está bem — disse Tella. — Eu confesso. Dante e eu realmente nos beijamos na noite da festa. Mas foi terrível, um dos piores beijos que já recebi, e definitivamente não foi algo que tenho vontade de repetir! E lamento se você ficou magoada por eu ter feito isso. Sei que ele agiu de um jeito terrível com você durante o Caraval.

Scarlett franziu os lábios.

Tella provavelmente levara a mensagem um pouco longe demais. Bastava uma olhada em Dante e qualquer garota perceberia que ele sabia muito bem o que fazer com os lábios.

— Não me importo se você o beijou — disse Scarlett. — Se eu o conhecesse antes de Julian, talvez o tivesse beijado também.

Uma imagem incrivelmente perturbadora surgiu na cabeça de Tella, e ela compreendeu a apreensão da irmã de maneira ainda mais precisa. A ideia de que Scarlett e Dante pudessem estar juntos fez com que Tella quisesse ameaçá-lo para ficar o mais distante possível da irmã, mesmo que não achasse que houvesse a menor possibilidade de aquilo acontecer. Mas, se a simples noção já afligia Tella — que gostaria muito de ver Scarlett se divertindo —, ela era capaz de imaginar toda a preocupação que a irmã superprotetora sentia.

— Não quero controlar você — prosseguiu Scarlett. — Nós duas já estamos fartas disso. Simplesmente não quero que você se machuque. O Caraval começa amanhã à meia-noite, mas, conforme aprendi no último jogo, Lenda coloca suas peças no tabuleiro com bastante antecedência. — Scarlett olhou novamente, com preocupação, para as sandálias que Dante devolvera.

— Você não tem com que se preocupar, Scar. — Pelo menos dessa vez, Tella estava falando a verdade absoluta. — Confio em Dante ainda menos do que confio na maioria das pessoas e sei melhor do que ninguém que não devo me deixar arrebatar pelo Caraval.

— Achei que você tivesse dito que não iria jogar.

— Talvez eu tenha mudado de ideia.

— Tella, eu gostaria que você não fizesse isso. — Scarlett alisou as saias do vestido, que, agora, estavam completamente cinzentas, e desta vez deixou manchas de suor no tecido. — O que aconteceu com Nigel me lembrou das coisas mais lamentáveis que presenciei. Não quero nada disso para você.

— Então jogue comigo. — As palavras de Tella voaram impulsivamente, mas, mesmo depois de pensar nelas pela segunda vez, a ideia lhe pareceu brilhante. Tella havia observado o Caraval nos bastidores, mas a irmã realmente jogara e vencera. Se jogassem como equipe, seriam imbatíveis. — Se estivermos juntas, você pode garantir que eu não seja enganada de novo por atores como Nigel. E posso garantir que você vai se divertir. Cuidaremos uma da outra.

O vestido de Scarlett imediatamente se empertigou, como se estivesse totalmente a favor da ideia. As rendas cinzentas e monótonas assumiram um tom vermelho-framboesa que se espalhou pelas mangas, indo até o corpete. Infelizmente, Scarlett ainda parecia desconfiada. Havia deixado de alisar as saias para enrolar ansiosamente o tufo de cabelos prateados ao redor dos dedos, uma mecha que conseguira depois de perder um dia de sua vida no último Caraval.

Tella pensou em contar a Scarlett a verdadeira razão pela qual precisava jogar e vencer, mas duvidava que mencionar a mãe ajudaria a convencer a irmã. Scarlett não falava sobre a mãe. Nunca. Sempre que Tella tentava conversar sobre Paloma, Scarlett mudava de assunto ou a ignorava completamente. Tella costumava pensar que aquilo era difícil demais para Scarlett, mas, agora, pensava que a dor da irmã havia se transformado em ódio pela maneira como a mãe as havia deixado.

Tella compreendia a sensação: ela mesma preferia jamais conversar sobre seu pai e também evitava pensar nele.

Mas a mãe delas não era monstruosa como o pai.

— Carmim? — Várias batidas fizeram tremer a porta da pequena cabine onde elas estavam. — Você está aí?

A expressão de Scarlett mudou imediatamente ao ouvir o som da voz de Julian; as linhas preocupadas de expressão se suavizaram e se transformaram em feições sorridentes.

— Chegamos a Valenda — emendou Julian. — Vim ver se posso levar os seus baús e os de sua irmã para o convés.

— Se ele quer levar minha bagagem, por favor, deixe que entre — disse Tella.

Scarlett não precisou ouvir aquilo uma segunda vez.

No momento em que ela abriu a porta, Julian sorriu como um pirata que acabava de encontrar seu tesouro. Tella jurava que os olhos de Julian genuinamente brilharam como brasas enquanto ele fitava a irmã.

Scarlett retribuiu os olhares com um enorme sorriso. E a renda em seu vestido também reagiu, tingindo-se em um tom mais escuro de vermelho-fogo enquanto a saia do vestido deixou de ser rodada e agora estava mais justa.

Tella engoliu seu chocolate ruidosamente, interrompendo o casal antes que os olhares de desejo pudessem se transformar em beijos cheios de luxúria.

— Julian, por favor, me ajude aqui — disse Tella. — Estou tentando convencer Scarlett a formar uma equipe comigo para participarmos do Caraval.

Julian ficou sério imediatamente. Lançou um olhar para Tella, subitamente severo. Foi breve como o rasgar de um relâmpago, mas inconfundivelmente claro. Não queria que Scarlett participasse do jogo. E Tella sabia exatamente por quê. Ela mesma devia ter pensado naquilo.

Se Scarlett jogasse, acabaria por descobrir a verdade sobre Armando — que ele havia interpretado o papel de seu noivo no último Caraval —, e as verdades de Julian e Tella seriam expostas. Seria muito pior para Julian do que para Tella, mas a maior dor de todas certamente seria de Scarlett.

— Pensando melhor... — disse Tella, despreocupadamente, tentando corrigir seu erro. — Talvez fosse melhor eu jogar sozinha. Você provavelmente vai me fazer perder tempo.

— Que pena. Porque eu quero jogar agora. — Os grandes olhos castanhos de Scarlett voltaram a se concentrar em Julian, reluzindo de um modo que nunca havia acontecido em Trisda. — Acabei de me lembrar de quão divertido o jogo pode ser.

Tella sorriu, concordando, mas a expressão estava tão forçada que foi difícil mantê-la.

Nigel a avisara de que, se vencesse o jogo, a vitória viria a um preço do qual ela iria se arrepender posteriormente. Scarlett também tentara avisá-la sobre o jogo. Mas, até aquele momento, Tella não havia sentido a força de nenhum desses dois alertas. Saber dos riscos do Caraval era uma coisa, mas era outra, totalmente diferente, vê-los se realizar. Mesmo que o jogo mais recente houvesse terminado, a irmã não escapara completamente.

Tella não queria terminar assim e não queria arrastar Scarlett por nada que pudesse lhe trazer mais dor. Mas, se Tella não jogasse e vencesse o jogo, talvez nunca mais voltasse a ver a mãe.

A CAPITAL DO IMPÉRIO MERIDIANO, VALENDA

7

De acordo com os mitos, outrora Valenda tinha sido a antiga cidade de Alcara, lar dos Arcanos retratados nas cartas do Baralho do Destino. Eles construíram a cidade com sua magia. Uma magia tão antiga e concentrada que, mesmo após séculos do desaparecimento dos Arcanos, fragmentos de seus encantamentos reluzentes continuavam existindo, fazendo as colinas de Valenda reluzirem com tanto brilho que, à noite, seriam capazes de iluminar metade do Império Meridiano.

Tella não sabia se esse mito era inteiramente verdadeiro, mas passou a acreditar quando avistou pela primeira vez o porto de Valenda ao crepúsculo.

Um pôr do sol violeta cobriu tudo em sombras roxas e escuras, e ainda assim o mundo diante dela cintilava, desde as pontas de suas ruínas ancestrais, formadas por colunas e arcos gigantescos desmoronados, até as águas calmas que lambiam o casco do *La Esmeralda*. Os píeres raquíticos em sua ilha natal de Trisda pareciam-se com ossos quebradiços quando comparados aos atracadouros fortes e vívidos que se estendiam diante de seus olhos agora, flanqueados por corvetas e escunas com bandeiras verde-sereia. Algumas dessas embarcações eram capitaneadas por marinheiras, audaciosamente trajadas com saias de couro liso e botas que subiam até a altura das coxas.

Tella já estava adorando o lugar.

Sua imaginação se ampliou conforme ela esticou o pescoço para olhar para cima.

Ouvira dizer que havia carruagens celestes que voavam acima das colinas sobre as quais a cidade estava assentada como pássaros, mas era diferente vê-las em pessoa. Elas avançavam por entre o céu em tons de alfazema que escurecia com a graça de nuvens pintadas, baloiçando para cima e para baixo em estouros de orquídea, topázio, magenta, lilás, seda de fibras de milho, hortelã e outras cores que Tella ainda não havia visto. Elas não voavam realmente; em vez disso, ficavam dependuradas em cordas grossas que atravessavam os vários distritos de Valenda.

— Vamos lá — chamou Scarlett, segurando na mão de Julian enquanto desciam rumo à doca abarrotada de pessoas. — Um grupo especial de carruagens aéreas vai nos levar direto para o palácio. Não queremos que partam sem nós.

O navio havia chegado tarde, então todos estavam se movendo em passo acelerado. Havia muitos *Cuidado com isso* e *Olhe por onde anda*. As pernas curtas de Tella se apressaram para acompanhar os outros enquanto segurava o pequeno baú entres as mãos, que abrigavam o Aráculo junto com a maior parte de sua fortuna.

— Com licença. — Um garoto miúdo vestido como mensageiro apareceu na extremidade do píer. — Por acaso você é a senhorita Donatella Dragna?

— Sim — respondeu Tella.

O mensageiro acenou para que ela fosse até um grupo de barris localizado na beirada de outra doca.

Tella não fez menção de segui-lo. Nunca acreditara totalmente nas histórias que sua avó contava sobre o quanto as ruas de Valenda poderiam ser perigosas para uma garota. Mas sabia que era fácil para uma pessoa desaparecer em uma doca. Tudo que seria necessário era que alguém a arrastasse para algum outro navio e a empurrasse para baixo do convés enquanto os olhos estivessem virados para o outro lado.

— Preciso alcançar minha irmã — disse Tella.

— Por favor, senhorita, não fuja. Não vou receber meu pagamento se você for embora. — O jovem mensageiro lhe mostrou um envelope lacrado com um círculo de cera dourada que formava uma combinação intrincada de adagas e espadas quebradas. Tella o reconheceu instantaneamente. *Seu amigo.*

Como ele já sabia que ela estava em Valenda?

Como se respondesse à sua resposta, a moeda sem sorte no bolso de Tella batia como se fosse um coração. Ele provavelmente a estava usando para rastreá-la; mais uma prova de que era habilidoso para encontrar pessoas.

Tella gritou para Scarlett e Julian, dizendo-lhes que os encontraria mais tarde, e escapuliu para a outra doca com o mensageiro.

Uma vez que estavam escondidos atrás de uma pilha de barris pesados, o mensageiro rapidamente passou o *communiqué* a Tella e em seguida saiu em disparada, antes que a jovem pudesse quebrar o lacre.

Dentro do envelope havia dois quadrados. O primeiro era uma folha simples, coberta com uma caligrafia familiar.

Seja bem-vinda a Valenda, Donatella.

Minhas sinceras desculpas por não conseguir recebê-la pessoalmente, mas não se preocupe; não serei um estranho por muito tempo. Tenho certeza de que você está tão ansiosa para encontrar sua mãe quanto eu estou para descobrir o nome de Lenda.

Conhecendo você, imagino que irá participar do Caraval. Mesmo assim, apenas por precaução, incluí um convite para as festividades da primeira noite.

Traga a moeda que lhe dei ao baile antes da meia-noite. Mantenha-a na sua palma e não terei dificuldades para encontrá-la. Não se atrase; não pretendo me demorar.

Até lá,

— Um amigo

Tella puxou o outro cartão, revelando uma página perolada coberta com tinta azul-royal ornamentada.

Lenda a escolheu para disputar um

jogo que pode mudar seu destino.

Em homenagem ao 75o aniversário da Imperatriz Elantine,

o Caraval vai visitar as ruas de Valenda

durante seis noites mágicas.

Sua jornada começará no Baile Predestinado, dentro do Castelo Idyllwild.

O jogo começa oficialmente à meia-noite do trigésimo dia da Estação Germinal,

e termina ao alvorecer do Dia de Elantine.

O trigésimo dia era o dia seguinte.

Cedo demais para Tella se encontrar com seu amigo.

Nigel dissera que a única maneira que ela teria para descobrir o nome de Lenda seria vencer o Caraval. Ela precisava de mais uma semana para jogar — e vencer — o jogo. Com certeza o amigo lhe daria mais uma semana.

Mas... e se ele dissesse não e se recusasse a reuni-la com sua mãe?

Uma onda rebelde sacudiu a doca, mas, mesmo depois que a plataforma se estabilizou, Tella continuou abalada, como se o destino houvesse estremecido e o futuro de seu mundo tivesse sido reformado.

Rapidamente, ela colocou o pequeno baú que tinha nas mãos sobre o piso do ancoradouro. Atrás dos barris, estava escondida de quaisquer outros olhares. Ninguém a viu abrir o baú, e, mesmo que uma batelada de pessoas a estivesse observando, isso não a deteria. Tella precisava examinar o Aráculo.

Seus dedos geralmente formigavam quando entravam em contato com a carta, mas, quando tocaram o retângulo de papel desta vez, ficaram entorpecidos; *tudo* ficou entorpecido quando Tella viu uma nova imagem. Sua mãe não estava mais presa atrás das grades de uma prisão; estava com os lábios azulados, pálida e morta.

Tella segurou a carta com tanta força que ela devia ter ficado toda amassada em sua mão. Mas aquele pequeno artefato mágico parecia ser indestrutível. Ela desabou atrás dos barris úmidos.

Algo novo devia ter acontecido para alterar o futuro de sua mãe. Tella dormira durante os últimos quatro dias. A mudança não deveria ser um resultado de suas ações, a menos que tivesse algo a ver com a conversa que ela teve com Nigel.

Julian avisara Tella de que clarividentes como Nigel brincavam com o futuro. Talvez ele tivesse pressentido algo no destino de Tella que colocava Lenda em risco. Ou talvez Lenda quisesse brincar com Tella por tentar descobrir seu segredo guardado com mais afinco, e o plano de Lenda, qualquer que fosse, havia mudado o destino de sua mãe.

Aquela ideia já deveria assustá-la. Lenda não era uma pessoa boa para se ter como inimigo. Mas, por alguma razão distorcida, a ideia serviu apenas para fazer Tella sentir ainda mais vontade de jogar aquele jogo. Agora ela só precisaria convencer seu amigo a lhe dar mais uma semana para vencer o Caraval, descobrir o nome de Lenda e salvar a vida de sua mãe.

Quando Tella chegou à casa que abrigava as carruagens, a escuridão já encobrira a cidade com seu manto. Ao ar livre a noite estava fria, mas dentro da casa das carruagens o ar estava morno e banhado pela luz âmbar dos lampiões.

Tella passou por baia após baia onde estavam abrigadas carruagens coloridas, todas presas a grossos cabos que as levavam a todas as partes da cidade. O cabo dedicado ao palácio estava no final. Mas não conseguia ver Scarlett em lugar nenhum. Dissera à irmã que a alcançaria mais tarde, mas ainda assim Tella ficou surpresa ao perceber que Scarlett não a havia esperado.

A carruagem dependurada diante de Tella balançou conforme um cocheiro corpulento abriu uma porta de marfim e indicou a ela que entrasse em um compartimento pequeno, recoberto por almofadas cor de manteiga com detalhes espessos em azul-royal, a mesma cor das cortinas que emolduravam as janelas ovais.

O único outro passageiro era um jovem de cabelos dourados que Tella não reconhecia.

Os atores de Lenda vieram a Valenda em dois navios, e Tella imaginava que houvesse atores a serviço do Caraval que ela nunca chegara a conhecer. Mas suspeitava que o rapaz que estava na carruagem não fosse um deles. Tinha somente alguns anos a mais do que ela, e mesmo assim parecia haver passado séculos praticando a arte do desinteresse. Até mesmo seu fraque de veludo amarrotado parecia entediado enquanto ele se reclinava nos bancos de couro elegantes.

Intencionalmente evitando olhar para Tella, ele mordeu uma maçã intensamente branca.

— Você não pode viajar aqui.

— Perdão?

— Você me ouviu perfeitamente. Precisa se retirar. — A voz arrastada do cavalheiro era tão preguiçosa quanto sua postura cavalheiresca, o que fez Tella pensar que ele era uma pessoa completamente descuidada ou então estava tão acostumado a ver as pessoas baixarem a cabeça para suas palavras que nem tentava soar autoritário.

Nobre mimado.

Tella nunca conhecera um aristocrata de quem gostasse. Eles frequentemente vinham conversar com seu pai em busca de favores ilegais, oferecendo-lhe dinheiro, mas nunca respeito; todos pareciam pensar que as gotas de sangue real que lhes corriam nas veias os tornavam superiores aos outros.

— Se você não deseja viajar comigo, então pode sair — disse ela.

O jovem nobre respondeu com um discreto meneio da cabeça dourada, seguido por um lento arquear de lábios estreitos — como se houvesse mordido uma parte mais farinhenta da maçã.

É só sair da carruagem, avisou uma voz na cabeça de Tella. *Ele é mais perigoso do que parece*. Mas Tella não estava disposta a se deixar intimidar por um jovem preguiçoso demais para afastar os cabelos de cima dos olhos injetados. Ela detestava quando as pessoas usavam sua riqueza ou o título como justificativa para maltratar os outros; tal atitude a fazia lembrar-se de seu pai. E a carruagem já estava em ascensão, voando mais alto no céu noturno com cada uma das batidas aceleradas do coração de Tella.

— Você deve ser uma das atrizes de Lenda. — O rapaz podia ter rido, mas aquilo soou cruel demais para que Tella tivesse certeza. Ele inclinou o corpo para a frente naquele espaço confinado, enchendo a carruagem com o aroma pungente de maçãs e irritação. — Estou imaginando se você poderia me ajudar com algo sobre o qual estou curioso — prosseguiu ele. — Ouvi dizer que os artistas de Lenda nunca morrem realmente. Então, que tal se eu empurrá-la pela janela para saber se os rumores são verdadeiros?

Tella não sabia se a ameaça do rapaz era séria, mas era tentador demais conter uma réplica.

— Não se eu jogar você pela janela antes.

Isso lhe rendeu um lampejo de covinhas no rosto que poderia até ser encantador, mas, de algum modo, conseguiram parecer pouco cordiais, como uma joia lapidada na empunhadura de uma espada de dois gumes. Tella não conseguia decidir se as feições do rapaz eram angulosas demais para serem atraentes ou se ele era o tipo de homem tão bonito que admirá-lo chegava a doer, o tipo devastador de beleza que lhe cortaria a garganta enquanto você estaria ocupada olhando fixamente para seus olhos frios de mercúrio.

— Tenha cuidado, querida. Você pode ser uma das convidadas da imperatriz, mas muitas das pessoas em sua corte não são tão lenientes quanto eu. E eu não sou nem um pouco leniente.

Nhac. Dentes afiados deram outra mordida na maçã branca antes de deixá-la escorregar dos dedos e cair sobre as sandálias dela.

Tella chutou a maçã de volta na direção dele e fingiu não estar nem um pouco preocupada que ele cumprisse a ameaça que fizera. Chegou até mesmo a virar o rosto para longe dele, para a janela, enquanto a carruagem continuava a deslizar por sobre a cidade. Deve ter funcionado; pelo canto do olhar ela viu o rapaz fechar os olhos enquanto eles passavam por cima dos renomados distritos de Valenda.

Alguns distritos eram mais notórios que outros, como o Bairro das Especiarias, onde boatos diziam que itens deliciosamente ilícitos podiam ser encontrados, ou o Distrito do Templo, onde várias religiões eram praticadas. Supunha-se haver até mesmo uma Igreja de Lenda.

Estava escuro demais para conseguir enxergar algo distintamente, mas Tella continuou a olhar até a carruagem começar a descrever uma trajetória descendente rumo ao palácio. E ela finalmente conseguiu identificar mais do que as luzes mortiças das estrelas que cintilavam no céu.

A única coisa em que conseguia pensar era: *Os livros de história tinham mentido.*

Tella nunca se importara muito com castelos ou palácios. Scarlett era a irmã que fantasiava ser levada para longe por um nobre endinheirado ou para uma fortaleza de pedra escondida por um jovem rei. Para Scarlett, castelos eram bastiões de segurança que ofereciam proteção. Tella os via como prisões elegantes, perfeitas para vigiar, controlar e castigar. Havia versões maiores da mansão sufocante de seu pai em Trisda que não eram muito melhores do que uma jaula.

Conforme sua carruagem continuou a descida lenta e gradual, Tella começou a se indagar se havia sido apressada demais em seus julgamentos.

Sempre imaginara que castelos fossem coisas feitas de pedra cinzenta, cheios de mofo e corredores embolorados, mas o palácio cravejado de joias de Elantine ateava fogo à noite como um tesouro roubado do covil de um dragão.

Pensou ter ouvido o jovem nobre bufar, provavelmente devido a alguma expressão de admiração que surgiu em seu rosto. Mas Tella não se importava. Na verdade, chegava a sentir pena dele, se não fosse capaz de apreciar aquela beleza.

O palácio de Elantine repousava sobre a colina mais alta de Valenda. Bem ao centro, sua famosa torre dourada ardia com a força de um farol em tons de cobre e coral ígneos. Régio e impávido, até quase o alto onde a estrutura se arqueava como uma coroa, era uma reprodução perfeita da Torre Perdida dos Baralhos do Destino. Tella prendeu a respiração. Era a estrutura mais alta que já vira, e chegava até mesmo a parecer viva. Governava tudo como um eterno monarca, presidindo sobre cinco alas em arco e cravejadas de joias que se estendiam da torre como as pontas de uma estrela. E Tella teria a oportunidade de viver dentro dessa estrela por uma semana.

Não se sentia mais tão exausta e estava praticamente pulando de empolgação quando a carruagem finalmente pousou.

Diante dela, o nobre indolente a ignorou quando Tella saiu do veículo para a casa de carruagens cavernosa.

Tella imaginou se teria sido a última a chegar. O único som que ouvia era o pesado ranger das rodas dentadas que moviam os cabos das carruagens. Não viu nenhum dos atores de Lenda nem a irmã. Mas, entre os cabos com as carruagens que balançavam, havia uma boa quantidade de guardas envergando armaduras e sem qualquer expressão.

Um dos guardas acompanhou cada movimento de Tella; o tilintar de sua armadura a seguia conforme ela se afastava das carruagens e entrava nos jardins suntuosos da imperatriz. Os atores de Lenda podiam ser convidados de Elantine, mas, conforme Tella passava pelos jardins de pedra desgastados pelo tempo e topiarias elaboradas, ela teve uma súbita impressão de que a imperatriz não confiava em seus visitantes. E isso fez Tella se perguntar por que os convidara para se hospedar em seu palácio e executar o espetáculo para o seu aniversário.

Tella ouvira dizer que, quando era mais jovem, a Imperatriz Elantine tinha um espírito selvagem. Enfiara-se no Bairro das Especiarias e fingira ser uma cidadã comum para poder viver todo tipo de aventuras escandalosas e encontros românticos. Infelizmente, durante quase toda a vida de Tella, sabia-se que a imperatriz era bem menos audaciosa. Talvez o convite aos atores de Lenda fosse sua maneira de agir de modo descuidado mais uma vez. Tella duvidava daquilo; alguém que governava por um período tão longo quanto Elantine não o fazia com tamanha imprudência.

De algum modo, o interior do palácio era ainda mais magnífico do que seu exterior, que brilhava como joias. Tudo era impossivelmente grande, como se os Arcanos o houvessem construído somente para ostentar seu poder e posteriormente simplesmente o tivessem deixado para trás quando desapareceram. Pisos cintilantes de lápis-lazúli refletiram a entrada de Tella quando ela passou por colunas de quartzo azul maiores do que carvalhos e luminárias a óleo cristalinas tão altas quanto uma pessoa.

Subindo e descendo a imensa escadaria de mármore, servos se moviam como flocos de neve dançando no ar, mas, novamente, Tella não viu nenhum sinal da irmã ou de qualquer outro membro da trupe.

— Bem-vinda. — Uma mulher vestida com um tom imponente de azul chegou até diante de Tella. — Sou a governanta-chefe da ala de safira.

— Donatella Dragna. Vim com os atores de Lenda e receio estar um pouco atrasada.

— Eu diria, na verdade, que você está muito atrasada — disse a governanta, mas pronunciou aquilo com um sorriso, o que levou Tella a sentir um pouco de alívio enquanto a mulher examinava a lista que tinha nas mãos, cantarolando baixinho. Lentamente, o som agradável foi perdendo a força até parar.

O sorriso da mulher foi o próximo a desaparecer.

— Pode repetir o seu nome?

— É Donatella Dragna.

— Tenho aqui o nome Scarlett Dragna.

— É minha irmã.

A mulher ergueu o rosto, os olhos pousando brevemente no guarda que havia acompanhado Tella desde sua chegada.

— Sua irmã pode ser uma das hóspedes, mas receio que seu nome não esteja nos meus registros. Tem certeza de que foi convidada?

8

Não. Ela não havia sido convidada para o palácio, mas, se Scarlett estivesse na lista, Tella também deveria estar. Lenda estava brincando com ela. Devia ter removido seu nome da lista de convidados depois da conversa que Tella mantivera com Nigel.

Ela respirou fundo, recusando-se a ceder ao nervosismo, mas imaginou que cada criado na ala podia ouvir seu coração bater com força. Seria fácil demais para o guarda que a acompanhara até aqui jogá-la no olho da rua. Ninguém iria nem mesmo perceber isso imediatamente, dada a frequência com que Tella desaparecia intencionalmente e pelo fato de que ela já havia se separado de Scarlett e de todas as pessoas que conhecia em Valenda.

— A minha irmã... ela está hospedada aqui — disse Tella. — Posso ficar no quarto dela.

— Isso seria inaceitável — respondeu a governanta, mais rigidamente do que antes.

— Não vejo por que isso tem tanta importância — disse Tella. — Se conheço a minha irmã, ela iria até mesmo preferir que eu ficasse em seu quarto.

— E quem é a sua irmã? Ela é uma monarca real com um quinto do mundo a seus pés?

Tella mordeu a língua para não dizer algo que só serviria para enxotá-la dali mais rapidamente.

— E o que me diz das outras alas? — perguntou ela, com a voz doce. — Deve haver um quarto vazio em um palácio deste tamanho.

— Mesmo se houver quartos, você não está na lista de convidados. Então, não pode ficar.

Ao ouvir aquelas palavras, o guarda se aproximou, e o bater das placas da armadura ecoou mais ruidosamente pelo saguão elegante.

Tella precisou de toda a sua força de vontade para não levantar a voz. Em vez disso, forçou os lábios a estremecer e os olhos a lacrimejar.

— Por favor... não tenho para onde ir — implorou ela, esperando que a mulher tivesse um coração debaixo daquele vestido engomado. — Basta encontrar minha irmã e permitir que eu fique com ela.

Os lábios da governanta se retorceram, avaliando Donatella em todo o seu esplendor patético.

— Não posso deixar que você fique aqui, mas talvez haja um catre livre no alojamento dos criados.

O guarda que a escoltava riu baixinho.

Tella sentiu o coração afundar ainda mais no peito. *Um catre no alojamento dos criados?*

— Com licença. — A voz grave soou diretamente atrás dela, um roçar bruto contra a nuca de Tella.

Seu estômago se retorceu e afundou.

Só havia uma pessoa cuja voz causava esse efeito em Tella.

Casualmente, Dante se aproximou até estar a seu lado. Uma silhueta negra como as asas de um corvo, desde o traje escuro e perfeito até a tinta que lhe tatuava as mãos. A única luz vinha do brilho em seus olhos sorridentes.

— Está tendo algum problema com o seu quarto?

— De maneira alguma. — Tella forçou as bochechas para que não corassem pelo constrangimento, esperando que ele não tivesse escutado aquela conversa. — Houve apenas um pequeno mal-entendido, mas já foi resolvido.

— Que alívio. Pensei ter ouvido essa senhora dizer que iria colocá-la no alojamento dos criados.

— Somente se houver vagas — disse a governanta.

Tella pode ter ficado verde pela mortificação e afundado no piso de lápis-lazúli, mas, para seu choque, Dante, que geralmente gostava de rir à sua custa, não chegou nem a erguer o canto da boca em zombaria. Em vez disso, ele concentrou toda a força do seu olhar brutal na governanta.

— Você sabe quem é esta jovem donzela?

— Com licença, mas quem é você? — rebateu a governanta.

— Eu supervisiono todos os atores de Lenda. — A voz de Dante estava mais arrogância que o habitual. O tipo de tom de voz que tornava impossível para Tella discernir se ele estava falando a verdade ou inventando alguma mentira. — Você não vai querer colocá-la no alojamento dos criados.

— E por que não? — perguntou a governanta.

— Ela é noiva do herdeiro do trono do Império Meridiano.

As sobrancelhas da mulher se aproximaram, desconfiadas. As de Tella poderiam ter feito o mesmo, mas ela instantaneamente encobriu a surpresa com o tipo de expressão altiva que imaginava quc a noiva de um herdeiro real poderia ostentar.

Claro que Tella nem sabia quem era o herdeiro atual.

Elantine não tinha filhos, e seus sucessores eram assassinados mais rápido do que as notícias conseguiam chegar até o antigo lar de Tella em Trisda. Mas Tella não se importava com quem poderia ser seu falso noivo, desde que isso servisse para evitar que ela dormisse em um ninho.

Infelizmente, a governanta ainda parecia cética.

— Eu não sabia que Sua Alteza tinha uma nova noiva.

— É segredo — respondeu Dante, impecável. — Acredito que ele esteja planejando anunciar o noivado em sua próxima festa. Portanto, recomendo não dizer nada a respeito. Tenho certeza de que você ouviu falar sobre o temperamento dele.

A mulher enrijeceu. Seus olhos pousaram alternadamente em Dante e depois em Tella. Estava claro que não confiava em nenhum dos dois, mas o medo que sentia do temperamento do herdeiro deve ter sobrepujado seu bom senso.

— Vou verificar novamente se há outro quarto disponível — disse ela.

— Estamos com a lotação esgotada para a celebração, mas talvez alguém que esperávamos não tenha chegado.

No momento em que ela partiu, Dante virou-se para Tella, aproximando-se o bastante para que nenhum criado que estivesse atento à conversa pudesse escutá-los.

— Não se apresse em me agradecer.

Tella supunha que lhe devia uma amostra de gratidão. Mesmo assim, o diálogo a cobriu com uma sensação pesada de que Dante estava lhe fazendo o oposto de um favor.

— Não consigo decidir se você acabou de me salvar ou de me enfiar em uma situação ainda mais infeliz.

— Eu lhe consegui um quarto, não foi?

— E você também me deu um noivo mal-humorado.

Um dos cantos de sua boca se ergueu.

— Você iria preferir fingir que é minha noiva? Cheguei a considerar a possibilidade de dizer isso, mas não achei que seria a melhor escolha, já que... o que foi mesmo que você disse à sua irmã? — Ele tamborilou um dedo no queixo escanhoado. — Ah, sim. Que, quando nos beijamos, foi uma experiência terrível, um dos piores beijos que você já recebeu, e definitivamente não foi algo que tem vontade de repetir.

Tella sentiu a cor se esvair do rosto. Pelo divino sangue! Dante não tinha a menor vergonha.

— Você estava nos espionando!

— Não precisei fazer isso. Você fala alto demais.

Tella devia ter dito que não estava falando sério — *ele tinha de saber que ela não estava falando sério* —, mas a última coisa que queria era inflar o orgulho de Dante.

— Então esta é a sua vingança?

Ele se aproximou ainda mais. Tella não conseguiu discernir se o humor havia abandonado o olhar de Dante ou se havia simplesmente se transformado em algo mais profundo, mais sombrio e um pouco mais perigoso. Seus dedos mornos intencionalmente deslizaram por toda a extensão da clavícula de Tella. Ela prendeu a respiração. Mesmo assim, não se esquivou, nem mesmo quando os olhos de Dante ficaram quase no mesmo nível que os seus, chegando tão perto que ela podia sentir o movimento de seus cílios.

— Vamos simplesmente dizer que estamos quites agora. — Os lábios de Dante se aproximaram do canto da boca de Tella.

E então, logo antes de fazer contato, ele recuou.

— Eu não gostaria de repetir algo que foi tão desagradável para você.

Sem dizer outra palavra, Dante saiu andando, agitando os ombros largos como se estivesse rindo.

Tella ardia. Depois do que Dante acabara de fazer, os dois continuavam muito longe de estarem "quites".

A governanta retornou pouco tempo depois, com um sorriso mais retesado do que uma cicatriz recém-cerzida.

— Parece que felizmente temos uma suíte disponível na torre dourada de Elantine.

Tella engoliu um suspiro de admiração. Talvez Dante houvesse lhe feito um favor, afinal de contas.

Ao lado das numerosas ruínas da cidade, a torre dourada de Elantine era a estrutura mais antiga no Império. Rumores diziam que suas paredes eram feitas de ouro puro e que tinham todo tipo de passagem secreta para que os monarcas pudessem sair às escondidas. Muitos acreditavam que ela não era somente uma réplica da Torre Perdida dos Baralhos do Destino, mas sim a verdadeira torre, com uma magia latente escondida dentro de si.

— Normalmente não se permite o acesso de hóspedes à torre — disse a governanta enquanto levava Tella da ala de safira até um pátio de vidro, onde grupos de pessoas elegantemente vestidas caminhavam por entre arcos opalescentes e árvores de cristal com folhas prateadas. Por não estar familiarizada com a cultura palaciana, já que crescera em uma ilha conquistada que não era digna de respeito, Tella se perguntou se aquelas pessoas faziam parte da corte de Elantine ou se eram alguns dos outros hóspedes que a governanta mencionara.

— Você não receberá nenhum visitante — prosseguiu a governanta. — Nem mesmo o seu noivo será bem-vindo dentro dos seus aposentos.

Tella podia ter dito que nunca nem sonhara em deixar que um rapaz entrasse em seu quarto, mas provavelmente era melhor não empilhar tantas mentiras umas sobre as outras. Caso contrário, todas elas poderiam acabar desmoronando.

Na extremidade do pátio havia somente um umbral que levava à torre dourada, tão grandioso e pesado que precisava de três sentinelas para abrir cada uma das portas.

Tella não percebeu que o guarda da casa das carruagens ainda a seguia, até que foi barrado enquanto Tella e a governanta tiveram permissão para passar. Ou a notícia do *noivado* de Tella havia se espalhado suficientemente rápido pelo palácio, ou aquela governanta-chefe era tão importante quanto ela mesmo pensava. Tella esperava que fosse a segunda opção, sabendo que, assim que o verdadeiro herdeiro descobrisse sua artimanha, ela certamente seria exposta e enxotada do palácio — ou pior. Até lá, decidira simplesmente aproveitar a farsa.

Ao contrário do que as histórias diziam, o interior da torre não era dourado; era velho. Até mesmo o ar tinha um cheiro arcaico, cheio de histórias esquecidas e palavras antigas. No nível inferior havia pilares de pedra envelhecida formados por colunas lascadas e cariátides decorativas entalhadas na forma de mulheres de dois rostos, tudo iluminado por tochas negras que cheiravam a incenso e feitiços.

A partir dali a governanta a guiou para cima, passando por um pavimento rangente após o outro, cada um deles tão velho quanto o primeiro. A porta diante da qual elas finalmente pararam parecia tão envelhecida que Tella imaginou que bastaria um toque para ela se soltar das dobradiças.

Não é de admirar que nunca tenham recebido hóspedes aqui.

— Um guarda ficará postado do lado de fora de sua porta o tempo todo. — A governanta fez soar o sino que tinha ao redor do pescoço, chamando uma sentinela que envergava uma armadura branca magnífica. — Eu detestaria saber que aconteceu qualquer coisa de ruim com a noiva do herdeiro!

— Por algum motivo não consigo acreditar que isso seja verdade — disse Tella.

O sorriso da governanta voltou ao seu rosto, abrindo-se lentamente, como uma mancha.

— Pelo menos você é mais inteligente do que parece. Mas, se realmente for a noiva do herdeiro, então não são os guardas de Sua Majestade que você deveria temer.

— Na verdade, não acredito em temer nada. — Tella fechou a porta, deixando a mulher no corredor antes que ela pudesse soltar mais alguma farpa ou que Tella vociferasse mais coisas que não devia.

Não era uma atitude muito inteligente antagonizar os criados. Claro que também não era uma atitude muito inteligente mentir sobre ser a noiva do herdeiro real. Ela teria de retribuir aquele favor a Dante.

Mesmo assim, Tella teve de admitir que ele conseguira uma suíte fantástica. A torre poderia ser uma relíquia, mas seus aposentos eram maravilhosos.

A luz do luar enchia o quarto pelas janelas, banhando tudo com um luzir digno de sonhos. Alguém já havia deixado uma travessa de doces de boa-noite sobre uma das elegantes mesas de vidro da sala de estar. Tella pegou um biscoito em formato de estrela enquanto passava por entre duas lareiras de pedra branca para chegar ao quarto luxuoso, coberto por tapetes de um azul glorioso. Eles combinavam com as cortinas pesadas que pendiam do dossel da cama convidativa. Tella sentiu vontade de desabar nela e dormir até que todos os seus problemas desaparecessem.

Mas precisava escrever para Scarlett primeiro e dizer a ela que estava... Duas vozes ecoaram pelo canto.

Os olhos de Tella foram até uma porta entreaberta na curva da parede, que provavelmente levava ao quarto de banho.

Ela ouviu os sussurros novamente. Criados, que não deviam saber que Tella estava ali. Uma das vozes era leve e melodiosa, e a outra era afetuosa e suave, o que a fez pensar num passarinho delicado conversando com um coelho gorducho.

— Honestamente, sinto muita pena dela — disse a garota que seria o coelho.

— Está dizendo que você não iria querer ser noiva do herdeiro? — cantarolou a que seria o passarinho. — Já deu uma olhada nele?

— Não me importo com a aparência dele. Ele é um assassino. Todo mundo sabe que havia dezessete pessoas entre ele e o trono da Imperatriz Elantine. E então, um por um, todos os outros possíveis sucessores morreram de maneiras horríveis.

— Mas isso não significa que o atual tenha matado todos eles.

— Não sei — murmurou a coelho. — Ouvi dizer que ele nem mesmo faz parte da linhagem real, mas que assassinou tantas pessoas que o verdadeiro herdeiro não quer se apresentar como tal.

— Você é ridícula, Barley! — a garota passarinho disse com uma risada. — Não devia acreditar em todo boato que ouve.

— E o tal boato que disse que ele matou sua última noiva?

As duas camareiras se aquietaram abruptamente.

Naquele silêncio tenso, Tella pensou ter ouvido a risada rouca da Morte. Ela se arrastava como metal enferrujado serrando ossos. Exatamente o mesmo som que a saudou quando ela pulou daquele terraço horrível durante o Caraval. As boas-vindas lúgubres a um reino hediondo. Agora, a risada servia como uma lembrança arrepiante de que outrora ela pertencera à Morte, e que Ela a queria de volta.

Tella iria matar Dante. Lentamente. Com as próprias mãos.

Ou talvez Tella usasse suas luvas para matá-lo. Amarraria as bainhas de cetim ao redor da garganta dele — e em seguida usaria as mãos nuas para terminar o serviço. Aquele desgraçado taciturno não somente lhe dera um noivo falso com um temperamento horrível; escolhera também um que era assassino. Tella talvez conseguisse apreciar o quanto aquela vingança mesquinha era bem construída, se não estivesse no centro dela.

9

Tella continuava a pensar em diferentes maneiras de atacar ou constranger Dante quando se levantou da cama na manhã seguinte. Poderia encontrá-lo naquela noite, no baile, quando o Caraval começasse, e acidentalmente derramar vinho em cima dele. Mas, é claro, como Dante gostava tanto de se vestir de preto, isso poderia ser um desperdício de vinho e provavelmente faria apenas com que ela parecesse desastrada.

Talvez ela pudesse lhe causar ciúme em vez disso, arrumando-se para ficar maravilhosa e chegando de braços dados com algum rapaz bonito. Mas Tella duvidava que tivesse tempo suficiente para encontrar um rapaz bonito para ir com ela ao baile, e provocar ciúme em Dante deveria estar entre suas últimas preocupações.

Tella precisava se concentrar em encontrar seu amigo antes da meia-noite e convencê-lo a lhe dar uma semana a mais para jogar o Caraval e descobrir o nome de Lenda.

E então ela veria a mãe outra vez.

Fazia tanto tempo desde que a vira pela última vez que Tella não conseguia mais se lembrar do som da voz de Paloma, mas sabia que era uma voz doce e forte; às vezes, Tella sentia tanta saudade daquela voz que não queria nada além de poder ouvi-la novamente.

— Senhorita Dragna. — Uma sentinela bateu pesadamente em sua porta. — Chegou um pacote.

— Dê-me um minuto. — Tella procurou seus baús, precisando se vestir, mas aparentemente eles haviam sido extraviados ou sua entrada na torre fora vetada. Tudo que ela tinha era o baú pequeno e feio que trouxera consigo após sair do navio, e não havia guardado nenhuma muda de roupa limpa dentro dele.

Tella abriu a porta quando terminou de se cobrir com o vestido do dia anterior.

O rosto inteiro do guarda estava oculto atrás de uma caixa cor de pérola, alta como um bolo de casamento, encimada por um laço enorme de veludo, tão grosso como a cobertura do confeito.

— Quem enviou isto? — perguntou Tella.

— Há um cartão. — O guarda colocou a caixa sobre um divã almofadado da cor das luzes do porto.

No instante em que ele saiu, Tella retirou um envelope fino de pergaminho. Sua pele não formigou por causa da magia, mas alguma coisa parecia não estar certa. Embora todo o pacote fosse branco como beijos castos e intenções puras, ela sentia que a sala de estar parecia estar mais escura desde que o presente entrara ali. O brilho do sol não mais invadia o quarto pelas janelas, deixando uma iluminação mortiça que tingia toda a mobília elegante com tons desconfiados de verde.

Tella abriu o envelope cuidadosamente. A carta estava coberta por uma caligrafia preta e pesada.

MINHA CARÍSSIMA NOIVA,

QUE SURPRESA SABER DE SUA CHEGADA; EU RECEAVA QUE NÃO TERIA NINGUÉM COM QUEM DANÇAR NO BAILE PREDESTINADO DESTA NOITE. ESPERO QUE NÃO SE IMPORTE POR EU HAVER ESCOLHIDO UM VESTIDO PARA VOCÊ USAR. QUERO TER A CERTEZA DE QUE VOU PODER AVISTÁ-LA IMEDIATAMENTE. PREFIRO NÃO TER QUE SAIR À SUA CAÇA ANTES DE ANUNCIARMOS OFICIALMENTE O NOSSO NOIVADO.

ATÉ LÁ.

Não havia assinatura, mas Tella sabia quem enviara a carta. *O herdeiro-sucessor de Elantine*. Parecia que ele tinha espiões no palácio.

Nada de bom podia vir disso.

Com os dedos úmidos, Tella arrancou a tampa da caixa, quase esperando ver uma mortalha fúnebre ou alguma outra criação monstruosa. Mas, para seu espanto, o vestido não lembrava nada que fosse nem mesmo remotamente ameaçador. Parecia que um jardim fantástico havia chorado.

A saia era indulgente e rodada, formada por espirais enormes de peônias azul-celeste. Peônias de verdade. Elas emanavam uma fragrância doce e fresca, e cada uma delas era única, desde as diferenças sutis em tom até o tamanho dos botões. Algumas ainda estavam encerradas em botões da cor de pervinca, como se ainda não estivessem prontas para o mundo, enquanto outras já haviam explodido em gomos de pétalas vívidas. Tella imaginou-se deixando uma trilha de pétalas azuis para trás conforme dançava.

O corpete parecia ainda mais etéreo, um tom tão pálido de azul que era quase transparente, coberto na frente por um trançado com miçangas de safira que crescia até se transformar em cordões e colares que iriam lhe cair por sobre as costas nuas.

Ela não devia nem mesmo ter considerado a hipótese de vestir aquilo. Mas o vestido era magnífico e régio. Tella imaginou como ficaria o rosto de Dante quando aparecesse no baile vestida como a verdadeira noiva do herdeiro.

Essa seria a vingança perfeita.

Tella releu o cartão que acompanhava o vestido. Saber que era do herdeiro-sucessor fazia aquilo parecer uma ameaça. Mas nenhum aspecto da peça era realmente ameaçador. Suas palavras soavam mais curiosas do que qualquer outra coisa; talvez estivesse impressionado pela audácia da alegação de Tella e quisesse simplesmente conhecê-la. Ainda assim, parecia um risco usar o vestido, mas, como Tella gostava de dizer à irmã, havia mais coisas na vida do que permanecer em segurança.

Entretanto, Tella pensava consigo mesma se não estaria assumindo riscos demais naquela noite.

Logo depois de pendurar o vestido, outro guarda bateu à porta e entregou-lhe uma carta da irmã.

Caríssima Tella,

Fiquei muito aliviada ao saber que você chegou em segurança ao palácio, e mais do que um pouco surpresa ao saber que a colocaram na torre dourada. Mal posso esperar para saber como isso aconteceu!

Espero que não se importe: concordei em passar a tarde com Julian. Mas ainda tenho planos de ir com você ao Baile Predestinado para o início do Caraval. Vou encontrá-la no jardim de pedra ao lado da casa das carruagens uma hora antes da meia-noite.

Com amor,

Scarlett

Era errado sentir que aquela carta a preocupasse mais do que a missiva do herdeiro. Mas Tella quase se esqueceu de que pedira a Scarlett que jogasse o jogo com ela. Fizera aquilo antes de saber que teria de encontrar seu amigo no baile.

Tella sentiu-se murchar sobre a cama. Isso complicaria as coisas.

A menos que Tella confessasse todos os seus segredos a Scarlett.

Aquele era um pensamento aterrorizante. Scarlett não ficaria contente em saber que fora enganada por Armando durante o Caraval ou que Tella estava procurando a mãe. E Tella não conseguia nem mesmo imaginar o que a irmã pensaria sobre o novo noivo de araque. Scarlett, porém, era a pessoa mais leal que Tella conhecia. Ela ficaria irritada, mas isso não impediria que ajudasse Tella a vencer o jogo.

E Tella precisava vencer o jogo.

10

A noite e sua amante, a lua, já haviam saído para brincar quando Tella chegou ao jardim de pedra iluminado pelas estrelas onde devia encontrar Scarlett antes de começarem sua grande aventura.

O Baile Predestinado no Castelo Idyllwild marcava o início oficial do Caraval. Mas, naquela noite, haveria celebrações por toda a cidade. Em cada uma delas os primeiros conjuntos de pistas seriam distribuídos para que as pessoas espalhadas por toda Valenda pudessem jogar.

Até mesmo o ar zunia com os anseios e a empolgação. Tella conseguia sentir que aquilo lhe lambia a pele, como se quisesse sorver suas emoções frenéticas também.

Tella não costumava sentir ansiedade. Gostava das emoções que acompanhavam o ato de assumir riscos. Amava a sensação de realizar algo audacioso o bastante para fazer seu futuro prender a respiração enquanto fechava os olhos e se deleitava na sensação de que fizera uma escolha com o poder de alterar os rumos de sua vida. Era o mais perto que já chegara de ter poder de verdade.

Mas Tella também sabia que nem toda aposta lhe rendia lucros.

Passara o dia inteiro pensando naquilo enquanto explorava os jardins do palácio em uma busca infrutífera pelas passagens secretas mencionadas nos rumores. Sentia-se quase certa de que aquela noite aconteceria conforme o planejado. Scarlett entenderia quando Tella confessasse todos os seus segredos. O amigo de Tella, em seguida, lhe daria uma semana para disputar o jogo e descobrir o nome de Lenda, para que pudesse apagar o futuro terrível que o Aráculo lhe mostrara, e finalmente descobriria quem sua mãe realmente era e por que a deixara tantos anos antes. Tella havia conseguido engendrar tramas ainda mais complicadas e mesmo assim não podia afastar a premonição de que todos os seus planos estavam prestes a desmoronar.

Ela deslizou os dedos pela moeda sem sorte escondida em seu bolso. Seu amigo disse que conseguiria encontrá-la desde que ela estivesse de posse da moeda, e Tella perguntava a si mesma se ele já estava no Castelo Idyllwild à sua procura.

Talvez o herdeiro também estivesse procurando por ela.

Tella soltou uma risada nervosa. Definitivamente, estava envolvida naquilo até o pescoço, mas pelo menos não demoraria para ter a irmã a seu lado.

Ao longe um sino dobrou, marcando o horário: um quarto após as onze. Menos de uma hora até que o Caraval começasse oficialmente. O tempo de Tella estava se esgotando.

Seu amigo a queria na festa antes da meia-noite.

Mas Scarlett não estava em lugar algum.

Algumas das pétalas azul-celeste se desprenderam do vestido de flores de Tella quando ela lançou um olhar aflito para o jardim, esperando conseguir um vislumbre de um dos vestidos cor de cereja da irmã. Mas as únicas companheiras de Tella eram as estátuas imóveis.

As lendas diziam que, em algum momento do domínio inclemente dos Arcanos, as estátuas no jardim de pedra de Elantine tinham sido pessoas de verdade. A maioria delas era formada por criados que cuidavam das áreas externas, cumprindo suas tarefas palacianas, podando arbustos, colhendo flores e varrendo os passeios, quando, por algum motivo que não era sua responsabilidade, foram transformados em pedra.

Dizia-se que a Rainha Morta-Viva fizera aquilo. Aparentemente, ela não acreditava que as esculturas que estavam ali tivessem uma aparência suficientemente realista, por isso pediu a outro Arcano que transformasse um grupo de criados em estátuas.

Tella olhou para os olhos arregalados de pedra de uma jovem arrumadeira, imaginando que o pânico da estátua refletia aquele que ela mesma sentia agora.

Scarlett não tinha o costume de se atrasar.

A menos que sua irmã não estivesse prestes a chegar ou que algo lhe houvesse acontecido.

Nervosamente, Tella foi até os limites do jardim, esticando o pescoço para observar o passeio ladeado por sebes que levava de volta ao palácio. Talvez começasse a caminhar por ele para tentar encontrar a irmã, mas já havia outra pessoa ali.

Dante.

O estômago de Tella, já bastante ansioso, se retorceu outra vez.

Ele havia trocado as vestes negras que parecia preferir por um cinza-chumbo. Mas suas botas de cano alto e o lenço de seda ao redor do pescoço tinham a cor escura de fumaça negro-azulada, combinando com as curvas de tinta nos dedos desenluvados. Tinha a aparência de uma tempestade recém-despertada ou de um belo pesadelo que se tornara realidade para poder assombrá-la pessoalmente.

Tella considerou correr para trás de uma das estátuas. Ele devia avistá-la de longe no baile. Devia ficar embasbacado por seu vestido extravagante e sentir ciúme quando a visse flertando com outro homem. Não devia vê-la sozinha e nervosa num jardim.

Tella esperava que ele passasse pelas estátuas sem percebê-la. Mas o olhar de Dante já a havia encontrado. Aqueles olhos seguraram Tella como um par de mãos ao redor de sua cintura, mantendo-a onde estava conforme Dante se aproximava. Seus olhos encobertos por sombras se demoraram, percorrendo uma trilha que ia desde os cabelos soltos até a fita presa ao redor do pescoço, onde escureceram e pousaram por um segundo antes de apontarem para baixo.

Tella geralmente não corava, mas sentiu que uma onda de rubor encontrava suas faces.

Dante ergueu os olhos e subitamente deu um sorriso digno do brilho de uma estrela caída.

— Você devia sempre vestir flores.

Alguns dos botões mais tímidos de seu vestido haviam finalmente desabrochado, e o olhar de Tella encontrou o de Dante com um de seus sorrisos mais estonteantes.

— Não estou vestida assim para você. O vestido foi um presente do meu noivo.

As sobrancelhas de Dante se arquearam, mas não foi com o ciúme que ela esperava ter provocado. Ele encarou o vestido como se fosse algo sujo e, em seguida, olhou para Tella como se ela tivesse enlouquecido completamente.

— Você precisa ter mais cuidado com o que diz.

— Por quê? Está com ciúme? Com medo de que alguma outra pessoa além da governanta acredite em mim? Ou ficou subitamente nervoso porque o sucessor de Elantine, o noivo que *você* conseguiu para mim, é um monstro assassino que pode me matar por dizer que somos noivos?

Antes que Dante pudesse responder, Tella passou por ele, indo na direção do passadiço rumo ao palácio onde, esperançosamente, encontraria a irmã. Já eram onze e meia, e a meia-noite se aproximava. Ela precisava...

— Donatella. — Dante agarrou o pulso dela antes que Tella pudesse dar o segundo passo. — Apenas me diga que não está indo ao Baile Predestinado no Castelo Idyllwild.

— Isso seria mentir.

Os dedos de Dante se retesaram ao redor do pulso dela.

— Há outras festas. Você não deveria ir a essa.

— Por que não? — Tella se desvencilhou. — Gosto de beber e dançar, e até mesmo você reconheceu que estou deslumbrante. — Ela fez um ligeiro giro, deixando que as pétalas da saia roçassem nas botas lustrosas de Dante.

Dante a encarou com um olhar tão cheio de desprezo que as flores que haviam acabado de roçar em suas calças voltaram a se encolher em seus botões.

— O Castelo Idyllwild pertence ao herdeiro de Elantine. Sabe o que vai acontecer com você se ele descobrir que anda por aí dizendo que ele é o seu noivo?

— Não, mas pode ser interessante descobrir. — Ela abriu um sorriso maroto.

Uma linha de frustração avermelhada subiu pelo pescoço de Dante.

— O herdeiro de Elantine é desequilibrado; ele não matou os outros sucessores, somente. Ele assassinou qualquer pessoa que acreditasse que pudesse atrapalhar seus planos de tomar o trono.

Se ele suspeitar, mesmo que por um segundo, de que você é uma dessas pessoas, vai acabar com a sua vida também.

Tella resistiu ao impulso de gemer ou se encolher. Uma parte dela reconhecia que usar aquele vestido e arriscar-se a atrair a atenção do herdeiro poderia ter sido má ideia, mas aquilo mexeu com Dante — e, por isso, Tella se recusou a pensar nessa atitude como um erro.

— E tudo isso que descreveu... não era o que você queria que acontecesse quando contou sua mentira?

O silêncio seguiu aquela pergunta e uma friagem recém-chegada rasgou o jardim, fazendo Tella perceber subitamente o quanto a noite havia esfriado. Um frio incomum para aquela estação, como se o próprio clima estivesse se colocando ao lado de Dante e mandando que Tella voltasse para o palácio de Elantine.

— Você estava patética — disse Dante, finalmente. — Eu quis ajudar, mas também estava irritado com você pelo que disse no navio. Por isso, escolhi a pior pessoa que consegui imaginar sem pensar nas consequências. — Ele não pediu desculpas, mas as sobrancelhas grossas se franziram e os olhos exibiram algo que parecia ser um arrependimento genuíno. As pessoas jogavam a palavra *desculpe-me* a esmo com muita facilidade, como se valesse ainda menos do que a promessa de um tostão de cobre. Tella raramente acreditava naquilo, mas descobriu que desta vez estava acreditando. Provavelmente porque era o tipo de coisa que ela mesma teria feito.

— Ora, mas esta é uma dupla muito interessante. — Armando surgiu no jardim, batendo uma bengala de prata elegante contra várias das estátuas de aparência assustada.

— O que você quer? — perguntou Dante.

— Eu ia lhe perguntar algo parecido. — O sotaque elegante que Armando usara para interpretar o conde durante o Caraval tinha sido substituído por uma voz mais arrastada enquanto ele inclinava a cabeça perfeitamente maquiada de Tella para Dante, e disse:

— Achei que você estivesse interessado na irmã mais pudica.

A mão de Tella agiu por instinto, erguendo-se e acertando um tapa no rosto de Armando.

— Você não tem o direito de falar da minha irmã, jamais.

Armando levou a mão enluvada até o queixo, que começava a ficar roxo.

— Seria melhor se tivesse me avisado disso há uma hora. Sua irmã tem um tapa ainda mais forte do que o seu.

Uma sensação de alarme inundou Tella.

— Você conversou com ela.

— Parece que ela não entendeu completamente o conceito de que o Caraval é somente um jogo. Bonita, mas não é tão inteligente assim.

— Cuidado com o que diz — avisou Dante. — Vou fazer bem mais do que somente estapear você.

Os olhos aguçados de esmeralda de Armando se iluminaram, como se aquela situação o divertisse.

— Você deve realmente gostar dessa aí. Ou Lenda mandou que trabalhasse nela assim como Julian está trabalhando na irmã?

Tella podia ter esbofeteado Armando outra vez, mas ele já estava recuando lentamente.

— Um conselho antes da festa desta noite: não repita os erros que sua irmã cometeu no último jogo. E talvez você também não queira ficar esperando por ela. — Armando continuou indo na direção da saída enquanto dizia: — Ela não ficou contente quando descobriu que eu não era seu verdadeiro noivo. Quando a deixei, junto com o pobre Julian, a discussão entre os dois estava acalorada; não imagino que vá continuar pegando fogo até depois do baile.

— Seu sujo, desgraçado... — Tella soltou uma saraivada de xingamentos muito pouco elegantes para as costas de Armando, que já desapareciam. Sabia que não se podia acreditar em nada durante o Caraval, mas estava convencida de que, até mesmo quando não estava agindo como ator, Armando era tão vil quanto os personagens que interpretava. — Vou rezar para que os anjos desçam do céu e cortem a língua dele.

O olhar de Dante se ergueu para o céu, e Tella jurou que mais de uma estrela desapareceu de lá quando ele disse:

— Tenho certeza de que muitos lhe agradeceriam por isso.

Tella continuava possessa.

— Por que Lenda ainda mantém Armando no grupo de atores?

— Toda boa história precisa de um vilão.

— Mas os melhores vilões são aqueles de quem você gosta em segredo, e a minha avó sempre disse que Lenda era o vilão do Caraval.

Os lábios de Dante se retorceram em algo que se parecia com um sorriso torto.

— É claro que ela disse.

— Está insinuando que ela mentiu?

— Todo mundo quer Lenda ou quer ser Lenda. A única maneira de impedir que meninas inocentes fujam de casa para encontrá-lo é dizer-lhes que Lenda é um monstro. Mas isso não significa que seja uma mentira. — Os lábios de Dante se alargaram num sorriso provocador, e os olhos escuros refulgiram quando voltaram a apontar para Tella.

Aquele patife estava brincando com ela. Ou talvez ele fosse Lenda e não conseguisse resistir a conversar sobre o quanto as outras pessoas eram obcecadas por ele. Dante era definitivamente bonito e arrogante o bastante para ser Lenda, mas Tella imaginava que o mestre do Caraval tivesse coisas mais importantes a fazer na primeira noite do jogo do que atormentá-la.

Outro sino dobrou ao longe. A meia-noite chegaria dali a quinze minutos. Se Tella não partisse neste momento, iria se atrasar para encontrar seu amigo.

Parecia errado não correr de volta para junto de Scarlett; Tella conseguia imaginar o quanto a irmã devia ter ficado irritada ao descobrir que Armando e todos os outros a enganaram tão profundamente durante o Caraval. Tella não queria que ela descobrisse dessa maneira. Mas o amigo de Tella já estava no baile e, na carta, dissera que não esperaria até depois da meia-noite.

Tella não gostava da ideia de abandonar a irmã. Mas Scarlett a perdoaria, embora não pudesse dizer o mesmo sobre seu amigo se Tella se atrasasse.

— Por mais encantador que este *rendez-vous* tenha sido, estou atrasada para uma festa — disse ela a Dante. — E creio que você tenha de cumprir seu trabalho.

Antes que Dante pudesse tentar impedi-la, ela foi saltitando rumo à saída do jardim. Mais estrelas se apagaram conforme Tella avançava em direção à casa refulgente das carruagens, onde um criado ajudou-a a entrar em uma da cor do topázio que ainda cheirava ao perfume do último passageiro.

Dante entrou na carruagem logo atrás dela.

— Quer parar de me seguir, por favor?

— Talvez Armando estivesse sendo honesto pelo menos uma vez, e o meu trabalho seja seguir você. — Dante se espreguiçou no assento diante dela, as longas pernas praticamente enchendo todo o espaço vazio entre os dois.

— Sabe no que estou pensando? — disse Tella. — Você quer uma desculpa para passar a noite comigo.

A boca de Dante formou um sorriso irônico enquanto ele deslizava lentamente um polegar largo por sobre o lábio superior.

— Detesto partir seu coração, mas penso em garotas da mesma forma que imagino que você pensa em vestidos e outras roupas de baile; nunca é uma boa ideia usar a mesma mais de uma vez.

Se Tella pudesse ter jogado Dante para fora da carruagem e trocado sua presença pelo nobre esnobe do outro dia, ela o teria feito. Em vez disso, ela abriu seu sorriso mais doce.

— Que coincidência. É exatamente desse jeito que penso em homens jovens.

Dante a olhou fixamente nos olhos por um momento e em seguida riu, o mesmo som baixo e delicioso que sempre fazia o estômago de Tella dar cambalhotas.

Tentando ignorá-lo, Tella virou-se para a janela conforme a caixa se erguia rumo à noite sem luzes.

Ela não sabia para onde as estrelas haviam ido, mas em algum lugar entre o jardim e a carruagem elas haviam desaparecido, transformando o céu num oceano de escuridão. Negro como a fuligem e...

A noite resplandecia. Entre um momento e o seguinte, o mundo explodiu em prata.

Tella apontou os olhos para a janela da carruagem bem a tempo de ver as estrelas perdidas retornarem. Brilhando com mais força do que antes, elas dançavam e formavam novas constelações. Contou mais de uma dúzia, todas formando a mesma imagem encantadora: um sol com uma estrela no meio, e uma lágrima cintilante dentro da estrela. O símbolo do Caraval.

PRIMEIRA NOITE DO CARAVAL

11

Tella ouvira dizer, certa vez, que durante outra ocasião Lenda tinha mudado a cor do céu. Mas não imaginava que ele fosse suficientemente poderoso para mover as estrelas.

De acordo com os mitos, as estrelas não eram simplesmente luzes distantes; eram seres ainda mais antigos que os Arcanos, tão terríveis e poderosos quanto eram hipnóticas e mágicas. E, de algum modo, Lenda havia manipulado todas elas.

— Estou surpresa por Lenda não fazer isso com o céu todas as noites — disse Tella.

— Ele provavelmente faria, se pudesse. — Dante falava com um tom de voz casual, mas Tella imaginou vislumbrar algo mais profundo nos olhos do rapaz enquanto ele olhava para fora da janela da carruagem. — A magia pode ser movida pelo tempo, pelo sangue e pelas emoções. Por causa das esperanças e dos sonhos das pessoas que estão participando do Caraval, o poder de Lenda chega ao ápice durante o jogo. As constelações provavelmente vão se recombinar a cada noite. Hoje os símbolos repousam sobre as várias festas e bailes que marcam o início do Caraval, mas amanhã haverá somente uma constelação, que irá guiar os participantes rumo ao distrito onde o próximo conjunto de pistas está escondido.

Talvez Tella não houvesse participado oficialmente do jogo antes, mas conhecia o básico a respeito de seu funcionamento. A primeira regra a lembrar era o fato de que o Caraval era somente um jogo. O evento acontecia durante a noite, e, no início do jogo, todos recebiam a mesma pista para iniciar sua jornada, que os levaria a outras pistas e, se conseguissem decifrá-las, ao prêmio. Scarlett precisara encontrar cinco pistas durante o último Caraval, e Tella imaginou que alguma coisa similar seria verdadeira para este jogo.

Mas primeiro ela precisava localizar seu amigo.

A carruagem pousou com um forte sacolejo, ou talvez aquela sensação tivesse sido causada pelo coração de Tella quando ouviu a última das doze badaladas anunciando a meia-noite.

Ela tirou a moeda sem sorte do bolso e a segurou na mão, orando silenciosamente para que ela informasse seu amigo de sua chegada ao Castelo Idyllwild, bem a tempo.

Segurando a moeda com força, ela passou os olhos pelos jardins em busca do seu amigo, mas não sabia nada a respeito de sua aparência. Tudo que via eram tochas crepitantes ao redor de um castelo elevado que parecia preso em algum lugar entre uma ruína e uma fantasia. O arenito branco que se esfacelava brilhava sob as constelações temporárias de Lenda, ostentando ameias muito antigas, passarelas por trás de parapeitos que já desmoronavam e torres elegantes cobertas por trepadeiras de rosas vermelhas com as pontas das pétalas negras.

Aquela fortaleza resplandecente podia ter sido tirada dos sonhos de alguma jovem garota, mas ainda assim Tella percebeu que o fosso que a circundava tinha águas tão escuras que não refletiam nenhuma das estrelas de Lenda. Imaginou consigo mesma se aquilo acontecia porque o exterior imponente do castelo era meramente um *glamour* mágico ou se as estrelas eram uma das ilusões de Lenda e Tella tinha sido enganada por elas.

Apenas alguns minutos depois do início do jogo, Tella já estava questionando o que era real e o que não era.

Ela voltou a olhar na direção da água, procurando novamente por seu amigo ou por um barco com o qual pudesse alcançar o castelo, mas parecia haver somente um caminho que levava à fortaleza — uma ponte alta e estreita em arco feita de pedras com o formato de diamantes.

— Procurando pelo seu noivo? — perguntou Dante.

— Tome cuidado — avisou Tella. — Parece até que você está com ciúme.

— Estou esperando que você recupere o juízo — disse Dante. — Esta é sua última chance de dar meia-volta. Nosso anfitrião não gosta de facilitar para as pessoas irem e virem.

— Então isso é bom, pois adoro um desafio.

— Parece que finalmente concordamos em alguma coisa. — Dante enfiou o braço de Tella por entre a curva de seu cotovelo, como se estivesse silenciosamente aceitando um desafio.

— Achei que você não gostasse de usar a mesma garota para uma festa duas vezes.

O olhar negro como carvão de Dante brilhou com alguma coisa maldosa quando ele se aproximou, baixando a cabeça e roçando os lábios mornos nos cabelos de Tella, e também causando ciúme em outras partes traidoras de seu corpo quando disse:

— Faço qualquer coisa que o meu trabalho exija.

Mas que presunçoso filho de uma bruxa.

Tella devia ter se desvencilhado, mas, de perto, a ponte era ainda mais estreita do que parecia quando se olhava de longe, e sem nenhum corrimão — exatamente como o terraço do qual ela saltara durante o Caraval. A queda que a matara.

Seus dedos se fecharam com mais força ao redor do braço de Dante. Esperava que ele pensasse que aquilo fosse apenas mais um dos joguinhos que eles faziam entre si. Que não detectaria nenhum terror latente quando lhe fizesse uma pergunta, ao precisar de uma distração antes que suas pernas deixassem de funcionar ou seus pulmões parassem de respirar.

— Então, o que Lenda quer de mim agora?

— Não posso lhe dizer.

— Mas pode dizer que ele lhe incumbiu de me seguir?

— Eu não disse isso; apenas que talvez ele pudesse ter feito isso. Talvez você estivesse certa na carruagem e eu queira passar a noite com você. Talvez eu pense que você estava mentindo para sua irmã sobre os nossos beijos na floresta, e planeje provar isso.

— Mesmo que eu escolhesse acreditar em você, precisaria lembrá-lo de que tenho um noivo e não estou inclinada a traí-lo.

O sorriso glorioso de Dante desapareceu no instante em que ela disse "noivo".

Tella sorriu e lhe deu palmadinhas amistosas no braço, prestes a finalmente se desvencilhar quando eles chegaram ao alto da ponte.

Santos céus. Sua respiração ficou presa como um pássaro dentro da garganta. A ponte havia se estreitado, e ela jurava que estavam mais alto do que jamais estivera em toda a sua vida, sem nenhum corrimão, rede de proteção ou qualquer outra coisa além de águas impiedosas para capturá-la se Tella escorregasse e caísse. Ela lutou para dar mais um passo, mas tudo que via a deixava tonta, atordoada e desnorteada.

E seria somente sua imaginação ou as tochas ao redor do Castelo Idyllwild agora exalavam um cheiro de enxofre, como se a própria Morte tivesse decidido atiçar suas chamas, mais uma lembrança de que Ela estava sempre vigiando, esperando para tomá-la de volta?

— Nem pense nisso — avisou Dante.

— Não vou pular — disse Tella.

— Não era disso que eu estava falando. — Os lábios dele se aproximaram da orelha de Tella. — Morri mais vezes do que consigo me lembrar. Costumava temer, todas as vezes, que não voltaria, até aprender que é esse medo que a alimenta. Da mesma forma que esperanças e sonhos dão a Lenda tanto poder durante o Caraval.

— Não tenho medo da morte. — Mesmo enquanto dizia aquelas palavras, Tella olhou para baixo e, para seu horror, percebeu que seu braço agarrava o de Dante com ainda mais força.

Ele a acariciou no braço uma vez, de maneira zombeteira e indulgente.

Mas Tella não estava disposta a deixá-lo vencer qualquer que fosse a competição que estivessem disputando.

— Eu simplesmente não gosto de jaulas — disse ela. — E este lugar parece uma masmorra gigante.

Ele riu discretamente. Diferente do som abundante que proferira dentro da carruagem. Tella não tinha certeza do motivo, mas pressentia que iria descobrir a razão para aquela risada sutil assim que entrassem na festa.

12

Tella achava que saberia o que esperar dentro do Castelo Idyllwild. Já participara do Caraval antes; encontrar Tella era o propósito principal do jogo. Mas, embora isso parecesse empolgante, na realidade Tella fora forçada a passar a maior parte do jogo sentada como uma princesa aprisionada em uma torre, esperando até ser encontrada. Conseguia escapulir de tempos em tempos. Mas enfiar-se pelas portas dos fundos das salas de jogos do Caraval e espionar sua irmã por entre as sombras não chegava nem perto de ser uma jogadora de verdade e entrar no mundo decadente de Lenda com a intenção de ser arrebatada.

Tella não tinha a menor intenção de ser arrebatada agora. Já passava da meia-noite, e ela precisava encontrar seu amigo antes que ele partisse. Mas, com cada passo que dava dentro do castelo, Tella tinha de combater o desejo de se esquecer por que estava ali e simplesmente aproveitar o jogo.

O ar tinha o gosto de maravilhas. Como asas de borboletas confeitadas presas em teias de aranha açucaradas e pêssegos embriagados embebidos em sorte.

Novamente, ela perguntou a si mesma se o herdeiro-sucessor de Elantine seria tão ruim quanto diziam. Talvez somente os rumores a seu respeito fossem terríveis, criados por pessoas invejosas de sua posição.

Seu baile parecia uma celebração que ela mesma ofereceria. Embora Tella não fizesse ideia se aquilo podia dizer algo sobre ela ou seu anfitrião.

Ela continuou a apertar a moeda sem sorte, esperando que seu amigo ainda estivesse na festa. Mas, mesmo enquanto procurava por ele, Tella não conseguia evitar reparar que cada superfície da celebração era uma tormenta de atividade indulgente.

Desde a grandiosa entrada em arco do baile, parecia que outro Arcano havia voltado à vida em explosões de cores peludas e emplumadas. O Viveiro — uma carta que representava o início de uma nova história ou aventura.

Mulheres e homens com os corpos cobertos de penas e cabeças coroadas com pequenos chifres recurvos pendiam do teto, girando e rodopiando ao redor de grossas folhas de seda dourada ou magenta penduradas como gigantescas serpentinas. Mais abaixo, artistas com fantasias feitas de peles, mais penas e tinta jogada sobre a pele engatinhavam e rastejavam como se fossem quimeras selvagens que escaparam de outro mundo. Tella viu artistas vestidos como tigres com asas de dragão, cavalos com caudas bipartidas, cobras com jubas de leão e lobos com chifres de carneiro, que grunhiam, mordiscavam e às vezes lambiam os calcanhares dos convidados. Havia também alguns terraços baixos onde homens sem camisa com asas tão grandes quanto as de anjos e estrelas caídas empurravam casais de um lado para outro em balanços gigantes pendurados em dosséis cobertos por espinheiros e flores.

Tella ouviu Dante bufar a seu lado.

Talvez tivesse passado tempo demais olhando os belos homens que pareciam estrelas caídas e anjos, esperando futilmente que um deles pudesse ser o amigo que ela buscava. O restante dela queria somente ver tudo que havia para ver. Ela sonhara com festas como essa. Sabia que não tinha tempo a perder. Mas os olhos dela se esforçavam para ver cada centímetro reluzente enquanto os dedos ansiavam pelo toque, e a boca se esticava para dar uma mordida não somente na comida, mas também na festa como um todo. Nas asas de dragão, nos risos descuidados, na maneira como as pessoas agitavam as cabeças e lançavam olhares por todos os lados que iam de tímidos a famintos. Tudo aquilo parecia incrivelmente inocente e depravado ao mesmo tempo, e Tella desejava muito poder experimentar cada pedaço tentador dela.

No alto da escadaria do salão de baile, ela ergueu a cabeça para olhar para Dante, que podia passar por sua sombra com todas as pontas afiladas das tatuagens escuras aparecendo por baixo do terno escuro como fuligem.

— Por que você não está vestido como um leopardo com asas de borboleta ou como um unicórnio?

Um indício de sorriso.

— Nem mesmo Lenda poderia fazer com que eu me vestisse de unicórnio.

— Mas os unicórnios são mágicos, e então todas as moças iriam querer acariciar você.

Desta vez a bufada de Dante soou mais como uma risada que ele estava se esforçando para conter.

Tella não conseguiu evitar um sorriso; talvez não gostasse dele, mas gostava do fato de que ele a achava divertida. Também lhe agradava perceber que Dante parecia não estar interessado em nenhuma das damas que olhavam para ele e pareciam estar prontas para acariciá-lo como um animal de estimação, mesmo que não estivesse fantasiado de unicórnio.

— Saudações! — Jovan, uma das atrizes mais amistosas de Lenda, caiu diante de Tella e Dante como uma marionete. Fitas grossas estavam presas à pele escura de seus braços e pernas, mantendo-lhe os pés a poucos centímetros do chão enquanto esperneavam alegremente, fazendo retinir os guizos prateados em seus sapatos.

Jovan era o primeiro rosto que as pessoas viam quando entravam no Caraval, mas, na realidade, ela fazia muito mais do que dar as boas-vindas aos participantes do jogo. Era frequentemente um cartão de pistas disfarçado com um rosto amigável, indicando aos convidados a direção em que deveriam seguir. Sua simpatia era uma habilidade muito valiosa e também era usada para garantir àqueles em risco de enlouquecer que tudo aquilo era apenas um jogo.

Diferentemente da maioria dos outros atores, Jovan não estava fantasiada com uma quimera. Estava trajada como o Bufão Louco — outro Arcano do Baralho do Destino.

Uma máscara de retalhos escondia metade do rosto de Jovan com as cores vivas do arco-íris, que combinavam com o lado direito de sua capa. O outro lado do traje era inteiramente preto, exatamente como o capuz que encobria a metade esquerda de seu rosto. Um Arcano imprevisível, o Bufão Louco simbolizava a *felicidade destinada a não perdurar.*

— Bem-vindos, bem-vindos ao Caraval, o maior espetáculo em terra ou no mar. Em seu interior, vocês poderão ficar frente a frente com um Arcano ou roubar fragmentos do destino...

— Está bem, está bem — interrompeu Tella. Ela genuinamente gostava de Jovan. Durante o último jogo, ela ajudara Tella a escapulir de seu quarto na torre mais de uma vez. Mas Tella não precisava ouvir o discurso de Jovan neste momento. Por mais atraente que fosse o Caraval, não havia muito sentido em disputar o jogo se o acordo de Tella com seu amigo caísse por terra; ele era o único elo sólido com sua mãe, e salvá-la era mais importante do que qualquer outra coisa.

— Eu já ouvi isso. Pode deixá-lo de lado e nos entregar a primeira pista.

— Talvez você somente pense que ouviu. — Jovan agitou os guizos em seus sapatos. — Esta saudação é um pouco diferente da última. — Ela limpou a garganta antes de recitar o restante, puxando pela memória:

— *Por mais fantástico que possa parecer o Caraval, o que acontecer nas próximas cinco noites será muito real.*

Elantine entoou seu clamor para que salvemos o Império do seu maior temor.

Os Arcanos passaram séculos trancafiados, mas agora desejam sair e brincar pelo povoado.

O mundo nunca mais será o mesmo se a magia os Arcanos recuperarem; mas vocês podem ajudar a impedi-los, se no jogo triunfarem.

Para fazerem isso, devem ser inteligentes e seguir todas as pistas para encontrar o artefato sombrio que pode destruí-los permanentemente

Quando em suas mãos ele estiver presente, Lenda lhes dará um prêmio tão raro que não posso descrever prontamente.

Jovan agitou os pés quando terminou, chacoalhando os guizos em seus sapatos novamente enquanto as fitas em seus braços e pernas a erguiam, mais alto, cada vez mais alto, rumo à neblina gelada que cobria o teto. Conforme ascendia, um cartão vermelho com as bordas chamuscadas caiu do alto como a pena queimada de uma quimera.

Tella o recolheu; aquela pequena página estava coberta exatamente pelas mesmas palavras que Jovan acabara de recitar.

— É isso? Quando Scarlett jogou, achei que ela houvesse assinado um contrato com sangue.

— Cada apresentação é diferente. Quando sua irmã jogou, tivemos que trabalhar para fazer tudo parecer mais perigoso do que era, porque era apenas um jogo.

Tella bufou.

— Se você está tentando me dizer que desta vez é real, não vai funcionar. Eu já ouvi toda aquela cantilena sobre não me deixar arrebatar demais.

— Mas você a ouviu esta noite? — a voz de Dante foi ficando mais grave conforme ele se aproximava, os dedos deslizando levemente pelas pétalas do vestido de Tella.

Os olhos de Tella pousaram no cartão chamuscado de boas-vindas em suas mãos. Como Dante dissera, a mensagem não continha nenhum aviso sobre se deixar arrebatar demais. Na verdade, mencionava algo que era o oposto: *Por mais fantástico que possa parecer o Caraval, o que acontecer nas próximas cinco noites será muito real.*

Tella não acreditava naquilo nem por um instante, mesmo assim não conseguiu resistir ao impulso de erguer os olhos para Dante e perguntar:

— Se o jogo é real, isso significa que tudo entre nós é real?

— Você vai ter que ser mais específica. — Ele arrancou uma pétala da saia de Tella, esfregando-a entre os dedos enquanto começava a descer as escadas sem ela.

Em outras palavras, *não*.

Nada entre eles era real, porque o Caraval não era real. As pessoas amavam o Caraval porque era uma fantasia que ganhava vida; não importa o quanto o jogo ficasse distorcido ao final de tudo, ainda assim era somente um jogo. Tella não podia se deixar arrebatar por ele.

No degrau mais baixo da escada, Tella apertou a moeda novamente e esquadrinhou a multidão em busca de qualquer um que pudesse ter uma aparência ligeiramente criminosa, esperando encontrar seu amigo, embora uma parte dela já começasse a temer que ele já pudesse ter ido embora. Já passava muito da meia-noite agora, e sua última carta a advertira que ele não iria esperar.

Mas Tella não estava pronta para desistir. Seu olhar perscrutador passou por entre atores em pernas de pau, cobertos com pelos cor de creme e castanha, e homens enfeitados que pareciam cisnes com presas afiadas, remando em guarda-chuvas com estampa de bolinhas virados de cabeça para baixo por entre riachos cobertos de flores que levavam rumo ao centro do salão de baile.

— Acho que você não vai querer ir até lá.

Tella se virou e quase trombou com o peito de Dante. Ele estava bem atrás dela novamente, mais altivo do que qualquer pessoa tinha o direito de ser. Ela teve de esticar o pescoço para acompanhar o ângulo de visão do rapaz, passando por uma mulher que lutava com um lobisomem e um jovem cavalheiro brincando de jogar o graveto para um belo meio-homem-meio-tigre buscar, até que finalmente a visão de Dante repousou na imensa jaula prateada no centro do salão.

Tella enrijeceu.

Havia vislumbrado as grossas barras de ferro da jaula quando entrou, mas não percebera que todos os dançarinos do salão de baile estavam dentro dela. De longe, pareciam-se com animais cativos. Os ombros de Tella estremeceram. Não era de admirar que Dante estivesse rindo antes.

— Você realmente não estava brincando sobre detestar jaulas? — perguntou Dante.

— E quem gosta de jaulas? — Embora, do lugar onde Tella estava, parecesse que metade do baile gostava.

— São uns tolos — prosseguiu ela. — Isto é o Caraval. Lenda pode prender todos eles ali dentro e dizer que não vão conseguir a primeira pista a menos que uma pessoa concorde em ficar ali para sempre.

Isso lhe rendeu outra gargalhada profunda.

— É isso que você pensa que Lenda faz?

— Ele tentou me manter presa em um terraço durante o último jogo.

— Mas você conseguia fugir. Se Lenda realmente quisesse mantê-la presa, ele não deixaria que isso acontecesse.

— Talvez eu seja ótima em escapulir.

— Ou talvez você simplesmente pense que é. — Os dedos de Dante deslizaram pela nuca de Tella; apenas um toque suave, mas fez Tella rememorar vividamente o toque das mãos dele logo antes de deixá-lo na floresta naquela manhã.

Ele a deixara ir. Fingira não se importar ou perceber, mas a encontrara pouco tempo depois. Provocara-a sobre os xingamentos e fora suficientemente cortês em lhe devolver a moeda com apenas mais algumas provocações.

— Sabe de uma coisa? — pensou Tella em voz alta. — Se eu não o odiasse, poderia até mesmo gostar de sua companhia.

Todos os indícios do sorriso de Dante desapareceram.

— É melhor irmos embora.

— O que...

Ele agarrou a mão de Tella, mais rápido e com mais força que qualquer outra vez que a segurara antes. Tudo pareceu acontecer de uma vez só, dando a Tella somente um momento para perceber que os olhos de Dante não estavam mais nela. Haviam se estreitado e apontavam para alguma coisa — *ou alguém* — atrás dela.

— Tentando fugir com a minha noiva?

O sotaque arrastado com um toque de superioridade deslizou pela parte de trás dos ombros de Tella, tão fresco e lustroso como uma espada recém-afiada.

O herdeiro de Elantine.

13

— Ora, mas *esta* é uma surpresa interessante. — Um bom humor genuíno iluminou um par de olhos prata-azulados, tão encantadores quanto ondas arrebentando na praia, encobertos por uma cabeleira revolta tão dourada que poderia ser transformada em moedas.

— É você. — Todo o ar que Tella tinha nos pulmões lhe escapou.

O rapaz da carruagem aérea, o mesmo jovem indolente que ameaçara jogá-la da carruagem e que largara metade de uma maçã mordida sobre suas sandálias, abriu um sorriso delinquente.

— Pode me chamar de Jacks.

Com um movimento bem mais cavalheiresco do que qualquer coisa que Tella o tivesse visto fazer na noite anterior, ele tomou sua mão livre para lhe beijar suavemente os nós dos dedos. Aqueles lábios estreitos eram macios e frios, trazendo um arrepio gelado que subiu por todo o braço de Tella enquanto ele falava em voz baixa junto à sua mão:

— Não pensei que você seria corajosa o bastante para usar o vestido.

— Detesto ver um bom vestido ser desperdiçado — disse ela, petulante, como se a presença de Jacks não a tivesse deixado completamente abalada. O herdeiro de Elantine não deveria encontrá-la tão rapidamente. Na verdade, ele nem deveria encontrá-la. E não deveria ser aquele rapaz desleixado da carruagem; isso não se encaixava na imagem que ela tinha.

O herdeiro — *Jacks* — falara de maneira inclemente e sem qualquer indício de ser preguiçoso. Mesmo assim, este rapaz com os olhos vermelhos de sangue e cabelos desgrenhados parecia ser o epítome do desleixo. As calças brancas como ossos, justas ao redor daquelas pernas torneadas, eram limpas, mas suas botas negras arranhadas pareciam ter sido feitas para um estábulo e não para uma festa. Ele nem fez questão de vestir uma casaca. O lenço cor de bronze estava amarrado todo errado, torto sobre o colarinho de uma camisa clara que ficaria melhor se tivesse sido passada a ferro.

Tella se perguntava se os rumores maldosos a respeito dele estariam errados ou se Jacks escolhera cultivar uma imagem de ócio propositalmente. Os cabelos dourados lhe caíam por cima de um dos olhos, e mesmo assim ele olhou para Tella de cima, com toda a confiança de um imperador, quando disse:

— Vamos dançar?

Dante pigarreou e puxou Tella para mais perto de si.

A boca de Jacks se retorceu, um sorriso mais ferino do que amigável.

— Tenho certeza de que não está tentando me impedir de me aproximar da minha noiva na minha própria festa.

A mão de Dante se fechou ao redor do braço de Tella com mais firmeza.

— Na verdade...

— Não lhe dê importância. Ele só está com ciúme — interrompeu Tella antes que Dante pudesse fazer algo inapropriadamente nobre, como confessar que a farsa fora uma ideia totalmente sua. Não que Tella entendesse o motivo pelo qual estava protegendo a pessoa que era parcialmente responsável por essa situação. Ou a razão pela qual Dante precisava ser protegido. Talvez ela só quisesse provar que não precisava que Dante cuidasse dela.

Tella se desvencilhou das garras dele.

Dante apertou os maxilares com tanta força que ela ouviu os dentes dele rangerem uns contra os outros. Mas Tella não lhe deu nem mais uma olhada. Poderia resolver aquela situação sozinha.

Ela estendeu a mão.

Jacks deslizou um dedo delgado por cima do próprio sorriso selvagem, deixando a mão de Tella livre.

Em seguida, ele a pegou pelos quadris. Frio, sinuoso e sólido, seu braço serpenteou ao redor dela, trazendo-a escandalosamente para perto de seu flanco.

Ela jurou que Dante havia até mesmo grunhido desta vez, conforme Jacks a levou para longe, adentrando a turba suarenta dos celebrantes.

As cabeças de vários convidados se viraram para olhar para Dante depois que ele e Tella chegaram à festa. Mas, agora, Tella jurava que cada par de olhos seguia o descuidado e jovem herdeiro que lhe agarrava a cintura. Ele a mantinha extremamente próxima conforme a guiava por entre fontes que gotejavam bebidas alcoólicas pecaminosas e convidados da festa que flertavam com atores vestidos como raposas com caudas de algodão e leopardos meio-humanos.

— Estou surpreso por você não ter tentado correr.

— Por que eu faria isso?

— Porque... — ele falou por entre os cabelos de Tella, cada palavra tão lenta e langorosa quanto as carícias preguiçosas de seus dedos contra a base de sua coluna. — Não creio que tenha causado uma impressão muito boa durante o nosso primeiro encontro e, a esta altura, imagino que você já deva ter ouvido os rumores de que sou um louco desalmado capaz de fazer qualquer coisa para conseguir a coroa.

— Está dizendo que nada disso é verdade?

— Se fosse verdade, você já estaria morta. — Os lábios de Jacks continuaram pressionados contra seus cabelos. Qualquer pessoa por quem passassem provavelmente acharia que ele estava verdadeiramente enamorado, prestes a fazer algo inapropriado, quase como se estivesse tentando dar início a mais boatos. Tella não sabia o que aconteceria se o herdeiro a encontrasse, mas definitivamente não era isso.

— Se eu fosse um assassino — murmurou ele —, você realmente acha que a deixaria viver depois de saber que alegou ser minha noiva para entrar no palácio?

— Se tudo isso é a sua maneira de dizer que não planeja qualquer retribuição por uma mentira inocente, então devemos nos separar. Para dizer a verdade, vim aqui para encontrar outra pessoa.

Tella sentiu a boca fria de Jacks se curvar para baixo, assumindo uma expressão mais carrancuda, contra seus cabelos.

— Estou decepcionado, Donatella. Achei que eu fosse seu *amigo*. Mas, além de se atrasar, você agora está tentando escapar de mim. — Aquele tom de voz macilento ganhou força, e algo terrível se retorceu dentro do estômago de Tella. — Está dizendo isso porque não tem o meu pagamento? — Jacks olhou para ela de cima, com um sorriso tão perturbador que poderia ter feito um anjo chorar.

Malditos seres do inferno!

Tella lutou para respirar à medida que todos os seus planos e esperanças começaram a desmoronar.

Jacks não podia ser o seu amigo. Ela não podia ter passado mais de um ano escrevendo cartas para o herdeiro do trono Meridiano.

Ela tropeçou, mas o braço de Jacks a apertou contra si, impedindo que Tella caísse e segurando-a bem mais perto conforme eles continuavam a dançar por entre os convidados. Isso tinha de ser um erro. O amigo de Tella deveria ser um reles criminoso que negociava segredos, não o imprevisível e mortífero herdeiro-sucessor do trono, que, pelo tom da voz, não parecia inclinado a perdoar a falha que ela cometera.

Tella tentou se desvencilhar.

Jacks a segurou com força, os dedos ágeis mais fortes do que pareciam ser.

— Por que você insiste em me decepcionar? — As mãos dele se prendiam a Tella como se ela realmente fosse sua noiva enquanto a guiava até mais perto da jaula colossal no centro do salão de baile. Tella não deixou de perceber a ironia. Ela o contatara para ajudá-la a escapar da prisão na qual seu pai transformara sua vida, e agora Jacks a estava levando rumo a um novo conjunto de grades.

Pétalas azuis assustadas choveram das saias de seu vestido. O coração de Tella batia aos pulos, dizendo-lhe que precisava fugir correndo assim que fosse possível. Mas, se ela fugisse, não sabia a quem poderia recorrer para ajudá-la a encontrar e salvar a mãe. Tella estava começando a ficar desesperada. O som forte das batidas de seu coração sufocava toda a música que animava a festa. Tudo que conseguia ouvir era o sangue correndo pelas orelhas.

Mas ainda havia esperança.

Jacks podia ser o sucessor da imperatriz, destinado a herdar mais riquezas e poder do que Tella jamais seria capaz de imaginar. Mas, mesmo com todos os privilégios e contatos que isso trazia, parecia que certas coisas — como o verdadeiro nome de Lenda — não estavam ao seu alcance, ou ele jamais teria ajudado Tella. Tudo o que ela precisava fazer era convencê-lo de que ainda lhe era útil.

Tella exalou profundamente e segurou uma das mãos de Jacks. Aproveitou a surpresa de seu par para levá-lo para trás de uma fonte com três andares que derramava cascatas de um líquido carmim que cheirava como vinho. De fora, provavelmente parecia que os dois mal conseguiam esperar para colocar as mãos por todas as partes dos respectivos corpos. Por dentro, Tella sentia-se como se estivesse caminhando por uma corda bamba que começava a arrebentar.

— Desculpe — disse ela assim que os dois estavam a sós. Seu olhar apontava para todos os lados, exceto para ele. Por mais que desejasse dizer que aquilo era parte de uma farsa, este era um daqueles momentos em que ela realmente sentia medo. — Eu não queria entrar em pânico depois que descobri quem você era. Sou muito grata por tudo o que você fez; a última coisa que eu queria era decepcioná-lo.

Ela engoliu em seco e ergueu o rosto para olhar para ele, com os olhos arregalados e suplicantes. Se Jacks fosse capaz de se apiedar, não demonstrou. Havia tempestades de gelo mais quentes do que a maneira como ele a observava.

— Eu estava à sua procura desde o momento em que cheguei — prosseguiu Tella. — Não tenho o nome de Lenda, mas posso consegui-lo no final desta semana e...

Palavras embriagadas tropeçaram ao redor deles, interrompendo Tella conforme outro casal se aproximava da fonte junto da qual eles estavam. Em um instante, as costas de Tella foram pressionadas contra as protuberâncias desconfortáveis de um pilar próximo — uma demonstração para a companhia recém-chegada e indesejada.

Tella fechou os olhos.

A boca de Jacks baixou até tocar o pescoço dela, lábios frios pairando sobre a pele enquanto ele murmurava:

— Já ouvi promessas como a sua antes, mas sempre são mentiras.

— Juro que estou dizendo a verdade — sussurrou ela.

— Não tenho certeza de que acredito em você e não quero mais somente o nome de Lenda. — Outro roçar de seu hálito conforme a boca fria de Jacks viajava até um ponto mais alto, flutuando sobre o queixo de Tella, mas sem tocar a pele.

Tella abriu os olhos e inspirou o ar com força.

O olhar dele era faminto. Ela sabia que os dois só estavam fingindo para o casal que passava por ali, mas Tella imaginou a boca de Jacks se abrindo o bastante para mordê-la, da mesma maneira que ele enfiou os dentes naquela maçã branca na noite passada.

Em seguida, tão rápido quanto pressionara as costas de Tella contra o pilar, Jacks estava recuando. O casal que passara por eles já havia saído a passos trôpegos para algum outro lugar.

Os olhos de Jacks continuaram nela, estreitados de uma maneira que podia ser facilmente interpretada como desgosto ou como se ele estivesse se divertindo com o desconforto cada vez maior que Tella sentia.

— Gosto de você, Donatella, então vou lhe dar mais uma chance. Mas, como falhou em me trazer a informação que pedi, preciso alterar as condições do nosso acordo. Se completar as duas tarefas com sucesso, então, e somente nesse caso, considerarei reuni-la com sua mãe.

— Então você sabe onde ela está?

As narinas de Jacks se dilataram, enraivecidas.

— Como se atreve a me questionar quando foi você quem falhou em cumprir suas promessas? Se tivesse me trazido o nome de Lenda, você estaria olhando para ela agora. Em vez disso, vou lhe dar até o fim desta música para fazer sua escolha.

A música parou quase por completo — salvo por uma nota clara do violoncelo que poderia expirar a qualquer segundo.

— Diga-me o que você quer.

Um leve retorcer no canto da boca de Jacks.

— Agora preciso que você me consiga duas coisas em vez de uma. Tive muito trabalho para me tornar o sucessor de Elantine, mas o boato de que eu e você estamos noivos colocou minha posição em risco. Isso já se espalhou pela corte. Se for exposto como uma mentira, dada a minha reputação, as pessoas vão esperar que eu a mate. Se eu não o fizer, isso vai parecer um sinal de fraqueza e fazer com que eu seja morto.

— O que você está propondo?

— De acordo com cada sussurro no palácio, uma proposta já foi feita.

— Está pedindo que eu me case com você?

Ele riu.

— Não. — Por um momento, Tella poderia jurar que Jacks inclinou a cabeça, como se estivesse considerando a possibilidade. — Não desejo desposá-la. Preciso apenas que você finja que é minha noiva até o fim do Caraval. Quando o jogo terminar, podemos dizer que nosso noivado era uma parte da encenação e dissolvê-lo sem quaisquer problemas.

Aquilo devia ter resultado numa resposta afirmativa fácil. Tella já havia fingido um noivado antes. Mesmo assim, havia alguma coisa naquela barganha que não lhe parecia estar certa. Ela tinha a sensação de estar fechando um acordo com um dos atores de Lenda. Não podia ser tão simples quanto Jacks fazia parecer. Havia mais alguma coisa que ele não estava revelando.

— E o que mais você quer? — perguntou ela.

— Preciso ter certeza de que você é capaz de atender a esse pedido primeiro. Se puder convencer a todos que estão neste baile de que estamos profunda e verdadeiramente apaixonados, então vou lhe dizer a segunda coisa que quero. — Jacks tomou a mão de Tella, as luvas de couro macio que usava pressionando firmemente a pele nua da garota.

— É hora de ver se você consegue ser uma boa atriz. — Ele sorriu e exibiu as covinhas no rosto, todo cheio de um charme juvenil e descuidado. Mas Tella não conseguia se esquecer da rapidez com que ele podia passar do descuido à crueldade quando a puxou para longe da alcova escondida rumo à jaula enorme onde todos estavam dançando.

Mais pétalas azuis frágeis caíram de seu vestido.

Tella respirou fundo, empedernindo-se. Não sabia o que iria fazer se fracassasse, e não tinha certeza do que teria de fazer para conseguir convencer o baile inteiro de que os dois estavam apaixonados.

As barras grossas da jaula cheiravam a metal e ambição pela realeza. O ar quase chegava a ser espesso demais para respirar, fervendo com corpos quentes, perfume e seduções sussurradas. Os dedos de Jacks se retesaram quando os dois entraram. Por um breve instante, Tella imaginou que Jacks também não gostasse de jaulas, mas era muito mais provável que ele estivesse tentando impedi-la de sair correndo.

Havia ainda mais dançarinos enfiados dentro da jaula do que ela imaginara. Damas dispensadas e um ou outro casal ocasional repousavam em almofadas altas de cetim espalhadas pelas beiradas, enquanto saias e ternos coloridos giravam sobre a pista de dança de mármore verde como se fossem flores agitadas pela brisa.

Tella avistou alguns rostos familiares.

Primeiro ela viu Caspar, que interpretara o papel de Lenda no último jogo, assim como o papel do noivo que ela arranjara. Vestido com um terno castanho-claro que o deixava com ares de raposa, ele parecia estar sussurrando segredos para outro rapaz bonito, que provavelmente não fazia ideia de que Caspar era um ator. Mais adiante, relaxando sobre uma almofada, Nigel assustava alguns nobres e os fazia corar ao mesmo tempo que deslizava os dedos pelas tatuagens de arame farpado marcadas ao redor dos lábios.

Em seguida, viu Armando. Uma cortesã bastante atenta com um vestido escarlate acariciava a casaca branca dele com suas unhas vermelhas. Mas, em vez de desfrutar daquela atenção, o olhar de Armando estava fixo em Tella. A jaula ficou mais quente conforme seus olhos de esmeralda a seguiam. Não era o olhar zombeteiro com o qual ele a encarara antes. Seu interesse estava preso a ela como se Tella fosse o primeiro ato do entretenimento da noite. E ele não era o único que a olhava fixamente.

As pessoas não estavam mais olhando somente para Jacks.

Tella jurava que aqueles olhares intrigados e olhos pintados haviam saltado totalmente para ela. Tella gostava de ser o centro das atenções, mas não tinha certeza se gostava de tamanho escrutínio. Aquilo lhe dava a sensação de que a jaula abafada subitamente havia ficado menor. A luz em seu interior havia deixado ter o tom celebratório e a cor do uísque para assumir tons enervantes de ameixa metálica. Ela sentia especialmente as mulheres julgando seus cachos recém-desgrenhados e o vestido que a deixava com as costas quase nuas enquanto sussurravam entre si palavras que Tella não precisava ouvir para imaginar. Poucas coisas eram tão brutais quanto damas críticas.

Um trio de garotas com mais ou menos a sua idade, todas gotejando inveja, chegou até mesmo a tentar fazê-la tropeçar quando Tella passou por perto.

— Relaxe — murmurou Jacks. — Não vamos convencer ninguém de que estamos noivos se os seus olhos continuarem indo de um lado a outro como se não pudesse esperar para fugir.

— Estamos dentro de uma jaula. — Tella inclinou a cabeça na direção das densas barras mais acima, onde candelabros de ferro estavam cobertos por trepadeiras azuis e brancas que balançavam de um lado para outro, como se eles também quisessem fugir.

— Não olhe para a jaula. Mantenha esses belos olhos em mim. — Jacks segurou o queixo de Tella entre os dedos, frios, mesmo através das luvas. Ao seu redor, palavras ditas por entre os dentes e diálogos tórridos se misturavam com os sons mais suaves de bebidas fluindo, risos contidos e murmúrios animalescos. Mas, quando os lábios de Jacks se entreabriram pela segunda vez, Tella ouviu somente o som melodioso de sua voz quando ele sussurrou: — Sei que não é somente a jaula que a está assustando, querida.

— Você está dando crédito demais a si mesmo.

— Estou? — Ele deixou a mão cair do queixo de Tella para o pescoço, o couro macio repousando contra a pulsação. Acariciou-a devagar, somente um delicado roçar das luvas, que infelizmente fez o coração covarde de Tella bater mais rápido.

— Relaxe — repetiu ele. — A única coisa na qual você deveria pensar é o fato de ser mais desejável do que qualquer um neste salão. Cada pessoa aqui deseja ser você.

— Você realmente está dando crédito demais a si mesmo agora.

O riso de Jacks foi surpreendentemente desarmador.

— Então diga a si mesma que todos estão desejando ser eu, dançando com você. — Com um sorriso que provavelmente roubara do diabo, Jacks enlaçou o braço ao redor dos quadris de Tella e a levou para a pista de dança. Já havia outra dança acontecendo, e ele atravessou a pista diretamente, passando por entre todos os outros casais. Era completamente desrespeitoso, e mesmo assim bem mais habilidoso do que qualquer pessoa com quem ela já dançara.

Cada movimento de Jacks era descuidadamente gracioso, combinando com a cadência musical das palavras que ele murmurava no ouvido de Tella.

— A chave para uma farsa como esta é esquecer que ela é forjada. Convide a mentira para brincar até que você fique tão confortável com ela que sinta que é como a verdade. Não diga a si mesma que estamos fingindo ser noivos; diga a si mesma que eu a amo. Que eu a quero mais do que qualquer pessoa. — Ele a puxou para mais perto e deslizou a mão pela sua nuca, brincando com a fita que Tella tinha ao redor do pescoço.

— Se puder convencer a si mesma de que isso é verdade, então vai poder convencer qualquer um.

Ele a girou pela pista outra vez conforme grossas fitas cor de morango caíram rodopiando do alto da jaula. Cada uma delas trazia acrobatas com trajes emplumados que jogavam punhados de pó de estrela e *glitter* de vidro, cobrindo o mundo com uma imitação de magia conforme Tella e Jacks continuavam a girar e voltear até que tudo se transformara em espirais de pó dourado e névoa, pétalas de flores e dedos se entrelaçando por cabelos. E, por um momento, Tella mergulhou sua imaginação na fantasia traiçoeira que Jacks havia descrito.

Ela se lembrou de quando se encontraram pela primeira vez. Tella o considerara insolente e indolente, embora a distraísse o bastante para que o achasse bonito. Se não houvesse agido de maneira tão bestial, talvez ela tivesse imaginado se ele teria o gosto da maçã que continuava a morder ou algo um pouco mais perigoso. E depois, para manter aquela farsa, imaginou que ele sentira a mesma atração, e, desde o momento em que Jacks a vira na carruagem, ele sabia que a desejara mais do que qualquer outra pessoa que passara por sua vida.

Essa dança não se destinava a manter sua reputação mortífera intocada para que Jacks pudesse conquistar o trono; o alvo dele era a própria Tella.

Era por isso que ele havia lhe dado um vestido tão maravilhoso.

E era por isso que estava dançando com ela agora.

Tella fingiu que o amor era um lugar que ela queria visitar e testou um sorriso de flerte.

Jacks a estonteou com um sorriso torto.

— Eu sabia que você conseguiria. — Ele levou a boca até a orelha dela e beijou a ponta carinhosamente, tão suave quanto o roçar de um sussurro. O peito de Tella estremeceu conforme a boca de Jacks deslizou mais para baixo, e ele a beijou novamente com um pouco mais de pressão, os lábios se demorando na curva delicada entre o queixo e o pescoço. Os dedos de Tella se flexionaram nas costas de Jacks.

A música ao redor deles ganhou força, violinos dançando com harpas e violoncelos em uma rapsódia decadente e devassa, ameaçando transportá-la para outra época e lugar.

Todas as pessoas dentro da jaula continuavam observando os dois a girar, com um interesse extasiado. O salão de baile estava tomado por olhos ansiosos e bocas zombeteiras conforme os lábios de Jacks continuavam a dançar sobre a garganta de Tella da mesma maneira que os seus passos valsavam pelo chão.

— Talvez devêssemos dar a eles algo sobre o qual realmente possam espalhar fofocas. — Os nós dos dedos de Jacks roçaram a clavícula de Tella, voltando a atrair sua atenção. — A menos que eu ainda lhe provoque medo.

Tella abriu um sorriso largo para ele, mesmo que seu coração estivesse pulando impiedosamente contra as costelas.

— Você nunca me assustou.

— Que tal provar isso? — Os olhos brilhantes de Jacks caíram sobre a boca de Tella.

Um desafio.

O sangue nas veias de Tella ficou mais quente.

Tella geralmente não pensava antes de beijar um rapaz. Em um momento, ela simplesmente percebia a boca do rapaz sobre a sua, ou a sua sobre a dele, seguida por línguas que buscavam entrar enquanto mãos se ocupavam com seu corpo. Mas não supunha que beijar Jacks seria assim. Tinha a sensação de que as mãos habilidosas do rapaz sabiam exatamente o que fazer, onde tocá-la e com quanta força pressionar. E os lábios dele... estavam apenas brincando agora, mas ela não sabia se seriam gentis com sua boca ou um pouco rudes — e sua pulsação acelerou ao pensar em cada uma das possibilidades.

Jacks lhe tocou a bochecha com a mão em concha e a fez girar em um novo círculo.

— Ajude-me a convencer essas pessoas — sussurrou ele. Tella não sabia por que hesitava.

É somente um beijo.

E ela se viu subitamente curiosa. Ele seria o imperador algum dia e queria beijar Tella enquanto todas as mais importantes pessoas do Império observavam.

Ela deslizou a mão até tocar o pescoço de Jacks. Sua pele estava ainda mais fria, estremecendo sob os dedos de Tella. Ficou claro que Jacks não estava tão sereno quanto parecia.

— Parece que é você quem está nervoso agora — provocou Tella.

— Estou apenas me perguntando se você vai ter uma opinião diferente a meu respeito depois disso. — Em seguida, sua boca se chocou com a dela. Tinha um sabor de pesadelos exóticos e sonhos roubados, como as asas de anjos caídos e garrafas de luar fresco. Tella poderia até mesmo ter gemido contra os lábios de Jacks conforme sua língua deslizou por sobre a dela e explorou.

Cada centímetro sólido dele estava pressionado contra cada parte macia e curvilínea de Tella. Os dedos de Jacks se emaranhavam e lhe puxavam os cachos dos cabelos. Tella fez as mãos deslizarem por baixo da barra da camisa do parceiro, descobrindo os músculos firmes que ele tinha na base da coluna. Era assim que as pessoas se beijavam atrás de portas fechadas e becos escuros, não um beijo para os salões de dança iluminados onde todos os habitantes do Império podiam ver. Mesmo assim, Jacks não pareceu se importar.

Os dedos de Jack encontraram a fita que adornava o pescoço de Tella e deslizaram por baixo, esmagando-lhe os lábios com ainda mais força. Não a estava provando; ele a estava devorando, como se acabasse de encontrar algo que pensava ter perdido. E então suas mãos estavam deslizando por baixo dos cordões de joias que atravessavam as costas nuas de Tella; devia ter tirado as luvas, porque seus dedos estavam gelados e ousados contra a pele quente, agarrando, tomando e fazendo-a imaginar se aquilo realmente seria, afinal de contas, uma farsa.

Ela gemeu baixo.

Ele rosnou.

Era o tipo de beijo no qual ela podia ter vivido. O tipo de beijo pelo qual valeria a pena morrer.

Santa dentadura.

Um beijo pelo qual vale a pena morrer. Somente uma pessoa em toda a história do Império havia beijado como...

Jacks a mordeu, dentes afiados fincando-se no lábio de Tella com força o bastante para fazer brotar o sangue morno.

Tella se afastou abruptamente, pressionando a mão com força contra o peito de Jacks.

Não sentiu nenhuma batida de coração.

Pelo sangue dos santos. O que ela havia feito?

Diante dela, Jacks parecia brilhar. Sua pele era pálida, mas agora parecia sobrenatural em sua luminosidade.

A fita que estava presa ao redor do pescoço de Tella agora pendia dos dedos esguios dele como uma espécie de prêmio, e uma gota do sangue que ele arrancara quando a mordeu agora repousava no canto de sua boca estreita.

Tella sentiu que ia passar mal.

— O que você fez comigo? — sussurrou ela.

O peito de Jacks arfava quase tanto quanto o dela, e os contornos de seus olhos começavam a ficar febris, mas sua voz soou preguiçosa outra vez, quase sem qualquer paixão, quando ele disse:

— Não faça um escândalo aqui, meu amor.

— Acho que é tarde demais para isso. — Ela queria chamá-lo pelo nome, *o Príncipe de Copas*, mas não estava pronta para pronunciar aquelas palavras em voz alta.

As covinhas que ele tinha no rosto reapareceram, astutas desta vez, como se soubessem exatamente no que ela estava pensando.

Ela esperou.

Esperou que Jacks lhe dissesse que estava errada. Esperou que ele garantisse que o seu beijo não a mataria. Esperou que ele lhe contasse que ela deveria saber que era melhor não colocar tanta fé em histórias antigas. Esperou que ele a provocasse por ser tão crédula e acreditar que ele era um Arcano que retornara depois de muito tempo desaparecido. Esperou que ele lhe dissesse que não era o Príncipe de Copas.

Em vez disso, ele lambeu o sangue no canto da boca.

— Você devia ter me trazido o nome de Lenda.

14

Por um momento, o mundo inteiro de Tella parou de respirar. Todas as pessoas perto da pista de dança pararam de se mover, os rostos arrebatados congelados em estados exagerados de choque com a cena exibida por Tella e Jacks. Pela eternidade de uma batida de coração, Tella só conseguiu ouvir o *glitter* tilintar suavemente enquanto ele continuava a cair no chão.

O Príncipe de Copas — o Arcano famoso por seus beijos fatais, que lhe assombrara tanto os sonhos quanto os pesadelos e a amaldiçoara a ter amores não correspondidos depois de sacar sua carta do Baralho do Destino que pertencera à sua mãe — não era simplesmente um mito. Ele era real e estava bem diante de Tella. Sua pele pálida brilhava de uma maneira tão sobrenatural que, se o salão de baile inteiro não tivesse sido congelado, Tella imaginaria que todos perceberiam quem ele realmente era.

O Príncipe de Copas não era inteiramente humano; não era nem mesmo humano. Era algo mágico, algo diferente, algo errado. Um Arcano.

E ela o beijou.

— Eu não esperava que você ficasse tão surpresa. A moeda que lhe enviei foi uma insinuação bem óbvia. — Jacks estendeu o braço e alisou cuidadosamente um dos cachos de Tella, com mãos muito mais gentis do que tinham sido poucos momentos antes. Ela queria extravasar sua raiva, gritar, estapear aquela boca avermelhada, mas parecia que ele a havia colocado, juntamente com todo o salão de baile, sob o efeito de um feitiço.

— O que você fez com todo mundo? — arfou ela.

— Fiz seus corações pararem de bater. É como pausar o tempo. Não vai durar muito tempo, ao contrário do que fiz com o seu. — A mandíbula dele se agitou num espasmo conforme seu olhar viajou para mirar o peito de Tella.

Ela respirou curtamente, porque aparentemente isso era tudo o que podia fazer. Quando eles estavam dançando, seu coração batia forte, suas veias estavam quentes, seu sangue corria aceleradamente. Mas, agora, ela sentia o coração reprimido, batendo devagar demais, um eco débil do que devia ser.

— Eu vou morrer?

— Ainda não.

Os joelhos de Tella cederam.

Jacks reluziu com uma intensidade ainda maior.

— Isso vai ser tão divertido que é quase uma pena lhe dizer que ainda há uma maneira de se salvar.

— Como?

— Traga-me a segunda coisa que quero.

— E o que é? — Tella conseguiu dizer.

Os longos dedos de Jacks terminaram de alisar os cabelos de Tella, e seu olhar encontrou o dela mais uma vez. Ela dissera que os olhos dele eram prata-azulados antes, mas agora brilhavam somente em prata, cintilando com um prazer cada vez maior à medida que o terror de Tella se multiplicava.

— Quero Lenda, o homem, não somente sua identidade. Quero que você vença o jogo e o entregue para mim.

Antes que Tella pudesse reagir, o silêncio foi quebrado e o salão de baile se encheu novamente de sons. Ela jurava que nunca havia testemunhado tantos sussurros intencionalmente altos, encobertos por sorrisos artificiais, conforme os convidados do baile fingiam não estar escandalizados pelo espetáculo que Jacks e Tella lhes proporcionaram. Embora uma única pessoa não parecesse estar escondendo o que sentia. *Dante.*

As entranhas já bastante maltratadas de Tella se retorceram ainda mais.

Dante estava à sua frente, o cotovelo apoiado casualmente contra uma grossa barra de metal perto da porta da jaula, mas a postura enrijecida de seu queixo, os movimentos disfarçados de seu olhar e o contorno desdenhoso de seus lábios disseram a Tella que ele não estava nem um pouco calmo. Parecia estar furioso.

A reação dele não a devia ter irritado. E o beijo que ela dera não o devia ter enraivecido, já que Dante era parcialmente responsável por toda essa confusão. A menos que ele estivesse apenas fingindo, o que faria mais sentido. Fingir que se importava com ela era provavelmente um dos papéis que ele havia recebido para interpretar no Caraval.

O olhar de Jacks seguiu o de Tella e ficou mais aguçado.

— Acho que ele ainda acredita que você lhe pertence. — A pele pálida de Jacks reluziu ainda mais quando ele coçou o queixo com o polegar, dando a impressão de que estava concebendo uma ideia verdadeiramente terrível.

— Nosso acordo não envolve aquele homem. Dante é um dos atores de Lenda — sibilou Tella. — Ele está só interpretando um papel. Ele nem mesmo *gosta* de mim.

— Não é essa a impressão que tenho olhando daqui. — Jacks pressionou os lábios frios contra a testa de Tella, um arremedo de beijo, enquanto dizia: — Não dou segundas chances, mas estou dando uma a você. Não estava mentindo quando disse que queria que essa farsa fosse convincente. Se alguém descobrir que este noivado é uma mentira, ou desvelar a verdade sobre mim ou sobre o nosso acordo, as consequências serão infelizes. Considere o seu amigo tatuado que está ali. — Jacks apontou os olhos para Dante outra vez. — Você disse que ele é um dos atores de Lenda, então não posso matá-lo esta semana. Mas, se ele descobrir a verdade, eu poderia facilmente dar um fim na vida dele assim que o jogo terminasse.

— Não! — interveio Tella, bem no momento em que Jacks erguia a voz acima da dela para anunciar: — Como parece que consegui roubar momentaneamente a atenção de todos os presentes, agora seria uma boa hora para compartilhar uma notícia excelente.

Como se os convidados do baile fossem fantoches ou parte de uma dança orquestrada, cada uma das cabeças com cabelos bem-arrumados estava virada em sua direção.

— Muitos de vocês sabem que a minha antiga noiva, Alessandra, faleceu no fim do ano passado. Sua morte foi uma grande perda para o Império, e achei que jamais conseguiria me recuperar. Mas, como podem ver, encontrei outra pessoa, alguém que espero que todos vocês adorem tanto quanto eu. Apresento-lhes minha nova noiva, Donatella.

O salão se encheu com aplausos e novas nuvens de pó de estrelas conforme os atores suspensos no ar jogavam estrelas de papel cintilante nas pessoas que estavam no chão.

Aos olhos de Tella, tudo aquilo se parecia com cinzas.

Seu próprio sorriso nunca pareceu estar tão errado conforme ela forçava os lábios a se curvar para a multidão.

— Odeio você — sussurrou ela.

— Fui injusto? — murmurou Jacks. — Eu lhe dei o que você pediu. Agora, quero aquilo que você me deve.

— Oh, olhem! — gritou alguém. — As estrelas de papel! Elas são a primeira pista.

O salão de baile irrompeu em um caos ainda maior. Algumas das estrelas que caíam eram pistas, mas parecia que outras estavam cheias de coisa nenhuma, exceto pela poeira estonteante, que enchia a jaula com nuvens fantásticas e luminosas quando tocadas pelos convidados do baile.

Os jogos do Caraval haviam realmente começado. Enquanto todos à sua volta tentavam alcançar as estrelas que caíam, Tella pensou em todas as vezes em que ela e Scarlett sonharam com o Caraval, com Lenda. Agora Tella tinha de vencer o jogo ou jamais sonharia novamente. E ela duvidava que sua irmã também o faria. Tella prometera a Scarlett que tomaria cuidado, mas já havia fracassado com ela.

O canto da boca venenosa de Jacks se agitou subitamente.

— É melhor você pegar uma das pistas, meu amor.

— Não me chame de...

— Cuidado, querida. — Rápido como uma cobra, ele pressionou dois dedos firmes sobre os lábios machucados de Tella. — Você não vai querer destruir a bela mentira que acabamos de criar. Agora... — disse ele docemente — dê um beijo nos meus dedos para todos aqueles que ainda estão olhando.

Em vez disso, Tella os mordeu. Tinham o gosto de geada e de desejos que se realizaram de um jeito errado.

Ela esperava que ele recuasse, que seu rosto anguloso se enchesse de cor e que suas palavras ficassem feias e irritadas. Mas Jacks simplesmente deixou os dedos frios na boca de Tella, pressionando-os contra os dentes e a língua. O estômago de Tella pareceu se encher de chumbo enquanto algo puramente mau rebrilhou naqueles olhos insólitos.

— Vou deixar você sair impune por isso, mas este será o meu último ato benevolente. — Ele esfregou os dedos no lugar onde lhe mordera o lábio antes de removê-los de sua boca. — Se não vencer o Caraval e não me trouxer Lenda antes do Dia de Elantine, vai aprender o quanto os meus beijos são letais.

Até aquela noite maldita, Tella sempre gostara de *glitter*. Quando era criança, frequentemente roubava pequenos frascos das lojas, imaginando que um deles contivesse o verdadeiro pó de estrelas, cheio de magia e capaz de realizar seus desejos ou de transformar terra em diamantes. Mas nenhum daqueles frascos havia sido encantado, e o pó do baile não era realmente de estrelas também, apenas vidro pulverizado. Quando os sinos dobraram para anunciar as três horas da manhã e ela entrou na carruagem aérea com Jacks, a substância nem mesmo cintilava; estava grudada como um parasita em seus braços e partes de seu vestido onde antes havia flores.

Você devia ter me trazido o nome de Lenda.

Jacks não lhe dissera uma palavra desde que saíram de seu castelo miserável. Estava recostado no assento diante dela, novamente um nobre desleixado, desatando seu lenço cor de bronze como se houvesse recém-terminado uma série de tarefas entediantes: *participar de um baile, dançar, amaldiçoar Tella com seus lábios mortíferos.*

— Receio que você esteja com medo de mim agora — disse ele, com a voz arrastada.

— Você está confundindo medo com asco. Você é um monstro desprezível. — E ela havia confiado nele. — Você me enganou.

— Você iria preferir que eu fizesse com que o beijo a matasse imediatamente?

— Sim.

A curvatura da boca de Jacks apontou para baixo, embora nem um traço de tristeza lhe tocasse os olhos. Provavelmente não era capaz disso, assim como se dizia que ele era incapaz de amar.

... seu coração havia parado de bater havia muito tempo. Somente uma pessoa poderia fazê-lo bater novamente: seu verdadeiro amor. Falavam que seu beijo fora fatal a todas, exceto a ela — sua única fraqueza...

Oh, como Tella desejava ser sua fraqueza. Ela adoraria destruí-lo.

Tella frequentemente imaginava que sabia o que as pessoas pensavam quando a viam. Uma olhada em seus cachos loiros em tom de mel, em seu sorriso de menina e em seus vestidos bonitos, junto com o fato de que ela gostava de se divertir, e as pessoas a subestimavam, pensando que era somente uma garota tola. Tella podia ser muitas coisas, mas estava longe de ser tola, inútil ou ser digna de quaisquer rótulos que as pessoas gostavam de afixar somente porque uma pessoa era jovem e do sexo feminino. Tella gostava de pensar que muito de sua força vinha daí.

Ela era audaciosa. Era corajosa. Era inteligente. E iria sair triunfante dessa situação — não importava o custo.

— Se você tivesse me trazido o nome de Lenda, tudo teria sido diferente — disse Jacks.

— Se isso for verdade, por que você agora quer mais do que somente o nome dele?

— Por que me contentar com apenas um nome quando você pode vencer o jogo e me entregar Lenda? — O tom de Jacks era de desprezo, tão descuidado quanto sua postura ociosa. Mas Tella acreditava que devia haver algum motivo muito maior para aquela exigência. Queria pressioná-lo a dizer mais, mas duvidava que ele lhe contaria exatamente o que queria com Lenda. E havia outras perguntas para as quais Tella precisava de respostas.

Ela se reclinou em seu assento, imitando a pose cavalheiresca de Jacks.

— Como vou saber se tudo isso é real? Como vou saber se você não é somente uma parte do jogo de Lenda?

— Você quer provas de que eu sou um Arcano e que o meu beijo realmente vai matá-la? — O humor iluminou os olhos de Jacks; parecia que ele era capaz de sentir emoções, afinal de contas, pois a ideia de demonstrar quão letal era parecia empolgá-lo um pouco demais.

— Prefiro passar sem isso — disse Tella. Ela não acreditava realmente que Jacks fosse parte do jogo de Lenda. Seu beijo não era um daqueles pelo qual valia a pena morrer, embora, se Tella nunca houvesse realmente morrido, talvez sua opinião fosse outra. Beijos eram algo destinado a ser temporal, momentos breves, porém requintados, de prazer. Mas Tella poderia ter beijado Jacks pelo resto da eternidade. Não foi somente a maneira como os lábios do Arcano se moveram sobre os seus, foi o desejo que havia por trás deles, a lascívia, a maneira como Jacks fizera Tella sentir que era a única pessoa na Terra pela qual ele passara sua existência inteira procurando. Naquele momento ela conseguiu esquecer que fora abandonada pela mãe e que sofrera tantas vezes nas mãos do pai, porque Jacks a fizera sentir como se fosse se apegar a ela para sempre.

Em seguida Tella o viu brilhar, e foi aí que ela soube. Ainda não entendia como ninguém mais no baile pareceu perceber aquilo. Mesmo agora, um pouco do brilho parecia ter se apagado, mas Jacks ainda parecia completamente inumano, perigosamente bonito. Capaz de matar com apenas uma leve pressão dos lábios.

Ainda era surreal acreditar que ele era um Arcano. Quando ele voltara à Terra? E os outros Arcanos, haviam retornado também com ele? Essas questões tomavam conta dos pensamentos de Tella. Mas não sabia por quantos minutos mais ele a suportaria, e ainda precisava de respostas para outras perguntas.

— Quero o nome verdadeiro da minha mãe — disse ela. — E provas de que você sabe onde ela está e de que irá trazê-la até mim depois que isso estiver terminado. Somente assim vou acreditar que tudo isso é real.

Jacks torceu uma de suas abotoaduras em forma de lágrima — ou será que ela representaria uma gota de sangue?

— Creio que você saiba que isso tudo é real, mas vou atender ao seu desejo.

A carruagem se inclinou para baixo quando Jacks levou a mão ao bolso e sacou uma carta retangular.

Mesmo sob a luz fraca do interior da carruagem, a ilustração era inconfundível. Um tom tão escuro de erva-moura que era quase negra, com minúsculos detalhes dourados que brilhavam contra a luz e traços espiralados de um vermelho-violeta escuro em alto-relevo que ainda faziam Tella pensar em flores úmidas, no sangue das bruxas e em magia.

Brotoejas se ergueram por sobre os braços de Tella.

Era uma das cartas do Baralho do Destino de sua mãe. Tella vira outros baralhos no decorrer dos anos, mas todos eles eram inferiores se comparados às imagens brilhantes, quase mágicas, do baralho que sua mãe possuíra.

Tella lutou contra o desejo de estender a mão para pegar a carta e saltar para fora da carruagem antes que ela pudesse prever outro futuro sombrio.

Mas, quando Jacks virou a carta, ela não revelou um Arcano. Ali estava uma imagem alarmantemente vívida de sua mãe, Paloma, com mechas escuras de cabelos cascateando por cima de ombros que pareciam estar mais magros do que Tella se lembrava. Paloma estava em pé, com as palmas expostas, como se estivesse prensada contra uma janela; quase como se estivesse presa dentro da própria carta.

— É aqui que sua mãe está. E já faz sete anos — disse Jacks.

Tella forçou-se a tirar os olhos da carta para verificar se o Arcano estava brincando com ela, mas o cintilar bem-humorado que iluminava os olhos dele havia desaparecido. Seu rosto havia ficado tão frio quanto o sangue que agora congelava as entranhas de Tella.

— Não acredito em você — disse ela.

— Qual parte? Que esta é a sua mãe, ou o fato de ela estar presa dentro desta carta?

Jacks colocou a carta sobre os punhos cerrados de Tella. Ela não formigava como o Aráculo; em vez disso, latejava, dolorosamente devagar, como um coração agonizante que ainda batia. Tella sabia que ela estava morrendo porque o ritmo era tão lento quanto o do seu próprio coração.

Não podia ser real. Não deveria ser real. Mas Tella percebeu que estava acreditando que era real, conforme a batida fraca do coração da carta continuava a pulsar contra seu punho.

— Como isso é possível?

— É mais fácil do que você imagina — disse Jacks. — E posso lhe dizer por experiência própria que o processo é torturante.

Uma nesga de luar adentrou a carruagem, iluminando o rosto de Jacks. Sua expressão era impassível, mas por um momento ele pareceu estar tão pálido que Tella jurou ter visto o esqueleto que havia por baixo da pele. Ela definitivamente estava errada ao pensar que ele era incapaz de sentir emoções. Talvez fosse incapaz de amar, e talvez seus outros sentimentos não fossem aqueles que um ser humano sentiria, mas o terror que acabara de pulsar dele era tão poderoso que ela conseguiu sentir.

— Você estava aprisionado dentro de uma carta — sussurrou Tella.

Jacks inclinou a cabeça para longe do luar, de modo que suas feições ficaram encobertas pelas sombras, fazendo com que fosse impossível interpretar seu rosto quando disse:

— Para onde você acha que todos os Arcanos foram quando desaparecemos há tanto tempo?

Tella sentiu o estômago afundar com força conforme a carruagem começava a descer. Ouvira rumores de que os Arcanos haviam sido banidos por uma bruxa. Outros diziam que eles se voltaram uns contra os outros. Havia até mesmo uma história que dizia que as estrelas os transformaram novamente em humanos. Mas ela nunca ouvira dizer que os Arcanos foram todos aprisionados dentro de cartas.

— Mas esta é uma história para outro momento — disse Jacks. — A única coisa com a qual você precisa se preocupar é vencer o jogo, de modo que possa me trazer Lenda.

O olhar de Jacks pousou na estrela amarrotada que estava na mão de Tella — a primeira pista, que ela nem havia se preocupado em olhar.

— Abra.

Como Tella não se moveu, Jacks a tirou de sua mão, desdobrou-a e leu em voz alta:

Escondidas por toda a cidade estão
as outras pistas de que você vai precisar.

Aventure-se em um lugar bonito
para a segunda pista conquistar.

Esta região de Valenda, certa vez,
foi muito trágica,

Mas, agora, ela promete fé e mágica.

Ele parou por um momento.

— Parece se referir ao Distrito do Templo.

— E você espera que eu lhe agradeça por essa dica? — rosnou Tella.

— Estou tentando ajudá-la a ganhar tempo. — O tom de voz dele assumiu ares de uma mordida. — Posso ter retardado o poder total do meu beijo, mas você ainda vai sentir alguns dos seus efeitos. O jogo termina ao alvorecer do Dia de Elantine, o que lhe dá mais cinco noites para encontrar as pistas que faltam. Eu sou o único que pode libertar a sua mãe. Se você perder o jogo e fracassar em me trazer Lenda, ela permanecerá presa dentro dessa carta para sempre, e você morrerá...

Ele se deteve quando a carruagem pousou pesadamente no chão.

— Mais uma coisa. — Jacks indicou a carta com a mãe de Tella com um meneio de cabeça. — Mantenha-a em segurança. Se alguma coisa acontecer a essa carta, nem mesmo eu poderei salvá-la. Quando você vencer o jogo, certifique-se de que tem a moeda sem sorte que lhe dei e eu vou encontrá-la antes que Lenda chegue. Até lá, meu amor, tente não morrer.

Jacks soprou um beijo para Tella quando ela saiu rumo à noite mordaz.

15

A Morte visitou Tella enquanto ela dormia. As pontas das suas garras acariciaram a nuca de Tella, enquanto sua sombra a seguia em meio a sonhos imaculados, envenenando todas as cores até que tudo tivesse gosto de poeira e se desfizesse em cinzas.

Em breve você será minha de novo.

O arrastar da voz putrefata da Morte acordou Tella com um sobressalto. Ela se ergueu como um raio na cama, sentindo a língua pesada e os cabelos úmidos grudados na pele da cabeça. Mesmo assim, seu coração não batia com força. Se tanto, parecia que estava funcionando um pouco mais devagar do que na noite anterior.

Bate... bate... bate.

Nada.

Bate... bate... bate.

Nada.

Bate... bate... bate.

Nada.

Maldito Jacks e seus lábios amaldiçoados.

Tella agarrava seus lençóis encharcados com uma mão e a carta que aprisionava a mãe com a outra. Havia amassado suas bordas durante o sonho tomado por pesadelos, enrugando o canto logo acima da cabeça morena da mãe. Claramente, ela não era tão indestrutível quanto o Aráculo. Tella teria de protegê-la melhor.

— Lamento tanto... — sussurrou para a mãe. Não queria se separar da carta, mas parecia arriscado demais guardá-la junto ao corpo.

Tella foi até a pequena arca onde guardava o Aráculo e colocou a carta com a mãe aprisionada ali dentro. Em seguida, retirou o Aráculo.

Muitas coisas haviam acontecido. O Aráculo parecia estar mais quente do que o habitual. Mas o futuro que a carta mostrava não havia mudado. A imagem dos olhos vazios de sua mãe encarava Tella de volta, tão mortos quanto estavam da última vez.

Mas sua mãe ainda não estava morta. Por ora, estava simplesmente aprisionada. Tella se recusava a deixar que aquilo a desencorajasse. Ela iria vencer o Caraval e consertar toda aquela situação.

— Não importa o custo.

Assim que as palavras saíram pelos lábios de Tella, o Aráculo lhe queimou as pontas dos dedos. *Magia*. Tella a sentiu, aquecendo toda a sua mão conforme a imagem do Aráculo tremeluzia e mudava de Paloma, deitada e morta, para mostrar Scarlett e Tella abraçando a mãe com a mesma intensidade com que o faziam quando eram garotinhas.

Parecia tão real que Tella quase conseguiu sentir os braços da mãe, fortes, macios e carinhosos. Um soluço discreto subiu borbulhando por sua garganta.

E então, quase tão rapidamente quanto apareceu, a imagem voltou a exibir o cadáver de sua mãe.

— Não! — gritou Tella.

A imagem mudou mais uma vez, voltando a mostrar Scarlett e Tella reunidas com a mãe.

— Senhorita Dragna! — Um guarda bateu com força em sua porta. — Está tudo bem aí dentro?

— Sim — disse Tella, distraidamente, enquanto a carta continuava a mudar. Tella nunca a vira fazer algo assim antes; transformava-se de morte em felicidade, como se mostrasse a Tella que aquilo que viesse acontecer a seguir dependia apenas dela e de conseguir vencer o jogo para Jacks.

Tella guardou o Aráculo novamente no baú e, com a determinação renovada, pegou a primeira pista.

Escondidas por toda a cidade estão
as outras pistas de que você vai precisar.

Aventure-se em um lugar bonito
para a segunda pista conquistar.

Esta região de Valenda, certa vez,
foi muito trágica,

Mas, agora, ela promete fé e mágica.

Durante o último Caraval, Scarlett recebera um cartão com dicas a respeito de todas as cinco pistas logo no início do jogo, mas parecia que esta edição teria outro formato. De acordo com esta pista e com o que Dante dissera na carruagem, um distrito diferente da cidade esconderia uma nova pista a cada noite. Tella precisaria encontrar todas elas para vencer e então ficaria frente a frente com Lenda.

Infelizmente, como o Caraval só era jogado durante a noite, Tella não poderia começar a procurar até o pôr do sol. E parecia que Jacks já tinha planos para ela durante o dia.

Ao pé de sua cama havia uma caixa familiar. Tinha exatamente a mesma aparência daquela que Jacks lhe enviara no dia anterior, mas desta vez estava envolta com um laço dourado em vez de um branco.

SE VOCÊ VAI SER A NOIVA DO PRÓXIMO
IMPERADOR, TERÁ DE SE TRAJAR DE ACORDO.

Junto com a mensagem havia um pequeno cartão com a borda decorada com folhagens roxas.

Minerva Moda Moderna

Vestindo a metade progressiva de Valenda
desde antes da Dinastia de Elantine —
e a vestiremos depois, também.
Atendimento somente com
hora marcada.

No verso do cartão alguém rabiscara as palavras *Distrito do Cetim,* além de um horário, que fora riscado e depois reescrito:

(DUAS HORAS)
CHEGUE ~~UMA HORA~~ ANTES DO MEIO-DIA.
ISTO NÃO É UM PEDIDO.

A ordem era quase risível, considerando o quanto Jacks parecia se importar com a própria aparência. Mas Tella imaginou que a diretiva de Jacks para aparecer não se devia tanto à aparência em si, e sim ao senso de posse: ele queria deixar claro que, agora, Tella lhe pertencia.

Demônio era uma palavra boa demais para ele.

Se esse noivado fosse real, o bilhete bastaria para convencer Tella a rompê-lo. Mas essa não era uma de suas opções no momento.

Dentro da caixa, Tella encontrou um par de luvas da cor da pele que lhe subiam até os cotovelos com botões de pérolas azuis. Ela os jogou de lado e pegou o vestido que estava ali dentro. Detestou o quanto aquela peça era bonita. Como o decote começava na altura dos ombros — um estilo que seu pai jamais a deixaria vestir. Ele ficaria absolutamente roxo de raiva se visse esse vestido. Coberto com rendas azul-safira que ficavam rentes ao tecido da cor da pele, o vestido era delicado, feminino e até mesmo um pouco escandaloso, tudo de uma só vez.

Tella ainda queria ignorar o compromisso e jogar o vestido de lado, juntamente com as luvas; não gostava da ideia de que Jacks quisesse vesti-la como se fosse a sua boneca. Mas os baús com sua bagagem ainda não haviam chegado. E Jacks deixara claro que, para salvar sua mãe e a própria vida, Tella não precisava somente vencer o jogo; precisava ser uma noiva convincente.

Bate... bate... bate.

Nada.

Bate... bate... bate.

Nada.

Bate... bate... bate.

Nada.

Seu coração não estava mais lento do que quando ela despertara, mas também não estava mais rápido. Tentou tomar o café da manhã apressadamente e em seguida correr até a casa das carruagens, mas tudo o que fazia parecia acontecer de uma maneira ligeiramente arrastada.

Foi preciso um esforço maior do que deveria ser para continuar alerta quando sua carruagem aterrissou. Talvez fosse por isso que Tella se viu em uma rua apinhada de sombras inchadas, procurando pelo endereço da Minerva Moda Moderna.

Embora Tella ainda precisasse explorar a cidade, ela conhecia tudo sobre as diferentes regiões de Valenda, o ilícito Bairro das Especiarias, o ousado Distrito do Templo, o imperioso Círculo Universitário e o elegante Bairro do Cetim. Este último era o lugar onde Tella deveria estar. Uma das partes mais glamorosas da cidade, dizia-se que o Bairro do Cetim era um labirinto de lojas cintilantes de vestidos, chapelarias e docerias, coberto com cores frescas como as pétalas de flores.

Mas Tella pensava que os fatos que conhecia estavam errados, ou então que estava no lugar incorreto. As lojas ao redor eram tão escuras quanto a rispidez dos corvos, amontoadas entre becos que cheiravam a coisas indizíveis e cheias de clientes que estavam muito longe de ser as pessoas abastadas que ela esperara que fossem. Trajada com seu vestido delicado de renda azul-safira, Tella parecia ser um personagem que havia entrado na história errada.

Conforme procurava pela Minerva Moda Moderna, Tella viu vários paletós fantasticamente espalhafatosos, casais exageradamente amorosos encostados em postes de iluminação pública, mulheres fumando charutos pungentes e uma quantidade enorme de corseletes expostos em cores severas — laranja-queimado, amarelo-pútrido, azul-hematoma e vermelho-sangue.

Um a cada dois postes exibia cartazes pintados colados na superfície. Alguns tinham a palavra *Procurado* impressa acima de um retrato. Outros diziam *Pessoa Desaparecida*. Alguns surpreendentemente decorativos anunciavam a chegada do Dia de Elantine, embora parecessem tão deslocados quanto a própria Tella naquele lugar.

Ela resistiu ao impulso de cruzar os braços sobre o peito e revelar seu desconforto quando passou diante de uma série de lojas peçonhentas.

Medicamentos de Mandrágora — Para Matar Resfriados Potentes, Moléstias e Mais

Fausto's: Tudo em funchos, matricárias, dedaleiras e demais ervas!

Herbário de Hemlock & Hawthorn

Ela certamente não estava no distrito certo. Este lugar se parecia com o infame e fedorento Bairro das Especiarias de Valenda, para onde as pessoas se dirigiam quando desejavam contratar assassinos, comprar venenos discretos ou pessoas — ou apenas algumas partes do corpo. Era também o lar das casas de jogos de azar, salões de drogas e bordéis. Nenhum desses estabelecimentos era permitido por lei em Valenda, então todos existiam abaixo do nível das ruas em passagens muito antigas, acessíveis somente por meio de senhas e portas escondidas colocadas nas exóticas lojas de especiarias acima.

— Não tenho certeza se uma coisinha bonita como você deveria andar por estas ruas sozinha, mesmo durante o dia.

Nervosamente, Tella recuou um passo, embora a mulher que se dirigira a ela parecesse ser velha demais para lhe fazer qualquer mal. A velha parecia ter pelo menos cinco vezes a idade de Tella, as mãos enrugadas manchadas de tinta e um cabelo branco e reluzente que quase tocava o chão que ela estava varrendo. De um lado para o outro, a velha varria toda a sujeira e outras porcarias para longe dos degraus que levavam à entrada dos Mais Procurados de Elantine.

Tella soltou a respiração, recalcitrante. O Bairro das Especiarias podia ser um lugar estranho para ela, mas esta loja que caía aos pedaços a atraía como se fosse uma velha amiga. Era o mesmo lugar para onde ela enviara todas as suas cartas destinadas a Jacks.

Tella jamais tivera certeza se aquele era um estabelecimento comercial genuíno ou somente um endereço que as pessoas usavam para encaminhar cartas e pedidos ilícitos. Mas, claramente, era muito real. Ela vira pôsteres de "Procurado" com retratos de criminosos expostos por todo o distrito, e aparentemente todos vinham deste lugar.

Tella se aproximou para dar uma olhada melhor em seu interior. Pôsteres em pergaminho tremulavam ao sabor do vento, agitando imagens em preto e branco com alguns dos criminosos mais interessantes que já havia visto. Atraentes e perturbadores, ela imaginava se os retratos eram encantados, pois lhe atiçavam a tentação de subir os degraus e entrar na loja, de dar uma olhada mais de perto, da mesma maneira que o Baralho do Destino da sua mãe lhe atiçara a tentação de brincar com as cartas tantos anos antes.

É claro que aquilo não lhe trouxera nada de bom em troca.

— Está perdida? — perguntou a velha. — Este não é um distrito no qual você gostaria de perambular.

Ao longe, sinos começaram a dobrar. Se Tella contou direito, imaginou que foram dez no total. Estava definitivamente atrasada para seu compromisso agora. Talvez pudesse voltar para explorar a loja mais tarde.

— Estou procurando pela Minerva Moda Moderna — disse ela. O olhar da mulher ficou mais perspicaz.

— Não sei ao certo do que você precisa naquele lugar, mas creio que fique mais adiante naquela rua. — Ela ergueu o queixo na direção de uma placa que dizia *Caminho Errado*.

— Cuide-se — avisou a mulher. — Minerva não é...

Mas Tella não ouviu o restante do aviso conforme desapareceu pela rua que a mulher indicara. Não levou muito tempo até que seu abdômen começasse a suar e seu coração a ter de se esforçar mais para bater. Mas ela continuou andando a passos rápidos, até chegar a uma calçada iluminada pelo sol e ladeada por lojas tão bonitas quanto pacotes recém-embalados. A Minerva Moda Moderna ficava na esquina. Cortinas lilás fechadas protegiam as janelas, e toldos pesados cor de ameixa encobriam as portas como laços sonolentos.

Scarlett certamente detestaria aquele lugar, dado o desgosto que sentia da cor roxa.

Tella sentiu uma punhalada de culpa naquele momento por haver deixado o palácio sem conversar com a irmã, especialmente depois do que Scarlett aprendera sobre Armando na noite anterior. No momento em que Scarlett conversasse com Tella, saberia com certeza de que aquilo era uma armação e muito provavelmente tentaria fazer alguma coisa heroica a respeito que a colocaria em todo tipo de perigo. E isso era algo que Tella não podia permitir.

Scarlett era a pessoa de confiança de Tella — a única em todo mundo com quem Tella sempre poderia contar. Tella talvez não acreditasse em se apaixonar, mas havia literalmente apostado sua vida, sabendo que Scarlett a amava. Tella destruiria o mundo antes de permitir que qualquer coisa acontecesse à irmã.

— Com licença. — Tella esforçava-se para recuperar o fôlego quando alcançou a fachada da loja de Minerva, onde um homem enorme como um barril, com os cabelos engomados e penteados para trás com um terno cor de ameixa no mesmo tom da loja, guardava a porta, como se fosse uma extensão dela. — Meu nome é Donatella Dragna.

— Está um pouco adiantada, não? — perguntou o homem.

Tella estava razoavelmente certa de que o homem via a situação de maneira errada e que, na verdade, ela estava atrasada. A primeira de muitas observações peculiares. A segunda era a quantidade desnecessária de fechaduras que o homem abriu antes de liberar a porta pintada num tom escuro de roxo para que Tella finalmente pudesse entrar.

16

A Minerva Moda Moderna não era uma loja de vestidos comum. Inclusive, quando Tella entrou, começou a se perguntar se o lugar realmente seria uma loja de vestidos.

O saguão era decorado com suntuosas poltronas lilás, carpetes de ametista mais grossos do que capim alto e vasos de violetas cheios de flores do tamanho de árvores pequenas que cheiravam a alfazema e tabacos caros. Mas, mesmo com toda aquela elegância ao seu redor, Tella não detectou nenhum vestido ou acessório refinado.

— Ora, mas você não é uma beleza?

Tella saltou quando uma costureira gorducha saiu por entre um par de portas duplas. Seus cabelos cor de orquídea estavam presos audaciosamente com bobes na altura do queixo, combinando com as fitas métricas enroladas ao redor do pescoço como se fossem colares.

— Ele me disse que você era vibrante, mas não mencionou o quanto era bonita. Não é de admirar que tenha lhe capturado as atenções.

Tella não queria sorrir, já que não era sua a escolha de estar ali ou num relacionamento com Jacks, mas até que era agradável ser paparicada.

— Você chegou mais cedo do que eu esperava, então talvez tenha de aguardar um pouco. Gostaria de uma taça de vinho ou um bolo enquanto espera?

— Nunca recuso vinho nem bolo.

— Vou mandar servi-la imediatamente. — A costureira levou Tella até outro salão elegante e roxo coberto de papel de parede de veludo e portas fechadas escuras como cerejas negras, com sussurros igualmente escuros vindo por detrás delas.

— Quanto veneno cabe nessas abotoaduras? — disse um homem em voz baixa.

Atrás da outra porta uma mulher explicava detalhadamente:

— Está entremeada na renda. Basta uma leve puxada e você vai estar com um garrote.

Algumas portas mais adiante Tella ouviu alguém dando risadinhas, seguidas por uma voz com um sotaque razoável:

— As mangas são bufantes assim para que você consiga esconder uma *derringer* aí dentro. Sinta o coldre oculto.

Pistolas escondidas. Venenos. Garrotes.

Definitivamente aquilo não era normal, embora, é claro, o mesmo sentimento se aplicasse ao noivo de Tella. *Noivo fictício*, corrigiu ela. Se bem que, para um noivado fajuto, parecia que Jacks estava se esforçando bastante.

A costureira parou diante de uma porta fechada no fim do corredor.

— Por que não entra e fica à vontade, queridinha? Voltarei com as suas coisas em alguns minutos.

A mulher desapareceu do outro lado do corredor, e Tella estendeu a mão para tocar na maçaneta. Estava quase esperando encontrar candelabros feitos de frascos de veneno pendurados em um teto cor de berinjela, espelhos bordeados por espadas e cabides feitos de punhais prateados.

Não esperava vê-lo ali.

O estômago de Tella afundou em seu ventre e o coração podia ter dado uma pirueta dentro do peito, da mesma maneira que sempre acontecia quando ela via Dante.

Ele não se sentava nem descansava. Ele possuía.

No canto da suíte, sobre uma plataforma elevada, ele estava reclinado em uma poltrona excessivamente grande de couro preto, como se fosse o trono de onde governava o mundo. Os ombros e o peito generosos consumiam seu trono temporário em vez de acontecer da maneira oposta. Sua postura era reta, mas não rígida, como se não soubesse como se esparramar — apenas como ocupar espaço.

Patife arrogante. Ainda assim, mesmo enquanto Tella pensava naquelas palavras, o calor se espalhava por seu peito quando ela disse:

— O que você está fazendo aqui?

— Esperando por você.

— Como você sabia que eu estaria aqui?

Uma lenta elevação das sobrancelhas. O mundo de Tella balançou mais uma vez.

— Foi você que mandou a carta?

— Está decepcionada por não ter sido Jacks?

Ela bateu a porta para fechá-la.

— Ficou maluco? Você sabe o que o meu noivo vai fazer se descobrir?

— Ele só vai descobrir se você contar — respondeu Dante, friamente. — E não há necessidade de fingir para mim que vocês dois estão realmente noivos.

Alarmes silenciosos encheram aquele quarto de vestir conforme as palavras de Jacks voltaram correndo para Tella.

Considere o seu amigo tatuado que está ali... ele é um dos atores de Lenda, então não posso matá-lo esta semana. Mas, se ele descobrir a verdade, eu poderia facilmente dar um fim na vida dele assim que o jogo terminasse.

— Talvez eu não esteja fingindo. — Tella começou a abrir seu sorriso mais doce, mas imaginou que Dante saberia que era falso, e ela precisaria convencê-lo de que aquela era a verdade. Repuxou a boca naquele sorriso torto que era geralmente exibido por rapazes com excesso de confiança em si mesmos. — Quando Jacks e eu nos beijamos, por acaso parecia que eu estava fingindo?

O olhar intenso de Dante continuou frustrantemente sereno, mas Tella jurou que viu um músculo se agitar num espasmo perto do canto de seu queixo.

— Não sei o que vocês dois estão aprontando, mas não acredito que vão se casar.

— Por quê? — desafiou Tella. — Por que você duvida que o herdeiro do trono iria querer se casar comigo?

Um leve encurvar dos lábios de Dante disse mais do que qualquer insulto seria capaz de fazer.

— Você realmente quer que eu responda?

O vermelho explodiu nas bochechas de Tella. Ela estava tentando impedir que Jacks o matasse, mas Dante não conseguia parar de ser cruel.

— Você veio até aqui só para zombar de mim?

— O que eu disse que é zombeteiro? Você salta muito rápido para as conclusões, Tella. — Ele se inclinou para mais perto dela quando disse seu nome, alongando as sílabas, como se aquilo fosse algo ao qual ele quisesse se apegar. — Talvez eu fosse lhe dizer que você é inteligente, divertida e bonita. Sempre achei que fosse inteligente demais para se casar com um assassino.

— E sempre achei que vale a pena assumir alguns riscos — rebateu Tella, ignorando a maneira como o uso que Dante fez das palavras *inteligente*, *divertida* e *bonita* continuava a se agitar dentro dela. — Jacks é charmoso, rico e em breve vai governar todo o Império Meridiano, o que significa que eu serei a próxima imperatriz. Assim, suponho que devia agradecer-lhe por fazer com que a nossa aproximação fosse possível.

Os olhos de Dante rebrilharam, uma breve faísca que se tornaria um incêndio. Podia não gostar do que ela dissera, mas talvez Tella finalmente o tivesse convencido.

— Se você realmente acha que eu lhe fiz um favor… — interrompeu Dante.

Sua linha de visão se abaixou, e o fogo quase se apagou em seus olhos. Ele se levantou da poltrona, saltou do alto da plataforma e pegou o pulso de Tella com um movimento abrupto.

— O que aconteceu com a sua mão?

Pinga.

Pinga.

Pinga.

Cada som refletia a pulsação lenta de Tella. O sangue escuro, vermelho e inclemente caía de suas unhas, encharcando a ponta de cada dedo da mão direita. *Jacks.*

O frio tomou conta da pele de Tella e começou a penetrar nela como garras. O maldito, o traiçoeiro, o impiedoso, o amante da dor, o príncipe da vileza.

Manchas brancas e pretas dançavam diante dos olhos de Tella.

Outras três gotas gordas de sangue lhe caíram das pontas dos dedos, deixando manchas frescas no carpete ametista. Mas tudo que Tella ouvia era a voz chacoteadora de Jacks avisando-a de que haveria efeitos colaterais por beijar seus lábios amaldiçoados.

— Não percebi que ainda estava sangrando — mentiu Tella. — Prendi a mão na porta da carruagem agora há pouco. Provavelmente é melhor eu ir a algum lugar para que a examinem.

Dante ergueu a mão de Tella para que ficasse mais alta.

— Posso cuidar disso. — Ele tirou o lenço que usava ao redor do pescoço; seus movimentos eram abruptos, mas as mãos estavam excruciantemente cuidadosas conforme pressionava o tecido nos dedos dela.

A respiração de Tella vacilou.

Dante não devia tocá-la de um jeito tão carinhoso nem puxá-la para perto de si com cada movimento, e ela não deveria deixar que ele agisse assim. Devia ter empurrado aquelas suas mãos gigantescas para longe. Rosnado para ele conforme atava lentamente a seda morna que lhe contornara a garganta ao redor da sua mão ensanguentada. Não somente por causa das ameaças de Jacks, mas por causa da pessoa para quem Dante trabalhava.

Tella realmente tentava não pensar muito no que aconteceria quando entregasse Lenda a Jacks, mas duvidava que seria um resultado favorável. Lenda podia ser perverso, mas o Príncipe de Copas era maligno. O tipo que arrancaria o coração de uma garota de seu peito e cravaria nele os dentes como se fosse uma maçã.

Para se proteger, ela precisava ficar longe de Dante. Mesmo que, por um breve momento, quisesse somente fechar os olhos e desabar em seus braços.

— Diga-me o que realmente aconteceu na noite passada depois que o herdeiro a levou do baile. — Sua voz era, ao mesmo tempo, tranquilizadora e autoritária, como o crepitar das chamas que devoram a lenha. Feroz e fatal, mas ao mesmo tempo firme e reconfortante. O tipo de voz pela qual uma garota poderia ser facilmente consumida.

— Realmente não preciso da sua ajuda. — Tella recolheu a mão com um movimento brusco, livrando-a do lenço de seda e espalhando respingos de sangue no vestido de renda enquanto quebrava o feitiço de Dante antes que ele pudesse completá-lo.

Ele parecia querer estender as mãos para Tella. Se as pernas bambas de Tella se atrevessem a se aproximar dele, ela imaginou que ele a capturaria em seus braços e a seguraria tão perto de si que ela confessaria de bom grado todos os seus pecados e segredos.

Mas, honestamente, ele não se importava. Estava somente atuando. Interpretando um papel.

Ela se forçou a dar um passo atrás.

Uma veia pulsou no pescoço de Dante.

— Por que você não deixa que eu a ajude?

— Talvez eu não queira a sua ajuda!

Outra gota de sangue pingou no chão.

Estrelas se juntaram às manchas diante dos olhos de Tella. E antes que pudesse recuar mais um passo, Dante estava ali, segurando seu pulso mais uma vez, e talvez a estivesse segurando um pouco mais contra si enquanto terminava a tarefa que havia começado. Tella jamais admitiria para ele, mas se sentia um pouco menos zonza conforme aquelas mãos grandes e mornas envolviam seus dedos com o lenço.

— Eu a deixaria ir embora, mas você acabou de admitir que precisa de ajuda. — A voz de Dante estava mais suave do que antes. — Diga-me o que aquele assassino quer de você.

Por que ele tinha de ser tão teimoso? Não podia simplesmente enfaixar os dedos e deixá-la em paz?

— Não pode simplesmente deixar isso passar e fingir que acredita? — perguntou ela. — Você está preocupado comigo, mas isso coloca você em perigo também. Se Jacks descobrir que você conhece a verdade, ele vai machucá-lo de maneiras que nem mesmo Lenda será capaz de curar.

— Ela disse aquilo num tom de ameaça, mas, em vez de soltá-la, Dante exibiu os dentes no que parecia muito ser um sorriso.

— Eu não sabia que você se importava comigo — disse ele.

— Eu não me importo! — esbravejou Tella.

Teria sido mais convincente se ela afastasse a mão.

Não precisava da ajuda de Dante para vencer o jogo, e também não confiava nele, mas infelizmente gostava da sensação de estar junto dele. O sangramento trouxera um calafrio que não estava ali antes, mas Dante conseguiu apagar aquilo quando segurou em sua mão e se aproximou, até que as costas de Tella estavam contra a porta e o corpo de Dante se aproximava do dela.

Ainda havia espaço suficiente para que ela agarrasse a maçaneta, para escapar, se quisesse. E ela disse a si mesma que era isso que queria. Mas seus dedos eram tão teimosos quanto ele era; recusavam-se a buscar a saída.

— Diga-me o que ele quer de você — disse Dante bruscamente.

— Ele quer se casar comigo. É isso.

Dante fez um sinal negativo com a cabeça.

— Sabe, está começando a parecer realmente ofensivo o fato de você continuar se recusando a acreditar nisso.

— Talvez eu simplesmente não acredite que isso é tudo o que ele quer.

— A mão livre de Dante encontrou a bochecha de Tella e inclinou o rosto dela para junto do seu.

Um rubor desceu pelo pescoço de Tella até os dedos dos pés enquanto ele gentilmente lhe acariciava o queixo.

— Se você não me contar, vou descobrir — disse Dante.

E condenar a si mesmo no processo. Ou revelar os planos de Tella para Lenda e condená-la juntamente com sua mãe.

Tella forçou-se a remover a mão de Dante da sua face.

— Não detesto você, Dante. Na verdade, se você não fosse um mero ator, eu provavelmente gostaria bastante de você. Mas quero mais do que um rosto bonito. Jacks pode me dar isso. Ele pode me dar tudo que já desejei algum dia. — Tella apertou os lábios um contra o outro e fechou brevemente os olhos, como se imaginasse o beijo que compartilhara com Jacks na pista de dança.

Quando abriu os olhos novamente, o rosto de Dante estava a poucos centímetros de distância, e seus olhos estavam tão negros quanto tinta derramada.

O calor se desenrodilhou devagar no estômago de Tella.

— Ou você não quer tanto que isso aconteça ou está mentindo — disse Dante. — Posso até acreditar que você realmente acabe se casando com ele, mas, considerando o que conheço a seu respeito, duvido que alguém como ele seja capaz de realizar todos os seus desejos.

Quando terminou de falar, seus lábios estavam tão próximos que bastaria um movimento descuidado e a boca de Tella roçaria na de Dante. Tella ergueu o queixo devagar, sabendo que estava caminhando por uma trilha traiçoeira quando o fitou com um olhar de puro calor.

— Talvez haja coisas que você não saiba sobre Jacks.

Dante respondeu com um sorriso que exibia os dentes, mas não era gentil, carinhoso ou suave como aqueles sorrisos deviam ser. Era calculado, a maneira lenta e deliberada pela qual alguém curvava os lábios logo antes de dar uma cartada vencedora. — Está dizendo isso porque ele é o Príncipe de Copas?

Tella ficou paralisada, e até mesmo o sangue que lhe escorria pelos dedos parou como se tudo dentro dela entrasse em pânico, aguçando ainda mais os seus sentidos. Se quisesse persuadir Dante de que não fazia ideia do que ele estava falando, teria de se recuperar rapidamente, mas bancar a inocente só serviria para convencê-lo de que ela estava metida naquela situação até o pescoço. E talvez estivesse. Fora amaldiçoada, sua mãe estava presa dentro de uma carta, e, para salvar ambos, Tella agora estava jogando um jogo que envolvia dois imortais notórios — e um deles não devia nem mais existir.

Entretanto, mesmo antes de alcançar Valenda, Dante falara sobre o Príncipe de Copas como se ele ainda estivesse vivo. Parecia ser uma estranha coincidência, especialmente quando ela se lembrou da abertura do discurso de boas-vindas de Jovan:

Elantine entoou seu clamor para que salvemos o Império do seu maior temor.

Os Arcanos passaram séculos trancafiados, mas agora desejam sair e brincar pelo povoado.

E se Jacks fosse um dos Arcanos que havia saído para...

Não. Tella se recusava a concluir aquele pensamento. Acreditar que o jogo era real levava direto à loucura. A outra explicação óbvia era que Jacks estava interpretando um papel no jogo. Mas o sangue escorrendo dos dedos de Tella e o coração morrendo em seu peito pareciam ser provas sólidas de que ele era o verdadeiro Príncipe de Copas.

Dante tinha de estar blefando, apostando com mentiras exatamente como fizera com a governanta no palácio, quando alegara pela primeira vez que Tella era noiva de Jacks.

— Se Jacks realmente fosse o Príncipe de Copas, eu já estaria morta depois de tê-lo beijado.

— Talvez você seja o verdadeiro amor dele. Ou ele permitiu que você continuasse viva porque tem outros planos. — Os olhos de Dante viajaram rapidamente rumo às linhas justas do vestido com rendas cor de safira que Tella usava, como se, de algum modo, soubesse que Jacks o enviara.

— Não me olhe desse jeito — disse Tella. — Foi você que disse que eu era a noiva dele.

Uma última gota de sangue caiu ao chão, colocando um ponto-final macabro naquela sentença.

Dante olhou para aquilo e seu rosto inteiro mudou. A arrogância habitual se desfez enquanto ele disse:

— Você tem razão. É minha culpa. Fiz uma escolha ruim. Mas juro que, quando disse que você era a noiva do herdeiro, não sabia que ele era o Príncipe de Copas.

— Então como você descobriu?

— Quando vi você dançar com ele no baile. Os Arcanos não são naturais; eles não fazem parte deste mundo, assim como aqueles dentre nós que morreram e voltaram à vida. — Dante engoliu com dificuldade, e quando falou novamente sua voz estava estranhamente baixa. — Ninguém no baile pode ter percebido, mas depois que ele a beijou, eu o vi brilhar...

Passos apressados soaram no corredor, do lado de fora.

A boca de Dante se fechou, formando uma linha fina.

Os passos foram ficando cada vez mais altos.

— Talvez você queira fingir que não me conhece — disse ele.

— Por quê? — perguntou Tella.

— Eu não deveria estar exatamente aqui.

— Achei que você tivesse orquestrado este encontro.

A boca de Dante se retorceu num sorriso seco.

— Por acaso cheguei a dizer isso?

Desgraçado!

Ele se afastou da parede enquanto Tella ficava boquiaberta. Mas ela devia saber que ele não havia realmente orquestrado o encontro. Dante simplesmente interceptara o bilhete e riscara o horário certo.

Antes que pudesse xingá-lo em voz alta, alguém se jogou contra o outro lado da porta.

Tella tropeçou para a frente quando a porta se chocou contra ela.

Dante a amparou imediatamente, dois braços sólidos lhe serpenteando ao redor dos quadris, bem quando a costureira entrou na sala.

Os olhos da mulher pousaram naquela posição comprometedora antes de apontar para os respingos de sangue no vestido de Tella e no chão.

— Não sei o que você está fazendo aqui, rapaz, mas tem meio segundo para sair antes que eu conte tudo ao herdeiro. E acho que todos nós sabemos o que vai acontecer depois.

— Tome cuidado — retrucou Dante. — Você está dando a impressão de que Sua Alteza Mortal é previsível.

As mãos de Dante se afastaram de Tella enquanto ele sussurrava em seu ouvido: — Sei que você não quer acreditar em mim, mas o Caraval é mais do que somente um jogo desta vez. Não sei ao certo o que foi que o Príncipe de Copas lhe prometeu, mas, para os Arcanos, os humanos não são nada além de fontes de trabalho ou entretenimento.

O coração de Tella conseguiu engatar mais algumas batidas, quase voltando ao ritmo normal quando Dante saía. Se Jacks não a houvesse amaldiçoado, ela imaginou que ele estaria batendo com força suficiente para que todos dentro da loja de Minerva ouvissem.

Quando Dante se foi, a costureira voltou a ser toda sorrisos. Colocou um pedaço de bolo e vinho sobre uma mesinha que Tella não havia percebido. Era como se nada tivesse acontecido, embora Tella imaginasse se a mulher relataria tudo o que ocorreu ali para Jacks.

A costureira falava sobre Jacks constantemente conforme obrigava Tella a se levantar para que pudesse ajustar seus vestidos. Para desespero de Tella, nenhum deles continha armas escondidas. Mas Tella não podia negar que as vestes eram incríveis. Havia vestidos que mudavam de cor à luz do sol e capas costuradas com uma linha feita de pó de estrelas, de modo que sempre brilhassem à noite.

Mas, de acordo com a costureira, Tella não havia nem mesmo visto as melhores criações. A mulher recuou para o corredor e retornou um momento depois, atrás de um carrinho prateado com três andares.

Alguém soltou um gemido exasperado. Provavelmente Tella.

Talvez ela odiasse Jacks com a fúria de mil mulheres amaldiçoadas, mas tinha de admitir que, quando queria, ele sabia agradar.

O carrinho estava abarrotado com a coleção mais sensacional de máscaras, coroas e capas feitas de couro, metais preciosos e tecidos finos como gaze. Cada um dos objetos tinha exatamente o tamanho de Tella e valia a fortuna de um nobre. Alguns eram forrados com penas, outros com joias ou pérolas polidas. Tudo aquilo era monstruosamente bonito como os tesouros de um pesadelo mágico, o que ela supunha que Jacks era.

A costureira sorriu orgulhosamente.

— Sua Alteza quer que você possa escolher as roupas que desejar para a Véspera de Elantine. Mas tome cuidado, pois, como tudo foi feito especialmente para você, a tinta ainda está fresca em algumas das máscaras.

Tella se aproximou cuidadosamente do carrinho reluzente.

Nunca vestira uma fantasia para a Véspera de Elantine. Em Trisda, o aniversário da Imperatriz Elantine era celebrado somente em um dia, mas, em Valenda, considerava-se que a Véspera de

Elantine era ainda mais fantástica do que o Dia de Elantine. Para celebrar, todos se fantasiavam e assumiam o papel de qualquer criatura cuja fantasia estivessem usando.

Supostamente, os monarcas valendanos descendiam dos Arcanos, e, nas vésperas de seus aniversários, dizia-se à boca pequena que os Arcanos retornavam por uma noite para julgar se um governante era digno de reinar por mais um ano. Assim, alguns acreditavam que por trás das máscaras e fantasias estavam os verdadeiros Arcanos, retornando por uma noite do lugar para onde haviam desaparecido para causar estripulias, caos e admiração.

Tella imaginou que a época do ano em que aquela tradição ocorria era a razão pela qual Lenda escolhera os Arcanos como tema deste Caraval em particular. Já podia imaginar como Lenda brincaria com as pessoas, mandando que seus atores fingissem ser os verdadeiros Arcanos.

Tella se demorou examinando o carrinho. Avistou a máscara do Príncipe de Copas, mas, em vez de chorar lágrimas pintadas de vermelho, ela lacrimejava rubis. A Coroa Despedaçada — que representava uma escolha impossível entre dois caminhos — tinha as pontas decoradas com opalas-negras reluzentes, primas lapidadas do anel no dedo de Tella. Mas não era tão gloriosa quanto o véu de lágrimas da Noiva Abandonada, feito de diamantes legítimos. Parecia que todos os Arcanos maiores e menores estavam ali. Tella viu o manto elaborado do Envenenador, o chapéu emplumado da Senhora da Sorte, as luvas blindadas e cheias de cravos pontiagudos do Caos, a máscara de porcelana da Dama Prisioneira com lábios preocupados feitos de safiras trituradas.

— O herdeiro sempre se dedica tanto às suas damas?

— Jamais — respondeu a costureira. — Inclusive, esta é a primeira vez que ele nos pediu para criar peças que não fossem para seu próprio uso.

Tella forçou um sorriso. Jacks provavelmente usava alfaiates diferentes para cada uma de suas consortes amaldiçoadas.

— Escolha aquela de que mais gostar, e em seguida vou anotar suas medidas para a fantasia que irá complementar a máscara.

Cada peça reluziu mais intensamente conforme Tella as considerava pela última vez.

A Morte Donzela estava fora de questão. Tella não deixaria que sua cabeça fosse encerrada em uma jaula de pérolas, e o simples fato de pensar na Morte Donzela a levou de volta àquele dia em que virou a carta terrível pela primeira vez e causou a partida da sua mãe.

A máscara em forma de esqueleto da Assassina não era muito chamativa. As máscaras das Aias eram mais interessantes — ela sempre gostara da aparência dos lábios costurados com linha carmim —, mas Tella não gostava do fato de que os próprios Arcanos eram meros fantoches da Rainha Morta-Viva. Usar o tapa-olho cravejado de joias da Rainha Morta-Viva era tentador — dizia-se que ela havia trocado o olho pelos terríveis poderes que conquistara —, porém Tella queria fazer uma declaração mais ousada. Gostava da Estrela Caída, mas, considerando o quanto a fantasia dourada valorizava quem a usava, imaginou que metade das garotas e dos rapazes pelas ruas estaria vestida de Estrela Caída. E, pelo menos daquela vez, Tella não tinha certeza de que queria parecer bonita.

— Qual é esta aqui? — Tella pegou um longo véu negro preso a um anel de metal pouco atraente coberto por velas negras. No início achou que pertenceria ao Rei Assassinado, mas sua coroa era feita de adagas e morbidamente atraente. Esta não era nem um pouco bonita, e Tella duvidava que seria fácil enxergar através do véu. Mesmo assim, havia algo ferozmente magnético naquela peça. Por mais que tentasse, não conseguia reconhecer a qual Arcano ela pertenceria.

A costureira empalideceu.

— Isso não devia estar neste carrinho. — Ela tentou arrancá-la das mãos de Tella.

Tella recuou e segurou a coroa com mais força.

— O que é isso? Diga-me, ou vou sair daqui sem escolher máscara alguma.

A boca da costureira se franziu.

— Não faz parte de nenhuma fantasia tradicional. Ela representa o filho desaparecido de Elantine, o Herdeiro Perdido.

— Elantine teve um filho?

— É claro que não. Isso é somente um boato maldoso que as pessoas começaram a espalhar porque preferem que o seu noivo não assuma o trono.

— Bem, parece ser a fantasia perfeita.

— Você é uma tola, menina — disse a mulher. — A pessoa que colocou isso no meu carrinho o fez como um aviso para o herdeiro. E para você também.

— Não se preocupe, vou fazer isso somente como uma brincadeira — disse Tella. — Meu noivo adora brincadeiras. Ele vai rir muito quando me vir, e isso vai provar à pessoa que a colocou no seu carrinho, seja quem for, que não fiquei assustada.

A costureira franziu a boca.

— Não temos um vestido que combine com essa máscara.

— Se Jacks a contratou, tenho certeza de que você vai dar um jeito. — Tella colocou a coroa encerada com as velas na cabeça e virou-se para a parede espelhada. O véu negro e translúcido encobria suas feições completamente, transformando-a numa sombra viva. Absolutamente perfeito.

Se houvesse um costume que declarasse que, apesar dos beijos e das maldições de Jacks, ele nunca a possuiria completamente, era a coroa do Herdeiro Perdido. Talvez ser tão rebelde fosse uma escolha tola, mas era uma das poucas escolhas que Jacks lhe dera.

A costureira balançou negativamente a cabeça, murmurando novamente alguma coisa sobre Tella não fazer a menor ideia do tipo de jogo que estava disputando.

Mas Tella sabia exatamente o tipo do jogo do qual era parte: um jogo que iria destruí-la e também as pessoas de quem gostava se não vencesse.

17

Tella tomou a carruagem aérea de volta para o palácio sob a lenta descida do sol poente. Era o fim da tarde, a hora quente do dia, quando o céu geralmente se tingia de manchas douradas e amanteigadas, com fios de luz cor de pêssego. Mas, aos olhos de Tella, todas as cores acima dela poderiam, na melhor das hipóteses, ser chamadas de sépia. Para todo lugar que olhava, o céu estava com um tom acastanhado e fosco, errado apenas o bastante para fazê-la pensar se havia algo estranho com a tarde ou se era apenas a sua visão.

Quando chegou ao palácio, já estava se convencendo de que outro dos efeitos colaterais de Jacks era assistir ao mundo outrora vívido perder toda a sua cor. Mas talvez o verdadeiro efeito colateral fosse a paranoia. Diferente das cores desbotadas do lado de fora, a suíte de Tella na torre estava tão incrivelmente azul quanto antes — desde o dossel azul-bebê sobre sua cama até as águas tingidas de azul-esverdeado que a esperavam na banheira.

Mas Tella não teve tempo de lavar mais do que as mãos. Mal tinha minutos suficientes para despir o vestido de renda manchado e vestir um novo que a costureira enviara. Feito de cetim num tom conhecido como azul da meia-noite e com grossas faixas de veludo preto que cortavam uma saia rodada, o vestido era mais escuro do que os trajes que Tella usara, mas havia alguma coisa naquela combinação que a fez se sentir suficientemente feroz para batalhar contra Jacks, Lenda e qualquer um em Valenda que estivesse participando do Caraval.

Com uma vivacidade recém-descoberta em seus passos que ela esperava que não fosse desaparecer, Tella marchou para fora do quarto até a parte principal da suíte — e engoliu um palavrão quando viu a irmã.

Scarlett estava sentada diante de uma das lareiras brancas que não estavam acesas. Tella não sabia como Scarlett havia entrado, mas não devia estar surpresa. Se Scarlett Dragna tivesse um talento mágico, muito provavelmente seria o poder de sempre conseguir encontrar a irmã. Tella não sabia se as irmãs mais velhas estavam sempre conectadas às mais novas dessa forma ou se havia algo especial entre elas duas. Tella nunca admitiria para Scarlett, mas saber que a irmã era capaz de encontrá-la independentemente de qualquer obstáculo era uma das poucas coisas que realmente a faziam se sentir segura, embora isso não fosse sempre conveniente ou confortável.

Tella não sentia orgulho de si mesma por evitar Scarlett. Tivera um bom motivo para não ir até ela na noite passada, mas devia ter reservado um tempo para conversar com ela e se desculpar por não lhe dizer a verdade sobre Armando.

Quando Tella foi entrando na sala, a cabeça de Scarlett continuou baixa, perto das mãos, onde segurava o par de luvas da cor da pele que Jacks enviara naquela manhã.

— Sabia que luvas são um presente simbólico? — Scarlett esfregou as bainhas macias entre os dedos. — Já saiu de moda atualmente, mas eu li há algum tempo que, no início do reinado de Elantine, dar um par de luvas era um costume ligado a pedir a mão de uma garota em casamento. Creio que achavam que isso era a maneira apropriada para um rapaz dizer que vai cuidar da garota dando-lhe luvas para proteger as mãos.

— Eu preferiria algo um pouco menos simbólico e um pouco mais prático, como sangue.

A cabeça de Scarlett se ergueu abruptamente das luvas.

— Isso não é muito romântico.

Tella jurou que um lampejo de vermelho subiu pela garganta da irmã e ruborizou as bochechas dela, como se a ideia a encantasse mais do que a repelisse. *Que interessante.*

Tella só dissera aquilo para dar um ar de leveza à situação, mas talvez estivesse falando um pouco sério. E, como a afirmação pareceu ter puxado os pensamentos de Scarlett rumo a uma direção mais animada, Tella prosseguiu.

— Li a respeito em um dos seus livros sobre casamentos. Era um costume matrimonial muito antigo. As pessoas bebiam o sangue umas das outras para sincronizar as batidas dos seus corações. De modo que, mesmo quando se afastassem, poderiam sentir se a outra estava segura ou amedrontada pelo ritmo do coração. É isso que eu iria querer, alguém que me desse um pedaço de si em vez de retalhos de tecido.

— Quer dizer, então, que o seu noivo lhe deu um frasco de sangue antes de pedi-la em casamento ontem à noite?

Um impropério queimava a língua de Tella. Sua irmã devia estar ali para conversar sobre Armando. Mas parecia que Scarlett estava evitando o assunto, e Tella não podia culpá-la. Embora desejasse que ela não se concentrasse tanto neste tópico em particular.

— Como você soube?

— Posso não ter ido ao baile ontem à noite, mas não fiquei encolhida e escondida embaixo do palácio — disse Scarlett. — Embora, mesmo se eu tivesse feito isso, imagino que ainda teria ouvido os rumores sobre as demonstrações muito explícitas de afeição do herdeiro e o noivado-relâmpago com uma garota chamada Donatella.

— Scar, eu posso explicar. Você não precisa se preocupar.

— Por acaso pareço estar preocupada?

Scarlett talvez estivesse um pouco taciturna, mas agora que sua cabeça não estava curvada, Tella ficou surpresa ao perceber que não havia rugas de ansiedade ao redor de seus olhos castanhos, seus lábios rosados não estavam repuxados, suas mãos não se retorciam uma ao redor da outra e sua voz estava agradavelmente tranquila.

Na realidade, aquilo era enervante. Scarlett se preocupava o tempo todo, mesmo quando não havia nada com que se preocupar, e agora havia definitivamente muitas coisas que deviam preocupá-la.

— Quer dizer, então, que você não se importa por eu estar noiva? — Tella largou o corpo no divã felpudo diante de Scarlett.

— Tella, sei que você só está brincando, mas isso está entrando num território ligeiramente desconfortável para mim. Pode simplesmente me dizer o que realmente aconteceu?

Com todos os demônios. Isso era exatamente o que Tella temia.

Scarlett continuava a encarar a irmã com um sorriso que era ao mesmo tempo forçado e um pouco desdenhoso, como se Tella fosse uma menina muito jovem apanhada em uma história de faz de conta. Tella não podia culpá-la. De certa maneira, era exatamente assim que a própria Tella sentia a situação. Estava hospedada em uma torre dourada. Um príncipe malvado a amaldiçoara e aprisionara sua mãe, e, se Tella fracassasse em sua tarefa, as duas estariam condenadas; o mesmo aconteceria com Scarlett, que ficaria sem ninguém.

Tella respirou fundo. Havia convencido a irmã sobre um noivado fajuto durante o Caraval e podia fazer aquilo de novo. Tinha que fazer aquilo de novo se quisesse manter a irmã a salvo.

— Sei que parece súbito e inacreditável — disse Tella. — Nem eu mesma consigo acreditar. A verdade é que estávamos nos correspondendo há mais de um ano, mas eu não fazia ideia de que ele era o herdeiro do trono até a noite passada. E assim, quando ele pediu a minha mão em casamento, não consegui recusar...

— Tella, pare. — A cor fugiu das bochechas de Scarlett. — Não sei o que você está tentando fazer, mas isso não tem graça.

— E nem devia ter. Se estivesse lá na noite passada, você teria visto e entendido.

— A noite passada foi o início do Caraval — argumentou Scarlett. — Tudo o que aconteceu naquele salão de baile foi apenas um jogo. Você sabe disso.

— Scar, eu sei o que é o Caraval. —Tella sabia quão ridícula sua fala soava ao dizer aquilo. Percebia, agora, que havia sido um erro contar à irmã sobre as cartas; aquele conto era muito parecido com a própria história de Scarlett. Mas Tella tinha o Aráculo e podia provar o que estava dizendo, e talvez fosse hora de a irmã ouvir toda, ou quase toda, a verdade.

— Agora é diferente, Scar. E isso não diz respeito somente a mim, mas envolve também a nossa mãe...

— Não! — esbravejou Scarlett, com a voz tão forte que agitou até o candelabro do teto. — Nunca é diferente, não importa o quanto você queira acreditar. Não importa o que esteja envolvido. Quando joguei, parecia impossível ser somente um jogo. Lenda plantou Julian em nossas vidas antes de o jogo começar. E então o vi morrer, e vi você morrer. E, mesmo quando tudo estava terminado e eu sabia quais partes eram reais e quais eram mentiras, descobri que estava errada, que havia terminado o meu relacionamento com um noivo falso porque jamais havia conhecido o verdadeiro. — A voz de Scarlett ficou embargada. Tella jurou que viu as palavras se estraçalharem no carpete e se derramarem por todo o piso palaciano quando a irmã finalmente desmoronou.

Tella havia passado dos limites. E também não queria que isso acontecesse. Não queria que Scarlett fosse enganada tão profundamente, ou que se apaixonasse, para acabar com o coração partido, com a cabeça enlouquecida e confusa. O Caraval devia trazer a ambas a liberdade do medo e do confinamento e de casamentos miseráveis.

— Se ajudar, eu fui enganada também. — Tella se levantou do assento e se aproximou cuidadosamente. Scarlett era mais alta do que Tella e mesmo assim, por algum motivo, pareceu pequena e estranhamente frágil quando se encolheu diante da lareira vazia. — Juro que não fazia ideia de que o conde estava sendo interpretado por um ator até depois que o Caraval havia terminado. Mas ainda lamento muito.

— Eu sei — balbuciou Scarlett. — Não estou irritada com você. Eu devia ter descoberto por conta própria. Não foi como se ninguém tivesse me dito que tudo aquilo era só um jogo. Imagino que seja tarde demais para impedi-la de jogar, mas Tella... por favor, tenha cuidado. — Scarlett ergueu o rosto abruptamente. — Sei que o Caraval pode ser mágico, romântico e maravilhoso, mas os feitiços que ele cria não são fáceis de se livrar, e na metade do tempo eu acho que as pessoas nem percebem que foram encantadas.

— Scar, se você estiver certa e tudo for somente um jogo, então isso não significa que não há nada com que se preocupar? A menos que você não acredite de verdade que é somente um jogo.

— Não é com o jogo que me preocupo — disse Scarlett. — Estou pensando no seu coração, Tella. Não sei o que realmente está acontecendo com você e com esses rumores sobre o noivado, mas sei que o Caraval tem maneiras de fazer as pessoas se apaixonarem. E às vezes isso ocorre com pessoas que podem não ser inteiramente reais.

Tella não era tola o bastante para dizer em voz alta que aquilo jamais aconteceria com ela. E também acreditava que, quando garotas expressavam sentimentos como aqueles em voz alta, geralmente desejavam que o oposto ocorresse, desafiando os Arcanos a trazer exatamente aquilo que alegavam não querer.

Mas Tella queria o amor tanto quanto desejava contrair uma doença. Não havia beijos pelos quais valesse a pena morrer. Nenhuma alma com a qual valesse a pena se mesclar. Havia muito rapazes bonitos no mundo, mas Tella acreditava que não se podia confiar em ninguém com algo tão frágil, ou valioso, quanto um coração — especialmente quando o seu coração havia sido amaldiçoado pelo Príncipe de Copas a ser despedaçado havia tanto tempo. Mesmo se esse não fosse seu destino, ela não estava disposta a se apaixonar por alguém que estava apenas interpretando um personagem.

Claro, ela não podia dizer nada disso para Scarlett naquele momento, nem mesmo quando Tella podia ver o coração da irmã se esfacelando por causa de Julian.

A coisa que ele havia feito era exatamente a mesma coisa que as afastava. Tella devia ter se esforçado mais para convencê-lo a dizer a verdade. Sabia que não era a única culpada pelo que havia acontecido, mas podia ter ajudado a prevenir um pouco do que houve.

— Não acredito que seja tão tenebroso quanto parece — disse Tella. — Acho que Julian está tão acostumado a mentir que isso é tudo que ele sabe fazer. Antigamente, imagino que ele jamais chegou a ter uma razão para mudar. Mas acredito que ele a ama; fica claro para qualquer um que vê a maneira como ele olha para você. Você é a luz das estrelas para a escuridão de Julian, e, se sentir o mesmo em relação a ele, devia lhe dar uma segunda chance.

— Eu quero pensar que você está certa — disse Scarlett. — Mas Julian prometeu não mentir mais para mim quando o Caraval chegasse ao fim, e não conseguiu cumprir essa promessa nem por um dia.

Tella já havia quebrado promessas com a mesma rapidez, mas agora provavelmente não era um bom momento para mencionar o fato. E não queria fazer as escolhas de Scarlett por ela. Realmente acreditava que Julian amava a sua irmã, mas talvez sua vida estivesse tão entrincheirada em mentiras que ele fosse incapaz de mudar, e Scarlett merecia mais do que isso. Tella apenas esperava que, independentemente do que fizesse, Scarlett não começasse a pensar no conde novamente.

Ela se empoleirou na beirada da lareira de pedra branca, ao lado da irmã.

— Quer dizer que você está simplesmente planejando ficar escondida no palácio durante a semana inteira?

— Não sei. — O olhar de Scarlett foi ficando mais distante conforme ela olhava pela janela na direção do restante do palácio e da cidade, mais adiante. Sua boca se retorceu com um pensamento. Em seguida, ela inclinou a cabeça, os olhos admirando toda a elegante mobília azul antes de se levantarem para o teto, de onde uma hoste de querubins entalhados observava tudo.

— Talvez eu fique aqui — disse Scarlett. — Esta suíte é grande o bastante para se construir outra suíte dentro dela.

— Ah, isso me lembra — perguntou Tella. — *Como* você entrou aqui?

Um fragmento do sorriso de Scarlett retornou.

— Talvez eu tenha atirado um vaso no meu quarto ontem à noite e acidentalmente aberto uma entrada para um túnel escondido. — Ela foi até a segunda lareira e deslizou a mão ao longo da cornija até que alguma coisa estalou. O cheio de teias de aranha e de segredos cobertos por fuligem se moveu pelo ar, e vários tijolos giraram de uma vez só.

— Isso é brilhante! — aplaudiu Tella.

O rosto de Scarlett se iluminou.

— Se quiser, mostro a você.

Tella certamente estava curiosa. Mas, pela janela mais próxima, ela podia ver que as cores do lado de fora haviam mudado. Todos os marrons haviam se transformado em tons promissores de bronze. Um último adeus antes que o sol se pusesse. Logo a noite faria sua entrada; uma das novas constelações de Lenda iria se materializar no céu. O Caraval começaria outra vez, e Tella não queria se atrasar.

De acordo com o que Jacks dissera na noite anterior, e com o que a própria Tella também suspeitava, a primeira pista que recebera, que falava de uma região que trazia promessas de fé e magia, a fez pensar que a segunda pista seria encontrada no Distrito do Templo. Tella ainda não vira aquela parte da cidade, mas sabia que era maior que o Bairro das Especiarias e o Bairro do Cetim juntos. Poderia levar a noite inteira para procurar.

— Talvez você possa me mostrar mais tarde — disse Tella. — O sol está quase se pondo, e eu preciso ir.

Tella não havia nem mencionado a palavra *Caraval*, mas, ainda assim, o sorriso de Scarlett lentamente se desfez.

Tella estendeu o braço para tocar a mão de Scarlett. Já era difícil o bastante deixá-la para trás quando Tella sabia que a irmã estava sofrendo; a última coisa que queria era que Scarlett começasse a se preocupar com ela além de tudo.

— Sei que você não confia na minha capacidade de julgamento neste momento. Mas também sei quais partes são simplesmente um jogo...

Scarlett a interrompeu com um suspiro.

— Não é que eu não confie em você. Não confio em Lenda, nem em ninguém que trabalhe para ele, e acho que seria melhor você agir da mesma forma. Pelo menos, lembre-se das histórias que a nossa avó Anna nos contava: Lenda gosta de ser o vilão.

Tella sorriu.

— Como eu poderia me esquecer? Essa sempre era a minha parte favorita.

Mas aquilo não podia ser verdade para este jogo. Se Lenda realmente fosse o vilão, então havia somente uma pessoa que ele poderia ser: *Jacks*.

Tella não queria nem considerar aquela hipótese, embora fosse capaz de imaginar Jacks com uma cartola e uma casaca, estendendo uma rosa vermelha enquanto seus lábios se curvavam para formar um sorriso maldoso. E talvez, se os dedos de Tella não tivessem começado a sangrar diante de Dante naquela manhã, ela poderia se sentir tentada a pensar que Jacks realmente fosse Lenda, e que tudo isso era apenas uma brincadeira cruel.

Mas Tella sabia que Jacks era o verdadeiro Príncipe de Copas. Sabia com a mesma profundidade que sabia que a irmã poderia desejar que ela voltasse à vida se morresse. Tella sentiu o poder de Jacks desde o momento em que se beijaram. Era diferente da magia do Caraval. O poder de Lenda cintilava como sonhos que ganham vida, enquanto a magia de Jacks era digna de estar em qualquer pesadelo. Mesmo agora ela a sentia, refreando cada vez mais as batidas de seu coração.

Bate... bate.

Nada.

Bate... bate.

Nada.

Bate... bate...

Nada.

Um relógio que tiquetaqueava dentro de seu peito.

Tella não queria ser amaldiçoada e encarar a possibilidade de morrer. Mas queria salvar a mãe, queria vê-la novamente em carne e osso, descobrir quem ela realmente era e por que havia partido. Se Jacks fosse Lenda ou um de seus atores, isso jamais aconteceria.

Jacks não podia ser Lenda. Se fosse, então Lenda era um vilão ainda maior do que Tella jamais imaginara.

SEGUNDA NOITE DO CARAVAL

18

Uma constelação carmim de estrelas refulgia sobre o Distrito do Templo.

Da carruagem aérea de Tella, parecia um aglomerado encantado de rosas desabrochadas. Agora que ela estava no distrito, sob as estrelas, a imagem inteira era mais difícil de assimilar. Em vez de ver uma constelação de rosas, as luzes de rubi pareciam-se com o sangue das estrelas derramado, iluminando o mundo abaixo com faíscas sobrenaturais.

Mesmo sem o estranho brilho rosa e dourado de cima, o Distrito do Templo seria um lugar esquisito. O choro lamurioso dos fiéis, as orações sussurradas dos pecadores, cantilenas antigas e uma quantidade enorme de pessoas vestidas de maneira estranha cercavam

Tella enquanto ela marchava por um mosaico de ruas desgastadas pelo tempo e iluminadas por tochas tão altas quanto pessoas.

Tella não sabia se essa parte da cidade era sempre tão popular ou se toda aquela multidão estava ali apenas por causa das pessoas que participavam do Caraval e procuravam pela segunda pista.

Ela levou a mão ao bolso de veludo e releu a primeira pista sob a luz vermelha ardente das tochas:

ESCONDIDAS POR TODA A CIDADE ESTÃO AS
OUTRAS PISTAS DE QUE VOCÊ VAI PRECISAR.

AVENTURE-SE EM UM LUGAR BONITO
PARA A SEGUNDA PISTA CONQUISTAR.

ESTA REGIÃO DE VALENDA, CERTA VEZ,
FOI MUITO TRÁGICA,

MAS, AGORA, ELA PROMETE FÉ E MÁGICA.

A descrição definitivamente servia para o Distrito do Templo, onde todo tipo de religião e crença interessante era praticado, mas podia também se aplicar a quase qualquer uma das casas de adoração.

Tella passou por tabernáculos imponentes, missões antigas e casas de banho jovens e modernas onde os visitantes poderiam se lavar em líquidos abençoados — pelo menos era o que se dizia.

Em Trisda a religião era pouco ornamentada e simples. As pessoas oravam para santos específicos pedindo aquilo que queriam e rogavam a sacerdotes pelo perdão escrevendo seus pecados em papeletas que os homens e mulheres sagrados queimariam.

Mas, aqui, Tella não tinha certeza se as pessoas estavam realmente adorando alguma entidade ou se eram atores do Caraval.

Ela ouvira dizer que as pessoas poderiam praticar qualquer fé que quisessem desde que permanecessem dentro dos limites do distrito. Mas somente algumas poucas religiões pareciam ser verdadeiras fés em poderes superiores. Muitas das práticas espirituais que Tella observava pareciam-se mais com espetáculos criados para emocionar e convencer turistas a esvaziar seus bolsos de livre e espontânea vontade.

Antes de chegar, ela fora informada de que havia até mesmo uma Igreja de Lenda, que parecia ser o lugar mais óbvio para procurar a próxima pista. Infelizmente, a Igreja de Lenda ficava escondida da vista geral. Encontrá-la era algo parecido com um jogo. Tella talvez não se importasse com aquilo se estivesse com suas forças a pleno vapor, mas sentia as pernas mais trêmulas do que deviam estar, e sua respiração estava mais curta do que o habitual.

Conforme procurava em rua após rua, Tella viu igrejas dedicadas a cada um dos elementos. Os adoradores do fogo eram seus favoritos; eles dançavam diante de seu templo com bastões feitos de chamas. Ao lado estava uma igreja formada por quedas-d'água, que rolavam sobre estátuas de tritões e sereias às quais as pessoas jogavam conchas à guisa de oferendas. Dali, Tella passou por uma fileira de tabernáculos dedicados aos vários Arcanos. Aquelas estruturas, num estado visível de esfacelamento, pareciam ser mais velhas do que o restante. Algumas eram meramente ruínas, resquícios dos dias em que os Arcanos ainda reinavam. Poucas pessoas adoravam os Arcanos atualmente, embora houvesse um grande grupo reunido diante do Relicário da Senhora da Sorte, todos trajados com chapéus enfeitados com plumas verdes e capas volumosas.

Não importa o quanto Tella se esforçasse para procurar, não viu nenhum símbolo do Caraval. Nenhuma rosa, com exceção daquelas que estavam no céu. Nenhum coração negro. Nenhuma cartola. Embora houvesse pessoas fantasiadas — ou em "vestes religiosas", como ouvira outros transeuntes chamando aqueles trajes. Conforme Tella forçava as pernas cansadas para continuar em frente, avistou elmos decorados com chifres para aqueles que honravam antigos deuses guerreiros e colares feitos de ossos para aqueles que veneravam a Morte. Não sabia se precisaria de um traje diferente para seu destino, mas parecia que tudo o que não possuía podia ser comprado de uma das carroças que estavam na rua.

— Quer um capuz de fantasma? — chamou alguém. — Afasta os demônios. Somente três moedas de cobre.

— Se preferir encontrar os demônios, temos contas da depravação! — chamou o parceiro dele. — Apenas uma moeda de cobre.

— O que faz você pensar que estou interessada em demônios? — gracejou Tella.

O vendedor abriu um sorriso no qual faltavam vários dentes.

— Você está aqui. As pessoas dizem que reviram estas ruas à procura de salvadores, mas raramente é isso que elas encontram.

— Então suponho que seja bom que o homem por quem procuro nunca tenha dito que era um salvador. — Tella soprou um beijo para o vendedor e penetrou mais profundamente por entre a multidão de turistas ansiosos, mercadores gananciosos e valendanos entusiasmados que participavam do Caraval.

As pessoas nas ruas estavam mais amontoadas do que vermes e larvas sobre um corpo morto, exceto pelo espaço vazio numa rua de marfim diante do Templo das Estrelas.

As pernas de Tella se refrearam um pouco. Sabia que não podia parar, mas aquilo era tão tentador que chegava a ser incômodo. Esse era, de longe, o mais bonito dos templos. Um bastião de pedras tão brancas quanto os robes de uma deusa e sacrifícios inocentes. Mas Tella sabia que as entranhas do tempo estavam longe de ser puras ou sagradas.

As estrelas supostamente caminharam pela Terra muito tempo antes dos Arcanos; tanto tempo que eram mais lendas do que qualquer outra coisa. Mas as pessoas sussurravam com verdadeira convicção de que, não importa como erguessem os olhos para os céus, as estrelas não eram criaturas angelicais feitas de luz e poeira dos anjos. Alguns diziam que as estrelas eram aquelas que criaram os Arcanos, o que muitos alegavam ser o motivo pelo qual as estrelas eram os seres mais insidiosos de todos.

Ainda assim, havia aqueles que se juntavam voluntariamente à congregação, acreditando que, algum dia, as estrelas retornariam e recompensariam regiamente todos aqueles que as seguissem. Tella ouvira que as mais ricas dentre as pessoas entregavam coisas como seu livre-arbítrio, sua beleza e seus primogênitos como dízimo em troca de uma oportunidade para se tornarem membros.

— Se quiser entrar, vai precisar das vestes certas! — gritou alguém do outro lado da rua. — Vendemos mantos de acólitos por apenas cinco moedas de cobre.

— Você não vai querer se juntar àquele templo; não quando posso lhe oferecer algo melhor por um preço menor! — gritou outro mercador. Sua voz era familiar.

Tella se virou para o outro lado e imediatamente desejou não ter feito aquilo.

Julian, trajado com os robes verde-alexandrita de mercador, estava com os braços abertos, atraindo a atenção obnubilada de Tella para uma série de altares onde homens estavam amarrados, com sorrisos gelados em seus lábios brancos como a lua e olhos nos céus de rubi como se fossem os mais devotados dos sacrifícios.

— Julian, o que... o que você está fazendo? — gaguejou Tella.

— Mil perdões, bela senhorita. Nós já nos encontramos antes? — Ele a estudou como se jamais a houvesse visto.

Tella sabia que ele estava interpretando o personagem que recebera para o Caraval. Mas ainda assim era perturbador observar seu olhar adquirir tons de ganância, como se ela fosse uma ovelha que ele quisesse guiar como um pastor pelos caminhos errados.

— Não creio que me recorde de você — ronronou ele. — Mas você é muito bonita, então vou lhe oferecer uma promoção. Você pode sentir o mesmo êxtase dos meus amigos amarrados por apenas quatro moedas de cobre!

— Ou então você pode se penitenciar por seus pecados gratuitamente. — Uma mulher vestida com um capuz branco estonteante atraiu a atenção de Tella para longe daquela versão alarmante de Julian e rumo a outro local perturbador. Ela apontou para uma série de jaulas e troncos com grilhões que fediam a suor, arrependimento e corpos sujos. Aquelas pessoas não pareciam estar ali tão voluntariamente quanto os sacrifícios de Julian que veneravam os céus. E Tella não estava procurando a redenção ou o perdão; queria encontrar Lenda.

— Você provavelmente não devia olhar tão fixamente para lá, ou eles vão achar que você disse sim e enfiá-la em uma daquelas prisões também.

Tella se virou e viu Dante em pé diante de um chafariz do Trono Sangrento.

Ele apoiou um cotovelo encasacado contra uma porta de prata oxidada, a cor dos sonhos desiludidos e das decisões ruins. Ou talvez fosse ele que se parecesse com uma decisão ruim.

Nos Baralhos do Destino, as Estrelas Caídas eram sempre retratadas como deusas ou deuses ardilosos vestidos com capas douradas brilhantes e robes brancos e finos. Mas, enquanto Tella olhava para Dante, coberto em tons retintos de preto que se mesclavam com a noite, imaginou que os retratos nas cartas podiam estar errados. O ouro sempre brilhava, mas poucas pessoas eram capazes de fazer a escuridão cintilar como ele fazia.

— Você precisa parar de me seguir — disse Tella.

— Na verdade, talvez eu esteja ajudando você. — Ele endireitou o lenço negro que tinha ao redor do pescoço conforme seu olhar se fixou na porta atrás dele, pousando em um símbolo do Caraval entalhado no alto da maçaneta bulbosa de latão.

A entrada da Igreja de Lenda.

— Eu a teria encontrado sozinha — bufou Tella.

— É claro que teria. — Dante continuava em pé diante da porta, com um sorriso um pouco largo demais conforme Tella se aproximava.

— Não foi você que disse que vê garotas da mesma maneira que vê vestidos de festa? Que só devem ser usados uma vez?

— Claramente, vejo você de uma maneira diferente. — Ele estendeu a mão para tocar um dos cachos errantes de Tella e o enrolou ao redor de um dedo tatuado, a rosa negra no dorso da mão girando até ficar roxa sob a luz rubiácea das estrelas. Com cada giro ele a trazia para mais perto.

Tornava fácil ignorar as pernas doloridas e o coração que morria. Dante enrolou-lhe os cabelos ao redor do dedo da mesma maneira que ela imaginava que ele queria enrolá-la ao redor do próprio dedo.

Como se ela pudesse deixar que ele fizesse isso.

Arrogante. Excessivamente autoconfiante. Vaidoso. Impossível. Ela detestava o fato de que ele se recusava a deixá-la em paz, como ele recebia seus insultos da mesma maneira que outros rapazes poderiam receber um elogio, e que seu interesse nela era claramente apenas parte do seu personagem. E, mesmo assim, ela parecia nunca conseguir afastá-lo.

— Se você estiver aqui para aprender sobre Lenda, posso lhe dizer mais do que qualquer pessoa que esteja aí dentro — falou ele.

— Você me diria quem ele é? — perguntou Tella.

— Você sabe que não posso fazer isso.

— Você poderia, se fosse Lenda.

A voz de Dante se agitou com uma risada.

— Se eu fosse Lenda, definitivamente jamais lhe diria.

— Diz isso porque não confia em mim?

— Não — respondeu ele lentamente, puxando-a gentilmente para mais perto. — Eu guardaria o meu segredo porque iria querer continuar a participar do jogo com você, e, se eu lhe dissesse a verdade, isso estragaria toda a diversão.

Os olhos de Dante se fixaram nos de Tella, como se houvesse alguma coisa ainda não dita que ele estivesse tentando dizer. Se outro rapaz a olhasse daquele jeito, Tella poderia ter se sentido especial por um momento. Havia quase algo mais íntimo naquilo do que num toque. Quando Dante olhava nos olhos de Tella, não estava observando o resto do mundo. Não estava tentando se proteger. Estava arriscando uma parte da sua pessoa para se concentrar unicamente nela.

Tella perguntou-se se esse era o verdadeiro encanto do Caraval — não a magia ou o mistério, mas o jeito como os atores de Lenda sabiam exatamente como fazer as pessoas se sentirem. Durante o último jogo, Julian constantemente empurrara Scarlett para fora de sua zona de conforto. Dante estava fazendo a mesma coisa com Tella, mas, em vez de empurrar, ele a estava puxando para junto de si, tentando trazê-la para dentro de sua esfera intoxicante, fingindo que se importava e que não meramente a queria, mas que uma parte dele ansiava por ela. Ela sentia aquilo na maneira sutil como ele prendia a respiração enquanto esperava pela sua resposta. Era aterrorizante como uma coisa tão pequena era capaz de conter tanto poder.

Ele definitivamente cumpria seu trabalho de maneira magistral. Ela sabia que ele só estava fingindo. Que, de fato, Dante não se importava com Tella e nem precisava dela. E mesmo assim, em vez de passar por ele e entrar na Igreja de Lenda, ela se apanhou querendo continuar aquele jogo com Dante apenas por mais alguns instantes.

— Então, se você fosse Lenda e se fôssemos parceiros, você estaria me ajudando a vencer ou sabotando o meu esforço?

— Definitivamente ajudando. — Dante começou a desenrolar a mecha, deixando os dedos quentes roçarem no pescoço de Tella, e em seguida pousando-os sobre a pulsação enquanto sussurrava: — Mesmo se eu não fosse Lenda eu iria querer que você vencesse.

Dante manteve os olhos nela como se houvesse alguma outra coisa que precisasse dizer, e Tella ficava assustada com o quanto queria ouvir aquilo, embora não pudesse acreditar. Ela realmente não acreditava que Dante fosse Lenda também. Por mais divertida e inteligente que Tella fosse, o mesmo era verdade sobre inúmeras outras garotas, e ela imaginava que o mestre do Caraval tinha coisas melhores a fazer do que passar seu tempo seguindo qualquer uma delas. E, mesmo assim, ela não conseguia dispensar completamente a ideia, porque, por mais que isso pudesse machucá-la mais tarde e por mais tola que isso a fizesse parecer no fim, uma parte de Tella ainda queria que aquilo fosse verdade, queria acreditar que alguma coisa dentro dela queimava com uma intensidade suficiente capaz de capturar a atenção incapturável de Lenda.

O coração vagaroso de Tella parou por um instante quando ela pensou naquilo. Com os dedos mornos de Dante sobre sua pulsação, ela imaginava que ele a sentia. Os olhos dele brilhavam com mais força do que seu sorriso, mas talvez fosse porque ele também conseguia sentir que Tella começava a ceder a ele, acreditando na farsa que ele estava inevitavelmente armando.

— Eu queria poder acreditar em você. — Ela disse aquilo como uma piada quando se inclinou para trás, até que a mão de Dante se afastou de seu pescoço.

Ela começou a mover a mão até a porta.

Em seguida, os dedos de Dante estavam ao redor do pulso de Tella, puxando-a de volta para si. Havia algo que quase chegava a ser desespero na maneira como ele a segurava.

— E se eu lhe dissesse qual é a verdadeira razão para este jogo? Você acreditaria que quero ajudá-la?

— Dante, nunca acredito em nada do que você fala.

— Mas você se lembra muito bem das minhas palavras para repeti-las.

Tella não respondeu, o que Dante entendeu como um convite para prosseguir.

— Você sabe como Lenda ganhou sua magia?

— Eu achava que ela veio de um desejo, aquele desejo impossível ao qual todos nós temos direito se quisermos suficientemente alguma coisa. — Ela disse aquilo com ceticismo. Embora sua irmã tivesse usado um desejo para trazer Tella de volta à vida no último jogo, uma parte de Tella sempre duvidara de que a magia de Lenda viera de algo tão simples. E talvez Tella gostasse da maneira como Dante lhe respondia quando ela o desafiava, o jeito como seus olhos brilhavam e os dedos dele apertavam seu pulso, como se não estivesse disposto a deixá-la se afastar até que ele tivesse a última palavra.

— Todo mundo realmente tem direito a um desejo — disse Dante. — Mas cada desejo precisa de magia para ajudá-lo a se realizar. E Lenda queria uma magia especialmente poderosa. Por isso ele procurou a bruxa que havia amaldiçoado os Arcanos.

— E como ele a encontrou?

— Em uma terra muito distante. Se Lenda quer alguma coisa, ele vai até os confins desta Terra para consegui-la. — O tom de voz de Dante era intencionalmente calculado para causar desconfiança, como se estivesse contando uma história mítica para uma criança, e mesmo assim a mão ao redor do pulso de Tella foi ficando mais quente a cada palavra. Ele continuava falando da mesma maneira descuidada, mas o peso do que dizia parecia maior do que qualquer outra coisa que lhe contara naquela noite.

— Quando a bruxa que Lenda visitou baniu os Arcanos, ela lhes tomou metade da magia. Assim, mesmo se os Arcanos retornassem, não teriam o mesmo poder de antes. Foi essa magia que ela usou para o desejo de Lenda. Mas ela avisou Lenda de que, se algum dia os Arcanos conseguissem quebrar a maldição, eles matariam para conseguir sua magia de volta. Acho que essa foi a maneira que ela encontrou para garantir que os Arcanos jamais retornassem. A bruxa sabia que, para manter seus poderes para sempre, Lenda teria, mais cedo ou mais tarde, de destruir os Arcanos ou ser destruído por eles.

Dante estava perto o bastante para sussurrar quando terminou de falar. Não mencionou Jacks, mas não precisou. Tella não conseguiu evitar acrescentar o que já sabia sobre os Arcanos ao que Dante acabara de dizer. As peças se encaixavam bem demais para não as juntar.

Aprendera com Jacks que todos os Arcanos haviam sido aprisionados num baralho. Se houvesse alguma verdade no que Dante dizia, metade dos poderes dos Arcanos também havia sido tomada, o que possivelmente explicava por que Jacks queria Lenda. Talvez Jacks tivesse escapado do baralho, mas não houvesse recuperado todo o seu poder, e por isso precisava pegá-los de volta.

Jacks dera a entender que os outros Arcanos ainda estavam aprisionados. Mas Lenda devia saber que o Príncipe de Copas ainda estava livre. Para Lenda, isso era provavelmente o suficiente para decidir destruir todos os Arcanos.

Os Arcanos passaram séculos trancafiados, mas agora eles desejam sair e brincar pelo povoado.

O mundo nunca mais será o mesmo se a magia os Arcanos recuperarem; mas vocês podem ajudar a impedi-los, se no jogo triunfarem.

Tella fez um gesto negativo com a cabeça. Isso era exatamente o que Scarlett lhe advertira que viria a acontecer. Dissera que Tella não conseguiria perceber a diferença entre as partes que eram reais e as que eram meramente um jogo.

Tella sabia que Jacks era real. Mas era loucura começar a acreditar que esse jogo era real também.

Tella puxou o pulso para longe da mão firme de Dante.

— Obrigada por essa *história interessante.*

— Espere. Antes que você...

Dante se deteve.

Tella ficou tensa, receosa de estar sangrando novamente, mas os olhos de Dante não estavam nela. Ela olhou para trás, por cima do ombro, para onde o olhar dele subitamente apontou. Pensou ter visto Jovan. Exceto que, em vez de estar vestida como o Bufão Louco, como a noite passada, ela trajava um robe. A roupa chicoteava ao redor de seus tornozelos conforme ela se afastava às pressas.

Dante voltou a concentrar sua atenção em Tella, rapidamente enfiou a mão na casaca e tirou dali um par de luvas pretas que iam até a altura dos cotovelos.

— Se não quiser aceitar minha ajuda, pelo menos fique com essas. — Ele apertou um dos botões de pérola que ornamentavam as luvas.

Clique.

Clique.

Clique.

Clique.

Clique.

Cinco lâminas afiadas como navalhas saltaram da ponta dos dedos.

— Você está me dando luvas com navalhas?

Tella sentiu um alívio súbito ao perceber que os dedos de Dante não estavam mais sobre sua pele, que ia rapidamente ficando mais quente conforme as palavras de Scarlett lhe voltavam apressadamente: *Luvas são um presente simbólico... um costume ligado a pedir a mão de uma garota em casamento... a maneira apropriada para um rapaz dizer que vai cuidar da garota, dando-lhe luvas para proteger as mãos.*

A pele de Tella começou a queimar com uma força ainda maior conforme as navalhas brilharam sob a luz das tochas. Dez minúsculas promessas de proteção. Mas Tella sabia que Dante queria se casar com ela tanto quanto Jacks queria. Provavelmente havia simplesmente roubado as luvas enquanto saía da loja de Minerva, de uma garota que, por acaso, tinha braços e dedos do mesmo tamanho que os de Tella.

— O que você quer em troca?

— Talvez eu só queira ter certeza de que vou vê-la de novo. — Dante pressionou as pérolas mais uma vez para ocultar novamente as lâminas antes de dobrar as luvas e entregá-las a Tella.

Em seguida, aquele desgraçado insuportável já estava indo embora.

Ele foi na mesma direção da figura coberta por um manto que se parecia com Jovan. Tella quase sentiu vontade de ir atrás, mas isso provavelmente era o que Dante queria — distraí-la para que não entrasse na Igreja de Lenda e encontrasse a próxima pista.

Tella voltou a ficar de frente para a porta, mas o símbolo do Caraval havia desaparecido, como num passe de mágica. Ela sentiu que essa era uma confirmação adicional de que estava no lugar certo.

19

As experiências religiosas de Tella em Trisda podiam estar limitadas a orações desesperadas e em passar cartas às escondidas por entre o pequeno confessionário do padre, mas, quando entrou na Igreja de Lenda, ela percebeu rapidamente que aquele não era um lugar comum de adoração.

— Bem-vinda. — Uma garota com a pele da cor do crepúsculo com uma cartola delicada saudou Tella com uma reverência feita de olhos estreitados e babados vermelhos. Muitos babados vermelhos. Tella sabia que Lenda gostava de vermelho, mas essa garota parecia estar desesperada. Babados vermelhos rodeavam seu vestido platinado como uma faixa ao redor de uma bengala de açúcar.

— Parabéns por encontrar a nossa porta, mas agora você deve decidir cuidadosamente se deseja entrar na igreja.

A garota agitou um braço ornado por babados, e vários candelabros de latão faiscaram até ganharem vida, iluminando mais de uma dezena de escadarias. Cobertas em grossos carpetes da cor de rubi, elas serpenteavam em todas as direções, subindo, descendo, de um lado para outro, como vasos sanguíneos rebeldes antes de desaparecerem no negrume que havia além. Algumas escadarias pareciam estar mais desgastadas do que as outras, mas todas brilhavam com a mesma luz fosca de carvalho, indicando um brilho que havia muito tempo viera perdendo o viço.

— Apenas uma destas vai levá-la aonde você quer ir — disse a garota.

— E aonde as outras vão me levar?

O sorriso carmim da garota gotejava nos canos.

— Isso é um mistério ao qual você deve se arriscar se deseja se juntar à nossa congregação e servir ao grande Lenda.

Tella não desejava se juntar a nada, definitivamente não tinha planos de servir a Lenda e realmente não estava com a menor vontade de subir ou descer escadas, mas ouvira dizer que encontrar a igreja era um ato parecido com um jogo.

Tella examinou as escadas de rubi novamente. Cada uma tinha uma personalidade diferente, como as espirais brincalhonas e contornadas por ouro à sua direita. Havia também a escadaria aventureira e toda trabalhada com entalhes que se estendia diretamente em frente como se fosse a ponte para uma terra de fantasia. A escadaria frágil à sua esquerda não parecia muito confiável, assim como a escada em espiral de ferro fundido e sem um corrimão pela qual ela não estava disposta a tentar subir. Finalmente, os olhos de Tella pousaram numa saborosa escada de mármore negro, polida até brilhar como um espelho e coberta por um tapete vermelho-granada escuro e intocado. Esta parecia descer, em vez de subir.

Tella tentou divisar para onde os olhos da outra garota apontavam, curiosa em relação ao caminho que poderia escolher. Mas seu olhar continuava fixo em Tella.

— Decidiu?

Os olhos de Tella retornaram à luxuosa escadaria de mármore com o carpete intocado da cor de granada. A expressão da garota não mudou, mas Tella podia jurar que seus ombros enrijeceram. Não queria que Tella pisasse naqueles degraus, e ela teve a sensação de que aquilo não se devia ao fato de que a garota temesse por sua segurança.

— Tem certeza de que não prefere escolher outra? — perguntou a garota.

— Acho que vou gostar do que vou encontrar no fim desta.

A garota riu, mas soou forçado conforme Tella se dirigiu rumo à escadaria imaculada de mármore negro e pisou no primeiro degrau que descia.

A escadaria de mármore não lhe dava a mesma sensação de Lenda, mas Tella sentiu que ela estava tentando. A cada lance o ar ficava mais frio. As velas nas paredes se apagavam, enquanto misteriosas manchas negras salpicavam o carpete outrora imaculado e o corrimão liso, imitando gotas de sangue ressecado. Mas Tella já havia visto uma quantidade suficiente de respingos de sangue verdadeiro para saber qual era a sensação que aquilo lhe causava e a cor que assumia quando secava. Não era sangue o que estava ali, e sim uma ilusão.

Apenas por precaução, Tella pegou as luvas com navalhas nos dedos que Dante lhe dera. Tinham o cheiro dele, a fragrância de tinta e segredos. Mas, diferentemente de Dante, eram frias ao toque, como sentiu quando as calçou, gostando do peso gentil das lâminas escondidas nas pontas dos dedos.

Depois de mais alguns degraus, ela furtou uma vela que estava em dos castiçais da parede. Atrás do castiçal, viu alguns furos na parede para que pequenas lufadas de vento seco pudessem fazer as chamas se agitar. Pelo menos eles eram inteligentes aqui. Mas Tella se arrependeu de usar um vestido tão pesado conforme os degraus foram ficando mais íngremes. Os buracos para o vento nas paredes desapareceram a seguir, cobertos por retratos com molduras grossas — todos retratando homens jovens de cartola.

No início ela ficou em dúvida se aqueles seriam membros da igreja, mas todos os rostos eram bonitos demais, e um pouco malvados demais. *Lenda*.

Não eram retratos reais dele. Ninguém sabia ao certo qual era sua aparência, mas claramente os membros da igreja haviam tentado retratá-lo. Tella viu cores de pele que iam desde o branco translúcido até tons escuros de marrom. Alguns rostos eram estreitos e afiados como insultos; outros eram quase como querubins em suas curvas ou serafins com suas linhas cinzeladas. Alguns rostos apresentavam cicatrizes, alguns sorriam e outros a encaravam com um olhar agressivo. O coração de Tella parou completamente quando ela avistou um rosto estreito que a fez lembrar-se de Jacks, com olhos prata-azulados e cabelos dourados. O último retrato piscava um dos olhos, como se tudo aquilo fosse uma grande piada.

Talvez fosse. Talvez Lenda estivesse brincando com ela novamente, e as escadas continuavam a descer eternamente, sem jamais chegar ao fim. As pernas letárgicas de Tella se transformaram em líquido quando ela pensou naquilo. Talvez não houvesse qualquer maneira de encontrar verdadeiramente Lenda e a igreja representasse uma busca infinita por um homem que era inencontrável.

Ou talvez Tella estivesse simplesmente sendo exageradamente dramática.

Uma luz mais forte iluminava as escadarias abaixo, deixando claro que havia um final à vista. Tella enfiou sua tocha em um candelabro vazio e acelerou o passo.

Alguns degraus mais tarde, notas agudas de música soaram — um violino esganiçado, um címbalo e um banjo. Tella não diria que a música era bonita, mas tinha a mistura exata de estranheza e atração, combinando com a taverna que encontrou ao pé da escada.

Esperava ver mais vermelho, mas, em vez disso, tudo era verde, brilhando como magia madura. Tella não sentiu mais o cansaço conforme inalava aquele lugar, como se o ar fosse tão intoxicante quanto as bebidas que a taverna servia.

Lampiões verde-escuros a querosene iluminavam mesas de vidro de um verde-menta pálido, enquanto sofás de veludo verdes acomodavam pessoas sugando cubos luminosos de açúcar verde ou bebericando frascos de algum líquido com uma cor de limão vívida. Mesmo o chão estava coberto por pequenos ladrilhos de esmeralda que faziam Tella se lembrar de caudas de sereias. Isso não era nem um pouco parecido com as tavernas que havia em Trisda, que só existiam em tons apagados e cheiravam a sonhos rabiscados e rum barato. Não era também como os *pubs* do Caraval, mas ainda assim era uma tentativa interessante.

Com sua música peculiar e com as bebidas verdes e fosforescentes, o lugar chegava às raias do surreal e fazia Tella imaginar que ele poderia ser um Arcano retratado nos Baralhos do Destino: *Taverna Esmeralda*, ela a chamaria. Onde respostas a perguntas perigosas podiam ser encontradas. Havia a Carta Vazia no baralho, e Tella poderia até mesmo imaginar que este salão fosse, talvez, o Arcano não retratado. Mas, mesmo com todas aquelas centelhas, quando Tella olhou mais de perto, imaginou que tudo se parecia mais com *glitter* do que com pó de estrelas.

Parecia até mesmo que os degraus que vira quando entrou ali pela primeira vez não fossem tão perigosos quanto a garota cheia de babados queria que Tella pensasse, mas meramente um teste, como Tella fora advertida. Entre as mesas, o balcão do bar e os balconetes flutuantes, a jovem avistou os últimos degraus das outras escadarias — todas elas conduziam ao mesmo lugar. Como o Caraval, parecia que esta igreja era cheia de ilusões, e claramente seus membros gostavam muito delas.

Os clientes da taverna pareciam ter viajado até ali dos mais diversos lugares. Conforme foi avançando, os ouvidos de Tella perceberam toques de linguagens diferentes, enquanto seus olhos viam tons de pele que iam desde o pálido até o escuro. As escolhas relacionadas à moda também eram variadas, mas quase todos tinham uma coisa em comum: cartolas.

Tella não fazia ideia se as pessoas as usavam porque veneravam Lenda ou porque queriam ser Lenda, mas quase todas que estavam naquele bar tinham uma. Algumas cartolas eram altas e robustas, algumas eram retas, outras eram curvas ou propositalmente envergadas. Algumas tinham penas, véus ou outras peças e adornos irreverentes. Tella avistou até mesmo uma cartola com chifres saindo pelas laterais, e uma moça tinha duas cartolas cor-de-rosa em miniatura que saltavam da cabeça como se fossem orelhas.

Talvez essa fosse a verdadeira razão pela qual Dante fugira em vez de segui-la. Talvez sentisse inveja de todas as pessoas que adoravam Lenda de forma tão explícita. Não que Tella devesse estar pensando em Dante ou imaginando o que ele diria se estivesse ali com ela.

Tella olhou para além de toda aquela folia, procurando um lugar onde uma pista pudesse estar escondida, até que seus olhos pousaram em uma fila de pessoas. Estavam enfileiradas diante de um par de cortinas de veludo negro contornadas por borlas douradas cafonas. Mais uma vez, aquilo era um pouco espalhafatoso demais, um pouco ostensivo demais para lhe dar a sensação de que fosse verdadeiramente Lenda. Era mais parecido com a maneira como as pessoas o percebiam, uma imagem que, conforme ela acreditava, ele ficava feliz em perpetuar. No último Caraval, Caspar, o ator que fizera o papel de Lenda, atuou de maneira estonteantemente exagerada. Mas Tella não imaginava que o verdadeiro Lenda fosse assim.

Embora Tella não tivesse descoberto a verdadeira identidade de Lenda, havia recebido cartas que ele enviara. As mensagens vinham sem nenhum adorno; uma delas fora formada apenas por uma sentença, e ainda assim ela sentiu sua magia pulsar através daquelas palavras simples.

Por mais atraente que fosse a Igreja de Lenda, Tella imaginava que a instituição compreendia Lenda de maneira totalmente errada. O Caraval podia ser extremo em todo o seu esplendor, mas ela não achava que ele fosse.

Ainda assim, percebeu que estava se aproximando das cortinas borladas. A fila à sua frente zunia com sussurros animados, muitas mãos segurando firmemente em lenços ao redor dos pescoços, beliscando bochechas para lhes fazer corar e endireitando cartolas. Mesmo assim, diferentemente do restante da taverna, parecia que nem todo mundo usava uma cartola, dando a Tella a impressão de que essas pessoas não eram membros da igreja, e sim jogadores em busca da próxima pista.

Tella chegou perto das primeiras pessoas da fila, pois não queria esperar no fim e pensava que não seria inteligente furar a fila sem esperar.

— Com licença — pediu ela a uma garota que usava um adorno emplumado nos cabelos e um véu de gaze carmim sobre os olhos. — O que toda esta gente está esperando para ver atrás da cortina?

— Se você não sabe, talvez não devesse estar aqui.

— Ah, não ligue para ela — disse o garoto esguio que estava a seu lado. Vestido de maneira um pouco mais casual do que o restante, com uma camisa sem gola e calças cinzentas folgadas presas por um par de suspensórios vermelho-cereja. — Minha irmã se esquece de que estamos só jogando e acaba ficando um pouco competitiva demais.

— Está tudo bem — disse Tella. — A minha irmã Scarlett acha que eu faço o mesmo.

Os olhos do garoto esguio se arregalaram, e Tella jurou que a garota com o adorno e o véu inalou o ar com força.

— Você disse Scarlett? A mesma Scarlett que venceu o último jogo?

— Oh, minha irmã e eu não jogamos o último jogo — disse Tella. Mas fez a voz estremecer o suficiente para instilar um fragmento de dúvida. Era um risco para sua verdadeira identidade, mas o Caraval não era vencido por quem jogava na defensiva. E parecia já estar funcionando.

O garoto esguio deu um passo atrás, olhando de maneira mais protetora para Tella conforme abria espaço para que ela se juntasse a eles na fila.

— Eu sou Fernando. Esta é minha irmã, Patrícia, e este aqui é o nosso amigo, Caspar.

Tella tentou esconder a surpresa quando um ator familiar fez menção de tomar sua mão.

— É um prazer conhecê-la. — Caspar tratou Tella de uma maneira parecida com a de Julian, como se seus caminhos jamais houvessem se cruzado antes. Não foi tão enervante quanto a atuação perturbadora de Julian. Mas ainda assim serviu para desequilibrar Tella, fazendo-a sentir que Caspar talvez fosse, afinal de contas, um estranho.

Caspar fingira ser seu noivo e também Lenda na última edição do jogo, mas agora ele usava um sotaque musical que Tella nunca ouvira em sua boca. Também havia deixado de lado as roupas elegantes que envergara durante o último Caraval, preferindo um conjunto mais despojado, parecido com o traje de Fernando.

— Foi Caspar que nos contou que o homem que fundou esta igreja está do outro lado da cortina — disse Fernando.

— O homem também é um *expert* nos Arcanos — completou Caspar suavemente.

— Ele tem informações sobre o objeto que precisamos encontrar, aquele que é capaz de destruí-los — emendou Fernando.

Patrícia revirou os olhos com estardalhaço.

— Vocês vivem esquecendo que isto é somente um jogo. O objeto é apenas um objeto simbólico que é necessário para vencer. Lenda não quer destruir os Arcanos de verdade. Eles já foram banidos. Quando você fala assim, parece um idiota.

As faces de Fernando coraram.

Tella concordou com a avaliação de Patrícia, mas não gostou de como ela parecia estar fazendo questão de constranger o irmão.

À frente deles, um casal saiu de trás das cortinas de veludo. Fernando e sua irmã eram os próximos. Mas toda a jovialidade de Fernando parecia ter se esvaído. Estava agora olhando para os azulejos verdes no chão enquanto Patrícia erguia os olhos para Caspar em busca de aprovação, como se acabasse de dizer algo muito inteligente. Como que para respaldar seu crédito, Caspar não a encorajou.

Mas Tella decidiu levar as coisas um passo adiante. Irmãos deviam apoiar uns aos outros, não passar o tempo se atacando.

— Acho que você está errada. — Ela direcionou cada palavra para Patrícia, falando rapidamente de modo que a garota não a pudesse interromper com algum suspiro ou um revirar de olhos. — Lenda nunca executou duas edições do Caraval tão próximas uma da outra. Especialistas no jogo estão dizendo que isso aconteceu porque este é real. Se prestar atenção, vai sentir. A magia no ar não é meramente a de Lenda; são os Arcanos tentando voltar. Mas a única maneira como podem fazer isso é tomando o poder de Lenda.

As sobrancelhas de Caspar se ergueram em surpresa, e seus olhos crivaram Tella com um olhar que a fez sentir como se houvesse acabado de revelar um segredo sobre o qual nem devia saber.

— Onde você ouviu isso?

— Ouvi uma história similar — disse Fernando, voltando à conversa. — Mas soube que, se Lenda conseguir destruir os Arcanos, ele não vai somente manter o seu poder. Vai tomar os poderes de todos eles também.

Dante não havia mencionado essa parte. Não que Tella tivesse decidido acreditar em sua história. Mas era difícil ignorar a palidez que parecia ter tomado conta do rosto de Caspar.

— E se os poderes dos Arcanos tiverem algo a ver com o misterioso prêmio final? — interveio Patrícia, falando com o tipo de autoconfiança que tornava impossível dizer se a pressão do grupo a fizera mudar de ideia ou se não queria ser deixada de fora da conversa. — Talvez Lenda dê ao vencedor um dos poderes dos Arcanos. Acho que eu ficaria com o poder da Rainha Morta-Viva. Ela nunca envelhece.

— Nenhum dos Arcanos envelhece — disseram Tella, Caspar e Fernando em uníssono.

Agora foi a vez de Patrícia corar.

— Vocês não me deixaram terminar.

— Vá em frente, então — disse Caspar.

Mas, aparentemente, Patrícia não sabia que o verdadeiro poder da Rainha Morta-Viva era a capacidade de controlar qualquer um que fosse tolo o bastante para lhe oferecer seus serviços. Patrícia ficou em silêncio até que Caspar olhou para Fernando. Ele olhou para o outro rapaz com um sorriso tão quente que Tella até imaginou se haveria somente imaginado ter visto a pele de Caspar empalidecer.

— E você? — perguntou Caspar. — Qual poder de qual Arcano você iria querer?

Fernando brincou com os suspensórios enquanto pensava na questão.

— Provavelmente eu escolheria o da Morte Donzela.

Tella enrijeceu.

Patrícia olhou boquiaberta para o irmão.

— Você iria querer matar pessoas?

— A Morte Donzela não mata ninguém — disse Fernando. — Ela é um dos Arcanos bons. Ela sente quando uma tragédia está prestes a acontecer e avisa as pessoas. Eu gostaria de poder fazer isso.

Se pelo menos Fernando tivesse razão nisso. Na experiência de Tella, a Morte Donzela selou o seu destino em vez de alertá-la. Embora talvez as coisas fossem diferentes se Tella soubesse realmente o que a Morte Donzela significava quando a sacou pela primeira vez do Baralho do Destino da sua mãe. Talvez assim ela pudesse ter feito algo para impedir a mãe de partir.

Caspar se virou para Tella.

— E você? Que poder desejaria?

Tella podia ser fascinada pelos Arcanos, mas não tinha certeza de que queria algum de seus dons terríveis. Nem todos os Arcanos eram maus; a Senhora da Sorte trazia às pessoas fama e boa fortuna, mas, considerando a natureza caprichosa da sorte, mesmo esses presentes podiam azedar. E, embora o Aráculo desse a Tella vislumbres úteis sobre o futuro, também lhe trazia aflição após aflição. A Assassina era capaz de se mover pelo espaço e pelo tempo, mas, por mais tentador que fosse esse poder, Tella também imaginava que ele poderia trazer flocos de loucura. Seria ainda pior ter os poderes de todos os Arcanos. Ela compreendia por que alguém como Lenda poderia querê-los. Com tanta magia, ele poderia governar o mundo. Mas Tella duvidava que Lenda ou o mundo ficariam numa situação melhor se isso acontecesse.

As cortinas diante deles se abriram outra vez, poupando Tella de responder à pergunta conforme Fernando e Patrícia foram chamados para o interior.

Tella virou-se para olhar para Caspar, mas ele já havia escapulido. Provavelmente em busca de outra dupla com quem pudesse brincar.

Provavelmente era melhor assim. A reação de Caspar à história de Tella a fizera questionar coisas que era melhor não questionar. Tella não sabia o que encontraria do outro lado da cortina negra de veludo, mas, se envolvesse a próxima pista, imaginou que aquilo mexeria ainda mais com sua cabeça. Melhor se preparar para o que estava por vir antes de entrar. Não havia nenhum relógio nas paredes da taverna, somente espelhos, lampiões, garrafas e mais tentativas de retratar Lenda. Assim, Tella não sabia por quanto tempo esperou, apenas que tempo demais parecia ter passado antes que a cortina finalmente se abrisse novamente e uma voz familiar a chamasse para dentro.

20

Tella teve a sensação de que havia entrado em um frasco de veneno. Assim como o restante da taverna, tudo que havia do outro lado da cortina bordeada era verde — desde os pisos com azulejos de vidro verde até as longas paredes espelhadas e o trio de poltronas em forma de concha. Verdes como o ódio desabrochado, a inveja crua e os olhos esmeralda de Armando.

Tella respirou fundo quando o viu.

Embora ele nunca tivesse sido verdadeiramente o noivo da irmã, ela sempre pensaria em Armando como o vilão que ele interpretara no último jogo.

Esta noite, os olhos verdes e profundos de Armando estavam contornados de preto, o que os fazia parecer com pedras preciosas recém-incrustadas. Seu fraque elegante era da cor de marfim, com exceção do lenço carmim atado ao redor da garganta e da cartola preta em sua cabeça. A cartola estava encaixada num ângulo e tinha uma faixa de cetim vermelho ao redor; alguma coisa naquela peça fazia Tella imaginar que não seria somente um tributo a Lenda, mas também um adereço para fazer os jogadores se perguntarem se Armando poderia ser o verdadeiro mestre do jogo.

Tella sentou-se elegantemente na poltrona vazia diante dele, como se a imagem do traje imaculadamente branco de Armando não a fizesse querer apertar os botões de pérolas em suas luvas e rasgar as roupas dele até deixá-las em retalhos. Mas, se o fizesse, ele não lhe daria a próxima pista, e, se qualquer pessoa naquela igreja estranha a possuísse, ela imaginou que seria o diabo que estava logo à sua frente.

A boca de Armando sorriu, mas a expressão não lhe tocou os olhos, como se fosse simplesmente mais uma parte de sua fantasia. Diferentemente da maioria dos atores de Lenda, Armando não fez nenhuma tentativa de dizer algo encantador. Aquilo tornava fácil detestá-lo, fácil acreditar que ele não estava interpretando um personagem, que ele *era* o personagem que interpretava.

— Como está a sua irmã?

Tella ficou irritada.

— Eu já lhe disse. Nem ouse tocar no nome dela.

— E se eu o fizer? Você vai enfiar suas garras na minha bochecha e arranhar a minha cara? — O olhar de Armando baixou para as luvas que ela usava. — Se sente que precisa se vingar, vá em frente. Mas ainda acho que fiz um favor para a sua irmã. Ninguém quer ser a única pessoa que não conhece um segredo. E ela ficaria numa situação muito pior se tivesse descoberto a verdade depois desta semana.

— Você podia ser menos desagradável em relação a isso.

— Se acredita nisso, você ainda não sabe como este jogo funciona. Todos os atores de Lenda recebem um personagem para interpretar, uma pessoa que cada um deve se tornar durante o jogo, e é isso que realmente faz o Caraval avançar. Portanto, sim, senhorita Dragna, eu tinha de ser desagradável naquele papel. — Os olhos de Armando foram ficando mais duros e incisivos a cada palavra, como se cada uma delas o tornasse ainda mais vilanesco.

Se Tella pudesse, apostaria que ele adorava aquele papel. Interpretara um monstro no último jogo também, e, como não se desculpou, Tella imaginava que ele havia gostado de fazer aquilo também. Seria esse o motivo pelo qual ele sempre interpretava personagens como aquele ou haveria outras razões?

Enquanto Tella considerava aquela questão, ouviu a voz de sua avó Anna repetindo uma parte da história que lhe contara muitas vezes. *A bruxa também avisou que todo desejo tem um preço, e, quanto mais ele se apresentasse, mais se transformaria nos papéis que desempenhava. Se interpretasse o vilão, Lenda se tornaria um na vida real.*

Tella sempre se lembrava de que sua avó dizia que Lenda gostava de interpretar o vilão e que por isso se transformara em um. Mas essa não era a verdade exata. Lenda se transformava nos personagens que desempenhava, o que significava que somente se tornaria um vilão se assumisse o papel de um — como Armando fizera.

Tella não havia considerado aquilo antes. Odiava Armando por todo o sofrimento que ele causara a Scarlett. Sentia que imaginá-lo como Lenda era como lhe fazer um elogio, e não queria dar nada a Armando a menos que isso lhe causasse uma quantidade significativa de dor.

— Até mesmo você tem um papel nesta apresentação. — Armando pegou um Baralho do Destino que estava no centro da mesa e começou a embaralhá-lo. — Você pode pensar que o seu não tem um roteiro definido, mas posso lhe dizer que, no instante em que pisou aqui dentro, você pensou em me machucar, e provavelmente ainda está pensando nisso. Lenda a está manipulando, guiando-a rumo a um caminho até que a única escolha que reste seja aquela que ele quer que você faça.

— E por que faria isso? — perguntou Tella.

— Responda a essa pergunta e você realmente terá vencido o jogo. — Armando colocou o Baralho do Destino no centro da mesa e fez um sinal para que Tella o cortasse. As cartas eram douradas com espirais prateadas e muito mais grossas do que o habitual, como se fossem feitas com pedaços de metal legítimo. Difíceis de destruir, assim como os futuros que prediziam.

Tella olhou fixamente, mas não tocou. Podia ser obcecada pelas cartas depois daquele dia em que encontrara o baralho da mãe pela primeira vez e até mesmo ter se permitido olhar para o Aráculo, mas nunca havia sacado cartas de um Baralho do Destino para ver o próprio futuro. Ainda mantinha a promessa que fizera à sua mãe — e uma vez já fora suficientemente danosa.

— Acho que vou dispensar a leitura. Não vim aqui para receber palavras enigmáticas sobre o futuro.

— Mas você quer a próxima pista?

— Achei que você tivesse dito que as pistas não significam nada.

— Não. Eu disse que o jogo não depende realmente das pistas, mas elas ainda são necessárias para mostrar às pessoas, como você, o caminho correto.

— Talvez eu olhe para as estrelas e siga então as constelações de Lenda.

— As constelações ajudam as pessoas a jogar, mas não vão levar ninguém à vitória, e suspeito que você queira vencer. — Armando empurrou ligeiramente o baralho para o lado da mesa onde Tella estava, arranhando a superfície de vidro.

— Por que você se importa tanto com o meu futuro?

— Eu não me importo nem um pouco, mas Lenda está muito interessado.

— Imagino que você diga o mesmo para todo mundo que se senta aqui.

— Tem razão. Mas, no seu caso, estou dizendo a verdade. — Quando Armando sorriu desta vez, a expressão iluminou todo o rosto dele. Os lábios se abriram em um sorriso perfeito, os olhos assumiram um tom estonteante de verde, e, por um momento, Tella imaginou que, se ele fosse pelo menos um pouco mais gentil, Armando seria dolorosamente bonito. — Ou você joga comigo ou está livre para tentar a sorte em outro templo.

Como se percebessem a deixa, os sinos dobraram duas vezes, anunciando as duas horas da manhã. Mais tarde do que ela imaginava. Teria de avançar rapidamente para encontrar outro dos atores de Lenda em um templo diferente. Mas havia uma possibilidade de eles desejarem ler seu futuro, assim como Armando.

Ela estendeu a mão para tocar no baralho de metal.

As cartas eram suficientemente frias para que ela sentisse isso através das pontas das luvas. Quando terminou de cortá-las, Armando as dispôs diante de Tella. Um leque de prata e ouro. Ele deveria ter brilhado, mas depois de um momento o ouro ficou negro e as espirais prateadas foram se oxidando, como se a avisassem de que seu futuro também poderia ficar mais escuro.

— Escolha quatro. Uma de cada vez.

— Eu sei como funciona. — Ignorando as óbvias bem diante de si, Tella estendeu a mão para pegar uma carta escondida na extremidade esquerda, arranhando a mesa mais uma vez quando a deslizou para fora do baralho e a virou, revelando um sorriso sangrento que já lhe era muito familiar.

O Príncipe de Copas.

O ar nos pulmões de Tella ficou ártico. Ele era realmente inescapável.

Armando deu uma risada contida, seca e zombeteira.

— Amor não correspondido. Parece que as coisas entre você e Dante não vão dar certo, afinal de contas.

Aquilo podia ter doído se Tella tivesse quaisquer ilusões contrárias. Mas ela sabia melhor do que ninguém o que o príncipe ensanguentado representava. Não importa o que Tella alegasse sobre o amor, o Príncipe de Copas era a verdadeira razão pela qual ela nunca se permitira abrir o coração para nenhum dos rapazes que demonstravam interesse. Tella sabia capturar a atenção de um rapaz, mas aquilo estava fadado a não durar. O destino já havia decidido que ninguém que ela amava retribuiria seu amor.

Desta vez, Tella virou a carta mais próxima, aquela que era tão óbvia que provavelmente esperava que ela a deixasse de lado.

Ou não.

A Morte Donzela.

De novo.

— Sempre gostei desta carta. — Armando contornou as pérolas ao redor do rosto da donzela com uma precisão fria. — A Morte a roubou de sua família para transformá-la em sua consorte imortal. Mesmo assim ela a rejeitou, e em resposta a Morte lhe encerrou a cabeça em uma jaula de pérolas para impedir que qualquer outra pessoa a tivesse. Mesmo assim a Donzela continuou a se rebelar, fugindo todas as noites para avisar os amados daqueles que a Morte estava prestes a levar.

— Estou familiarizada com a história dela — disse Tella.

— Então por que não aparenta mais preocupação em perder alguém de quem gosta?

— Porque eu já a perdi.

— Talvez esteja prestes a perder outra pessoa — retrucou Armando. Para um rapaz que dizia não se importar com o futuro de Tella, ele parecia se deliciar com o quanto as possibilidades eram sombrias.

Fingindo que não estava lhe dando atenção, Tella virou outra carta. Não prestou atenção ao lugar de onde a tirou, imaginando que seria o Aráculo — seguindo o mesmo padrão que descobrira quando era criança. Mas, em vez de um espelho com as bordas douradas, a carta diante dela revelou uma coroa negra e de linhas afiadas encimada por opalas-negras brilhantes e quebrada em cinco fragmentos entrecortados.

A Coroa Despedaçada.

Subitamente, Armando parecia não estar mais se divertindo. A boca dele se abria e se fechava como um fantoche que não era alimentado com nenhuma palavra.

— Esta não é terrível o bastante para você? — perguntou Tella.

Na realidade, essa carta não incomodava Tella tanto quanto as outras. A Coroa Despedaçada representava uma escolha impossível entre dois caminhos igualmente difíceis. Mas Tella não acreditava em escolhas impossíveis. Em sua experiência, um dos caminhos era sempre claramente pior que o outro. Ainda assim, Tella hesitou antes de virar uma quarta carta; a Coroa Despedaçada era nova, e, embora uma parte masoquista de Tella estivesse curiosa em relação a quais outras surpresas o futuro lhe reservava, ela estava farta de ver os Arcanos brincando com seu futuro.

— Preciso ver mais uma carta — disse Armando.

— Por quê? — perguntou Tella. — Acabei de lhe mostrar três que são pavorosas. Não é o bastante?

— Achei que você estivesse familiarizada com a clarividência. Toda história tem quatro partes: o começo, o meio, o quase fim e o fim verdadeiro. Seu futuro não está completo até que você vire a quarta carta e revele o fim verdadeiro.

— Ainda não entendo por que Lenda se importa tanto com isso.

— Talvez você precise perguntar isso a si mesma, e não a mim. — Os olhos de Armando pousaram nas cartas viradas, que contavam uma história feita de corações partidos, entes queridos perdidos e escolhas impossíveis. Tella não entendia como aquilo se conectava ao Caraval, a menos que, como Jacks, Lenda também encontrasse prazer na dor dos outros.

Desta vez ela fechou os olhos, esperando encontrar um Arcano favorável como a Senhora da Sorte ou o Vestido de Sua Majestade, que indicavam mudanças ousadas e presentes extraordinários.

As superfícies de metal das cartas não faiscavam com magia como o Aráculo que ela mantinha escondido. Mas ela realmente sentiu algo conforme seus dedos dançavam sobre o baralho. A maioria das cartas era fria ao toque, mas algumas eram mais geladas do que as outras e algumas eram mais quentes. Até que uma delas a queimou com tanto calor que Tella ficou tentada a erguer a mão. Em vez disso, ela virou a carta.

O metal brilhou com uma luz violeta quando uma bela mulher com um vestido cinza-alfazema olhou para Tella por trás das barras de uma gaiola de prata gigante.

A Dama Prisioneira.

Um nó se formou dentro do peito de Tella, e não apenas porque a carta a lembrava da imagem que o Aráculo lhe mostrara de sua própria mãe. A Dama Prisioneira tinha um significado duplo: às vezes a carta prometia amor, mas geralmente significava um sacrifício. Em todas as histórias ela era considerada inocente de quaisquer crimes, mas se deixara enjaular no lugar de alguém que amava profundamente.

As palavras de Nigel voltaram a surgir em sua mente: *Esteja avisada: vencer o jogo vai custar um preço do qual você irá se arrepender depois.*

Tella encarou Armando, irritada.

— Escolhi as minhas cartas. Me dê a próxima pista. A boca de Armando se retorceu em algo inescrutável.

— Se você se atrever a tentar me dizer que não pode...

— Deixe as garras dentro das luvas. — Armando se levantou da cadeira e atravessou o espaço pequeno para pressionar a mão contra um dos espelhos da parede. Ele se abriu com um sibilar, expondo um túnel frio formado por terra e teias de aranha antiquíssimas.

Tella ouvira dizer que havia passagens secretas escondidas por toda Valenda. Esta devia ser uma delas.

— Siga este caminho até que alguma coisa lhe dê vontade de parar, e ali você vai encontrar a próxima pista. Mas lembre-se, senhorita Dragna, o Caraval não se resume às pistas. Sua irmã não venceu porque resolveu charadas simplórias. Ela venceu por causa do que estava disposta a sacrificar por aquelas charadas e pelo que estava disposta a sacrificar para poder encontrar você.

21

O mundo do jogo e o mundo fora dele estavam começando a se mesclar. Tella conseguia sentir as peças de ambos se encaixando bem demais.

O jogo não era real. Tella sabia disso. Todo mundo sabia disso. Mesmo assim, conforme avançava pelo túnel escondido de Armando rumo à segunda pista, apanhou-se questionando se talvez o jogo seria mais real do que ela quisesse que fosse.

Tella entrara no Caraval acreditando que sua barganha com Jacks era genuína e que, se ganhasse o jogo e lhe trouxesse Lenda, conseguiria salvar sua mãe. Depois do baile, ela também passara a acreditar que Jacks era o verdadeiro Príncipe de Copas, um Arcano que havia encontrado um modo de escapar. Mas foi nesse ponto que ela parara de acreditar.

Mesmo o fato de ser tentada pela ideia de que qualquer parte do jogo fosse real podia levá-la a uma espiral mental perigosa. Lenda não estava simplesmente agindo para destruir os Arcanos, e os Arcanos não agiam para destruir Lenda.

Mas, se Tella estivesse certa e tudo aquilo fosse um jogo, será que realmente encontraria Lenda se vencesse? Ou ele seria interpretado por outro ator?

Lenda sempre era interpretado por atores. Mesmo assim, Tella acreditara que seria diferente desta vez. Nigel lhe prometera. *Se você vencer o Caraval, o primeiro rosto que verá será o de Lenda.*

Tella sentiu o mundo se mover quando ele disse aquelas palavras, sentiu o poder que havia nelas, a mesma magia clarividente que sentia toda vez que tocava no Aráculo. Encontraria Lenda se vencesse o jogo. Mas, se o verdadeiro Lenda aparecesse no fim, será que isso significaria que o jogo era real? Significaria que os outros Arcanos além de Jacks estavam tentando retornar, e, se o fizesse, Lenda seria destruído?

Tella estava tão perdida em seus questionamentos que mal percebeu por quanto tempo andara ou para onde o túnel serpenteante de Armando a levava. Até que ouviu vozes ecoando contra as antiquíssimas paredes de pedra daquele túnel.

Tella apertou o passo, seguindo os sons até que eles a guiaram a uma porta coberta por teias de aranha. Não foi a primeira que ela viu, mas foi a primeira onde parou. Reconheceu as vozes do outro lado.

Scarlett e Julian.

Estavam abafadas pela porta suja, mas eram inconfundíveis. Tella conhecia a voz da irmã melhor do que a sua própria, e a voz de Julian era algo completamente singular.

Quando Tella conheceu Julian, ainda em Trisda, não se sentira atraída por ele da mesma maneira que Scarlett. Mas apreciara o som de sua voz. Aveludada e sonora, Julian tinha uma voz apropriada para lançar feitiços. Mas nesta noite ele os quebraria. Soava como sal sem o mar. Áspero, solitário e perdido.

O cheiro de fuligem e teias de aranha serpenteou pelo nariz de Tella quando ela se aproximou da porta, imaginando que o quarto da irmã dentro do palácio seria encontrado logo do outro lado.

— Obrigado por me deixar entrar — disse Julian. — Achei que você não iria querer me ver de novo.

— Eu sempre quero ver você — disse Scarlett. — É por isso que dói tanto.

No silêncio que seguiu, Tella visualizou a irmã do outro lado da porta. Já passava das três da manhã. Scarlett devia estar em pé, usando sua camisola, entretanto, conhecendo-a tão bem, teria provavelmente pegado uma colcha para se cobrir. Tella conseguia visualizá-la puxando as pontas ao redor do corpo, conforme sua cabeça sensata e a dor que sentia por Julian haver mentido lutassem contra o coração machucado e o desejo que sentia pelo rapaz.

— Minha irmã acha que eu deveria lhe dar mais uma chance.

— Concordo com sua irmã.

— Então me dê uma boa razão para confiar em você novamente. Eu quero, mas da última vez você mentiu para mim depois de um dia. — A voz trêmula de Scarlett dizia a Tella que ela estava prestes a se derramar em lágrimas.

Tella estava se intrometendo num momento privado. Precisava deixá-los a sós, começar a andar pelo túnel outra vez.

— E a sua irmã...

Tella parou de andar.

— ... quantas vezes...

— Não coloque Tella nisso.

— Eu só queria saber por que isso é diferente — disse Julian. — Por que você pode perdoar-lhe por mentir sobre o Caraval e Armando e todas as coisas que ela escondeu de você?

— Porque ela é minha irmã. — A combatividade havia retornado à voz de Scarlett. — Você deveria entender isso. Não é essa a razão completa pela qual você mente tanto pelo seu irmão, Lenda?

O mundo inteiro de Tella ficou imóvel.

Lenda era irmão de Julian.

Como Scarlett havia mantido isso em segredo?

Porque Tella nunca lhe perguntara.

Embora sentisse que aquilo era o tipo de coisa que Scarlett devia ter compartilhado. Se fosse verdade, aquilo resolveria tudo. Tella não precisaria de mais nenhuma pista para vencer o jogo. Precisaria somente convencer Scarlett a arrancar de Julian a identidade de Lenda.

Mas Julian era um mentiroso e trabalhava para Lenda. Tella não tinha certeza de que podia confiar em qualquer coisa que ele dissesse. Isso também podia ser parte do jogo. Um truque. Uma distração para impedir que Tella encontrasse as pistas que a levariam até o verdadeiro Lenda.

A menos que aquilo fosse uma das pistas.

Armando lhe dissera que, se seguisse o túnel, ela encontraria a próxima pista.

Tella prestou atenção com bastante cuidado ao que Julian poderia dizer a seguir.

— Carmim — implorou ele. — Por favor, estou tentando fazer tudo o que posso para manter você comigo.

— Talvez esse seja o nosso problema — disse Scarlett. — Não quero que você tente "me manter". Quero saber quem você realmente é.

Qualquer que fosse a resposta de Julian, ele falou baixo demais para que Tella conseguisse escutar com clareza. E em seguida ela o ouviu saindo do quarto.

Tella provavelmente devia ter esperado mais algum tempo antes de abrir a porta e surgir de supetão no quarto de Scarlett, mas, uma vez que entrasse, não seria mais segredo que ela estivera escutando a conversa dos dois.

Tella girou a maçaneta.

No minuto em que passou pelo vão da porta, viu que estava em uma lareira, a qual, por sorte, não estava acesa. Tella bateu as cinzas de seu vestido conforme entrou na suíte.

O quarto de Scarlett estava frio feito lágrimas. De relance, parecia o interior de uma caixinha de música — paredes forradas com cetim azul-safira cercavam uma câmara circular azul cheia de mesas delicadas de cristal com as beiradas entalhadas como conchas de vieira e cadeiras com pés de vidro colorido. Até mesmo a cama elegante com um dossel parecia uma coisa efêmera formada de quartzo reluzente e sonhos. Era o quarto de uma princesa encantada. Mas, nesta história em particular, Scarlett parecia mais estar desencantada. Seu rosto estava pálido, emoldurado por cabelos mortiços e escuros. Até mesmo seu olhar de surpresa não pareceu tão alarmado quando percebeu a irmã.

A única coisa que não parecia desbotada era o vestido que ela estava usando. Tella esperava que a irmã estivesse vestindo uma camisola, mas ou Scarlett acabara de voltar de algum baile secreto ou ainda estava usando o vestido mágico de Lenda, e o vestido estava determinado a fazer sua parte para manter Scarlett e Julian juntos. O corpete era de seda vermelha, sem alças, e fluía para uma saia carmim tão cheia e rodada que cobria a quarta parte daquele aposento.

Tella duvidava que sua irmã houvesse participado de um baile. Seu traje devia ser o vestido encantado de Lenda, o que deixou

Tella ainda mais perplexa. Na última vez que vira a irmã, Scarlett lhe dissera que não confiava em Lenda nem em ninguém que trabalhasse para ele. E mesmo assim ela continuava a usar o seu vestido.

Tella não queria desconfiar da irmã, mas vê-la com aquele vestido foi o bastante para fazê-la se perguntar se Scarlett estaria no jogo. Talvez em retribuição a Tella por enganar Scarlett na edição anterior.

A boca de Tella se empederniu.

Em seguida, viu uma lágrima rolar pela bochecha de Scarlett. Seguida por outra.

Diferentemente de Tella, Scarlett não sabia forjar lágrimas de crocodilo, ou Tella certamente a teria visto fazer isso antes.

Outra lágrima caiu. E mais outra, deixando marcas nas bochechas de Scarlett.

Não. A irmã não estava fingindo. Tella estava sendo paranoica. Assim como a irmã lhe avisara, Tella não conseguia mais discernir o que era real e o que era meramente parte do jogo.

Frustrada consigo mesma e com o jogo por fazê-la duvidar de Scarlett, Tella procurou pela sala redonda por algo compassivo para dizer, já que Scarlett parecia estar genuinamente entristecida e Tella havia obviamente escutado como Scarlett argumentara com a causa da sua dor. Mas a única coisa que conseguiu dizer foi:

— Julian realmente é irmão de Lenda?

Scarlett desabou na cama, caindo como uma pilha de seda vermelha que desmoronava.

— Julian me disse que eles eram irmãos no fim do Caraval, mas eu estou começando a pensar que ele diria qualquer coisa para me manter por perto.

— Pelo menos você sabe que ele se importa com você.

— Será que se importa mesmo? — Mais lágrimas rolaram pelo rosto de Scarlett. — Quando você realmente se importa com alguém, não deve ser honesto, mesmo que isso signifique perder essa pessoa?

— Não acho que seja tão simples assim. Eu amo você mais do que qualquer outra pessoa no mundo, mas já menti muito para você — disse Tella, risonha, esperando fazer a irmã sorrir.

A expressão entristecida de Scarlett vacilou, como se quisesse rir, mas sentisse que não conseguia se lembrar de como fazer aquilo.

— Não sei dizer se você realmente acha que eu devia perdoar a ele ou se está tentando fazer com que eu me sinta melhor.

— É claro que estou tentando fazer com que você se sinta melhor. Quanto a perdoar a Julian, isso depende de saber se Lenda realmente é o irmão dele. — Tella disse aquilo com um tom que beirava uma piada e, por um momento, detestou a si mesma por se aproveitar da irmã. Mas, se Tella não vencesse o jogo e encontrasse Lenda, se ela morresse outra vez, Scarlett ficaria muito mais do que inconsolável. Tella era a irmã que destruiria o mundo se alguma coisa acontecesse a Scarlett, mas o mundo de Scarlett seria destruído se alguma coisa acontecesse a Tella.

— Já tentei perguntar a Julian, mas ele não me conta quem é Lenda. — Scarlett apoiou-se contra uma das colunas do dossel. — Ele deu a entender que lhe é fisicamente impossível revelar o segredo, mas ainda assim não foi difícil me dar a impressão de que Lenda era seu irmão. — Ela enxugou furiosamente os olhos úmidos com os dorsos das mãos. — Isso me faz pensar se não foi tudo mentira. Estou mais inclinada a acreditar que *Julian* é Lenda, mas ele não quis me dizer e alegou que Lenda era seu irmão. — Scarlett fungou contra o travesseiro, murchando ainda mais.

Tella considerou o que sua irmã dizia enquanto observava a saia do vestido de Scarlett encurtar e ficar mais justa, transformando-se em algo mais parecido com uma camisola, enquanto sua cor foi ficando mais suave até chegar a um tom pálido de rosa. Era uma maravilha. Tella sentira um pouco de inveja por causa daquele vestido durante o último Caraval. O traje se comportava como se tivesse pensamentos e sentimentos próprios, mudando o tecido, o corte e a cor de acordo com seus próprios caprichos. Sua magia era excepcional até mesmo para os padrões do Caraval, e Lenda o dera a Scarlett. Tella ouvira alguns atores conversando aos sussurros sobre aquele vestido durante o último jogo, imaginando por que motivo ele a presenteara com um mimo tão singular. Subitamente, aquilo faria mais sentido se Julian realmente fosse Lenda, como Scarlett acabava de sugerir.

Tella se sentou na cama ao lado da irmã.

— Você realmente acredita que Julian pode ser Lenda?

— Não sei — balbuciou Scarlett. — Acho que Lenda exerce alguma espécie de poder sobre seus atores; não acredito que ele controle cada ação daquelas pessoas, mas tenho a impressão de que ele é capaz de impedi-los de revelar certos segredos. Assim, se Julian realmente fosse Lenda, duvido que teria permitido que Armando me dissesse a verdade sobre o personagem que interpretou no último Caraval.

— Odeio Armando — disse Tella.

— Ele estava apenas cumprindo seu trabalho. Mas também não posso dizer que gosto muito dele. — Scarlett socou o travesseiro no qual estava fungando, recobrando um pouco do espírito de luta.

— Você acha que ele pode ser Lenda? — perguntou Tella.

— Acho que qualquer pessoa pode ser Lenda. — Scarlett engoliu as últimas lágrimas. Quando olhou para Tella, seu rosto estava determinado. — Acho que a única maneira de descobrir com certeza quem é Lenda é continuarmos usando Julian para vencer o jogo.

— Você quer usá-lo? — Tella quase caiu da cama. Isso não tinha nem um pouco a ver com sua irmã. — De onde veio isso? Eu achava que você nem queria que eu jogasse.

— E não quero. Mas, se você vencer e se encontrar com Lenda, então nós poderemos descobrir a verdade sobre Julian. — Scarlett puxou uma papeleta como se fosse uma adaga que escondera em sua manga.

Aquela era definitivamente uma nova faceta de Scarlett.

E Tella gostava daquilo.

— Julian me entregou isto — disse Scarlett. — É a próxima pista. Disse que queria ajudar você, mas acho que ele estava tentando me subornar.

Tella pegou a página, reconhecendo a caligrafia do primeiro cartão de pistas que recebeu na festa.

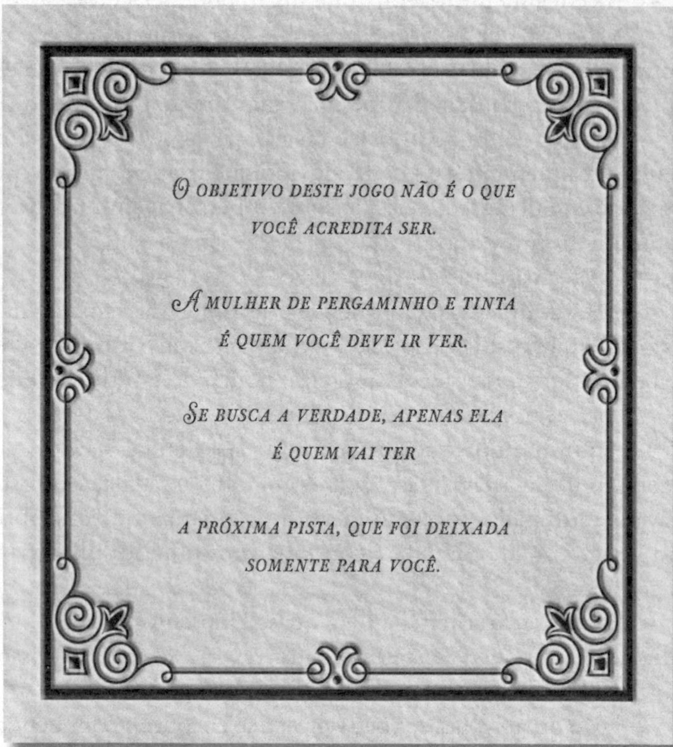

O objetivo deste jogo não é o que
você acredita ser.

A mulher de pergaminho e tinta
é quem você deve ir ver.

Se busca a verdade, apenas ela
é quem vai ter

A próxima pista, que foi deixada
somente para você.

— Isso parece se referir a uma mulher que conheci em uma loja dos Mais Procurados no outro dia, no Bairro das Especiarias.

E parecia também que aquela mensagem fora deixada especialmente para Tella. Ela duvidava que todos os participantes do jogo paravam na mesma loja. Os Mais Procurados de Elantine. Tella esperava poder retornar até lá, mas parecia uma coincidência grande demais o fato de Lenda a estar levando de volta para o mesmo lugar em que a havia colocado em contato com Jacks no início de tudo.

O jogo estava começando a parecer real demais outra vez.

Tella fez questão de se lembrar de toda a sorte de truques e trapaças que acabara de testemunhar com os atores de Lenda no

Distrito do Templo. Teria de ser intencionalmente ingênua para acreditar que o Caraval era mais do que apenas um jogo. O Caraval era somente uma mentira gigantesca, mas Tella podia sentir que o jogo estava tentando atraí-la para seu interior.

Ela segurou o cartão com a pista que Scarlett acabara de lhe entregar.

— Venha comigo amanhã para procurar isso. Scarlett mordeu o lábio.

— O que foi? Você tem outros planos?

— E com quem eu teria planos? — perguntou Scarlett. Mas a pergunta soou estranhamente estridente, e Tella podia jurar que viu a camisola de Scarlett reagir, mudando rapidamente de um tom rosado para o preto.

Tella não sabia o que a irmã estava escondendo, mas teve novamente a sensação de que Scarlett estava tentando ocultar alguma coisa

— Eu simplesmente prefiro não sair à noite — emendou Scarlett. — Não posso me arriscar a ser envolvida pelo jogo outra vez.

— Entendo — disse Tella. Mas não tinha certeza de que acreditava nela.

TERCEIRA NOITE DO CARAVAL

22

Tella trocaria um ano de sua vida por mais uma hora de sono. Nem se importava com o fato de que, possivelmente, tinha menos de um ano para viver. Não queria jamais ter de deixar o abençoado conforto azul de sua cama com todos aqueles cobertores macios e travesseiros de penas. O dia anterior fora brutalmente longo. Mas ela já dormira mais do que devia — e, se jamais se levantasse da cama, definitivamente teria menos de um ano para viver.

Bate... bate.

Nada.

Nada.

Bate... bate.

Nada.

Bate... bate.

Nada.

Nada.

Seu coração estava ainda mais lento do que na noite anterior. Mas ainda estava batendo. E Tella faria de tudo para que não parasse. Aquela condição a refreava um pouco, mas, depois de beber um bule de chá forte e comer várias tortas de caramelo e pães confeitados com frutas, Tella sentia-se mais como realmente deveria.

Conseguiu terminar de se vestir logo antes do crepúsculo. Para aquela noite, ela decidira usar um vestido com a saia menos rodada e sem corpete, num azul-escuro das lágrimas choradas por nuvens de tempestade. Talvez fosse fino demais para se usar à noite, mas o traje facilitava seus movimentos. Mesmo assim,

Tella ainda estava um pouco ofegante quando chegou à ala de safira, onde Scarlett estava hospedada.

Mas Scarlett não estava em seu quarto.

Tella passou um minuto inteiro batendo à porta, quase causando hematomas nos nós dos dedos contra a madeira pesada.

Considerando o quanto Scarlett fora enfática em não sair do palácio à noite e ser acidentalmente envolvida no jogo, Tella esperou que a irmã estivesse em segurança na suíte que ocupava. Especialmente numa noite como esta, quando parecia que toda a Valenda era o tabuleiro do jogo de Lenda.

Diferentemente das duas noites anteriores, quando as constelações de Lenda foram bastante específicas em sua localização, nesta noite elas cobriam todos os distritos em explosões cintilantes de azul-celeste.

Tella percebeu que estava estranhamente grata a Armando por pressioná-la a conquistar a segunda pista. Sem ela, a jovem não teria a menor ideia de onde começar sua busca.

Ao deixar o palácio em uma carruagem aérea, ela viu estrelas formando todos os símbolos tradicionais do Caraval: uma elegante cartola azul; um buquê de rosas azuis; uma ampulheta azul. Mas essas não eram as únicas formas no céu. Constelações que lembravam os Arcanos pairavam também sobre as colinas e os distritos de Valenda. Tella avistou um tapa-olho cravejado de joias, uma coroa com adagas, uma chave-esqueleto, uma jaula de pérolas, lábios fechados e costurados, e um par de asas azul-escuras reluzentes. As asas provavelmente deveriam representar a Estrela Caída, mas eram tão dolorosamente similares às asas tatuadas nas costas de Dante que o coração agonizante de Tella conseguiu acelerar os batimentos quando ela as viu, enchendo-lhe as veias com uma onda morna de sangue.

Quando sua carruagem pousou no Bairro das Especiarias, Tella percebeu que estava olhando ao redor à procura de Dante, mas parecia que ele não a seguira naquela noite.

Ela voltou a erguer os olhos para o céu estrelado, imaginando sob qual constelação ele estaria, e se estaria ali com alguma outra pessoa. Visualizou aquelas mãos largas e tatuadas no pescoço de outra garota, acariciando-lhe a pulsação enquanto a encantava com as mesmas palavras graves que dissera para Tella na noite anterior. *Mesmo se eu não fosse Lenda, iria querer que você vencesse.*

O estômago de Tella revirou dolorosamente ao pensar naquilo. Não que quisesse que Dante estivesse ali com ela. Não precisava ser distraída por aquelas provocações enigmáticas ou pelo som grave da sua voz. As ruas estreitas do Bairro já eram distração suficiente.

Cada rua e beco estavam abarrotados, muito mais cheios do que na última vez em que visitara o lugar. Os pitorescos habitantes do Bairro das Especiarias se misturavam com os mercadores que trabalhavam em função do feriado e que pareciam estar preparando a cidade para a Véspera de Elantine vendendo peças de fantasias a preços exorbitantes. Os mercadores estavam postados diante de quase todas as lojas, e todos gritavam.

— Cinco moedas de cobre pela coroa do Rei Assassinado!

— Três moedas de cobre pela jaula de pérolas da Morte Donzela!

— Quatro peças de cobre por uma máscara do Príncipe de Copas!

— Duas peças de cobre pelas luvas do Caos!

— Uma moeda de cobre pelo véu de lágrimas da Noiva Abandonada! Entre eles, Tella não percebeu nenhum dos atores de Lenda, pelo menos aqueles que conhecia, mas pensou ter avistado outras pessoas participando do jogo. Mais de uma vez ouviu alguém bater em uma parede de tijolos e dizer *Lenda me mandou vir aqui*, como se fosse um código para abrir alguma porta oculta que levaria à próxima pista. Ela invejava a energia e a efervescência despreocupada daquelas pessoas. Quaisquer que fossem as rotas em que elas estivessem, pareciam ser muito diferentes daquela em que ela estava.

Ou Lenda estava pessoalmente brincando com Tella ou não estavam todos participando do mesmo jogo.

A segunda pista que recebera dizia a Tella para procurar a mulher de pergaminho e tinta, o que claramente indicava a senhora idosa que trabalhava nos Mais Procurados de Elantine. Mas, quando Tella chegou, não havia ninguém ali.

O aroma de histórias fantásticas, lápis de carvão e pergaminho fez cócegas no nariz de Tella quando ela avançou pela loja. Em um dos cantos, um pequeno quadrado do espaço estava reservado para um estúdio de arte desorganizado, mas bem equipado. Todo o resto estava coberto por papel — até mesmo o teto estava emplastado com pôsteres amarelentos que pareciam ser mais velhos do que a proprietária ausente da loja.

Tella tentou observar cada imagem enquanto esperava pelo retorno da velha senhora. Aqueles pôsteres não eram pedaços de papel com rostos desenhados às pressas. Eram obras de arte, com retratos detalhados de criminosos sobre os quais Tella apenas ouvira rumores. Havia muitos sobre os quais ela não ouvira falar. Cada quadrado de pergaminho e tela parecia contar uma história tão fantástica quanto macabra.

O nome de Augustus, o Empalador, aparentemente dizia tudo.

Havia também a Duquesa de Dao. Procurada por pirataria em terra firme, por vender venenos e sedução.

— Eu não sabia que sedução era crime — murmurou Tella.

— Depende de quem você está tentando seduzir.

Tella girou sobre os calcanhares. Mas, em vez de avistar a velha manchada de tinta, viu-se cara a cara com uma garota que usava um vestido luminoso, branco-pergaminho, costurado com pontos grossos de linha preta que davam a impressão de que ela era um dos retratos a tinta que escapara da parede. Aiko, outra das atrizes de Lenda.

Tella sempre teve dificuldade para decifrá-la. Ela trabalhava como histógrafa, imortalizando a história do Caraval ao desenhar eventos significativos em um caderno mágico que, no momento, estava enfiado sob seu braço.

Sua aparência claramente indicava que Tella estava no caminho correto. Mas Tella não era capaz de dizer honestamente que estava feliz em ver a garota.

Tella gostava bastante de Aiko fora do jogo. Mas preferia evitá-la dentro dele. Aiko era conhecida por fazer acordos impiedosos. Durante o último Caraval, ela fizera um acordo com Scarlett que custara à irmã dois dias da sua vida; a morte temporária de Scarlett não fora como a de Tella, mas ainda assim não era uma experiência pela qual ela gostaria de passar de novo voluntariamente.

— Fique à vontade para olhar o quanto quiser — disse Aiko. — Mas escolha sabiamente antes de fazer uma pergunta. Responderei somente a uma gratuitamente, e, depois dela, cada uma vai lhe custar algo insubstituível.

— Posso simplesmente pedir a próxima pista?

— Pode, mas não vou dá-la a você. O máximo que posso fazer é guiá-la na direção correta, se conseguir fazer uma pergunta melhor da próxima vez.

Diabos. Tella não queria que a frase tivesse soado como uma pergunta.

Ela manteve a boca fechada conforme seus olhos passaram por vários outros pôsteres, procurando por alguma figura do Baralho do Destino, esperando que ela talvez pudesse levá-la à próxima pista.

Não avistou nenhum dos Arcanos, mas viu crimes que iam desde a ingestão de sangue e canibalismo até a necromancia, a venda de feitiços ruins...

Tella se deteve. Todos os pensamentos sobre crimes, pistas e Arcanos lhe fugiram quando ela alcançou um pôster no centro da parede ao fundo.

Ela se esqueceu de como exalar. De como falar. Como piscar os olhos.

Como se mover.

Contornada por uma borda estrelada, o retrato era mais bonito do que os outros, embora talvez fosse por causa do rosto bonito sob a palavra *Procurada* — um rosto que tinha uma semelhança incrível com a mãe desaparecida de Tella e Scarlett, Paloma.

23

Paradise, a Perdida
Procurada por roubo, sequestro e assassinato.

Tella não conseguia tirar os olhos daquela imagem. Não sabia nem mesmo se queria acreditar naquilo.

Depois de tantos anos imaginando o que teria acontecido com sua mãe, finalmente podia ter encontrado uma resposta para uma das suas perguntas irrespondíveis. Mas não era a resposta que ela esperava encontrar. Sua mãe era uma ladra. Uma sequestradora. Uma assassina. Uma criminosa.

Tella queria acreditar que o pôster estava errado. A mãe que ela conhecia não era nenhuma daquelas coisas, e, mesmo assim, como Jacks lhe dissera, *A razão pela qual você não conseguiu encontrá-la antes se deve ao fato de que Paloma não é seu verdadeiro nome*.

O verdadeiro nome de sua mãe era Paradise, e a similaridade de Paradise com Paloma era inconfundível. Não era apenas por ter o mesmo rosto ovalado ou a grossa cabeleira morena. Era a maneira como seus lábios se curvavam naquele sorriso encantador e enigmático que Tella crescera imitando. Seus olhos grandes se apertavam na medida certa nos cantos, o equilíbrio perfeito entre a esperteza e a reflexão. Com uma punhalada de inveja, Tella percebeu que ela se parecia quase exatamente com Scarlett. E, no pôster, ela parecia até mesmo ter por volta da idade de Scarlett.

Será que Scarlett sabia disso? Era por esse motivo que a irmã se recusava até mesmo a conversar sobre a mãe?

— O que você pode me dizer sobre Paradise, a Perdida? — perguntou Tella.

— Ela era especial. — Aiko deslizou na direção do retrato e passou um dedo sem adornos pela face de Paradise. — Eu nunca havia notado até agora, mas ela se parece bastante com a sua Scarlett. Embora Paradise fosse muito mais ousada do que a sua irmã.

— O que mais você pode me dizer sobre ela?

— Sua irmã ou Paradise?

— Conheço a minha irmã melhor do que ela mesma se conhece. Quero saber sobre Paradise.

Os olhos escuros de Aiko faiscaram com um brilho familiar. Com o seu caderno encantado de histógrafa, a garota era quase mágica e ardilosa o suficiente para ser um Arcano. Ou talvez Aiko fosse Lenda — seria brilhante se o Grande Mestre Lenda fosse uma garota. — Vou lhe contar tudo o que sei, mas antes vou precisar do seu pagamento.

— Você não pode tirar um dia da minha vida — disse Tella.

— Você não está realmente numa posição ideal para barganhar se quiser saber a verdade sobre Paradise. Ela desapareceu há quase dezoito anos, e a maioria das pessoas não se lembra dela. Mas venho de uma longa linhagem de contadores de histórias.

Tella deu de ombros, como se aquilo não a impressionasse. Por dentro, tudo que ela podia pensar era *Dezoito anos, dezoito anos, dezoito anos...*

Seus pais haviam se casado há quase dezoito anos. Tella sabia porque, depois que sua mãe desaparecera, ela procurara por informações sobre onde a mãe vivera antes de se casar com o pai, mas não descobriu nada. Porque Tella estava procurando por uma mulher chamada Paloma, mas, antes de vir para Trisda, Paloma era a criminosa Paradise, a Perdida. Jacks lhe dissera a verdade sobre o nome da sua mãe.

Tella sempre se sentiu um pouco amargurada, como se alguma coisa lhe tivesse sido roubada, já que só conhecera a mãe durante metade da sua vida. Mas agora ela tinha a sensação de que nunca conhecera verdadeiramente a mãe.

— Isso é tudo que vou compartilhar sem cobrar — disse Aiko. — Pelo restante da história, vou precisar de uma retribuição. E não se preocupe, não vou roubar nenhum dia da sua vida.

— O que você quer?

Aiko inclinou a cabeça, com os longos cabelos negros caindo para um lado enquanto ela parecia pensar. — O Caraval é um mundo construído de faz de conta, e às vezes é difícil para aqueles de nós que vivem sempre dentro dele sentir que qualquer coisa é real. A maioria de nós não admite, mas todos nós desejamos a realidade. — Ela fez uma pausa, como se quisesse acrescentar mais alguma coisa, mas em seguida pareceu pensar melhor na questão. — Tudo que quero de você hoje é alguma coisa real. Uma memória.

— Você precisa ser mais específica. Estou curiosa em relação à minha mãe, mas não vou deixar que você tome algo como a memória do meu nome.

— Eu nem havia considerado essa possibilidade. — Os olhos escuros de Aiko reluziram. — É uma excelente ideia. Mas vou guardá-la para uma próxima vez. Hoje eu gostaria da última lembrança que você tem da sua mãe.

Tella ficou na defensiva, instintivamente dando um passo brusco para trás. — Não. Não vou lhe dar nenhuma lembrança que tenho dela.

— Então não posso lhe dar nenhuma informação sobre Paradise, a Perdida.

— Não pode escolher outra memória?

— Você chamou Paradise de mãe. Quero saber o porquê.

— Eu nunca a chamei disso — argumentou Tella.

— Chamou, sim. Disse que estava curiosa a respeito dela. E como história é a minha especialidade, posso lhe dizer tudo que você quer saber. Por isso, ou você encontra outro especialista ou me dá a última lembrança da sua mãe. Vou lhe dar um minuto para pensar.

Tella não podia abrir mão de nenhuma memória que tinha sobre a mãe. Havia muito poucas, e elas eram preciosas demais. Mas, se o jogo realmente envolvesse sacrifícios, como Armando dissera, sacrificar uma memória provavelmente permitiria que Tella construísse memórias futuras com a mãe.

E talvez Tella ficasse melhor sem aquela última memória. Desde que encontrou aquelas cartas no quarto da mãe, Tella era assombrada por elas, incapaz de parar de imaginar o que teria acontecido se nunca tivesse virado a carta com o Príncipe de Copas ou com a Morte Donzela. Sua mãe ainda teria ido embora se a Morte Donzela não previsse sua partida? Ela teria se apaixonado por alguém se nunca tivesse virado o Príncipe de Copas?

— Tudo bem — disse Tella. — Você pode pegar a última lembrança que tenho da minha mãe.

— Esplêndido. — Aiko deslizou até a escrivaninha no fundo da loja, parecendo um pouco animada demais, o que serviu apenas para intensificar o desconforto de Tella quando a histógrafa abriu seu caderno encantado em uma página intocada de pergaminho virgem.

— Tudo que você precisa fazer é colocar a palma em cima da página. Algumas pessoas chegam até mesmo a gostar do processo. Nossas memórias são um peso maior do que sentimos.

— Não tente me convencer de que você está me fazendo um favor. — Tella pressionou a mão sobre o papel seco. Ele se aqueceu em contato com sua pele, similar à sensação que ela sentia sempre que tocava o Aráculo, com exceção de que esse calor se espalhava para além de sua mão. Subiu pelo braço até o pescoço, encobrindo-a como manteiga derretida e deixando a cabeça confortavelmente atordoada.

— O livro precisa acessar a memória antes que possa coletá-la — disse Aiko. Mas agora sua voz soava distante, como alguém que a chamava do outro lado de um corredor muito longo.

Os olhos de Tella se fecharam, agitados, e, quando se abriram outra vez, ela estava de volta à encantadora suíte da mãe, em Trisda. Sua mãe estava sentada no chão diante dela, mais clara do que jamais estivera nas memórias de Tella.

Ela cheirava a jasmim-manga. Um aroma que Tella pensava haver esquecido. Seu pai proibiu que houvesse flores em qualquer lugar da mansão depois que a mãe partira, e, até este momento,

Tella não pensara nelas havia anos. Queria se enterrar naquele aroma, envolver os braços ao redor da mãe para jamais esquecê-la outra vez. Mas isso era somente uma memória, e Tella não podia alterá-la, não importa o quanto quisesse.

Há poucos momentos, antes que esta memória começasse, a mãe fizera Tella prometer que jamais tocaria em outro Baralho do Destino. Essa era a memória que Tella esperava que Aiko lhe roubasse, mas a memória atual era diferente. Uma lembrança enterrada tão profundamente que Tella se esquecera de que estava ali. Esquecera de como a mãe havia segurado em suas mãos, erguendo os dedinhos de Tella para dar uma olhada melhor no anel de opala que a filha acabara de roubar.

— Oh... o que é isso? — perguntou Paloma.

— Eu já ia colocar de volta — prometeu Tella.

— Não, meu amorzinho, você devia ficar com ele e mantê-lo em algum lugar seguro. — Ela beijou os dedos de Tella, como se isso oficialmente fizesse com que o anel fosse dela. Sua mãe sempre selava coisas com beijos, outro fato que Tella havia confundido.

— Agora, vou lhe contar um segredo sobre as cartas que acabei de guardar. Os Arcanos retratados nelas governaram a Terra tempos atrás e, quando o fizeram, foram muito malvados e muito cruéis. Costumavam prender pessoas em cartas de baralho por esporte e diversão. Somente um Arcano poderia libertá-las... *a menos que...*

Não. Tella lutou para agarrar aquela memória conforme ela começava a desaparecer diante de seus olhos e ouvidos. A pele de sua mãe mudou de um tom azeitonado para transparente enquanto seus lábios formavam palavras que Tella não conseguia mais ouvir. Não. Não. *Não! Aquelas* seriam as palavras que ela precisava ouvir. A resposta que estava procurando. Não sabia o que a mãe estava prestes a dizer, mas Tella tinha certeza de que o que ela dissesse a seguir teria uma importância vital.

Tella arranhou a memória, tentou enfiar seus dedos nela. Mas, quanto mais força fazia para mantê-la, mais turva ela ficava, transformando-se em uma fumaça que não podia ser agarrada de jeito nenhum, e em seguida dissipando-se em nada.

Quando abriu os olhos, Tella não teve a sensação de que um peso havia sido removido. Sentia como se algo tivesse se perdido. Como se tivesse sido cortada, mas nada sangrava. E nada parecia ter desaparecido também. A memória que ela esperava que Aiko lhe tirasse ainda estava lá, e, embora Tella estivesse pronta para que a lembrança lhe fosse retirada, sentiu alívio por ela não ter desaparecido.

Assim, por que Tella sentia que Aiko lhe roubara algo ainda mais valioso?

24

O caderno amaldiçoado de Aiko estava agora firmemente fechado, mas Tella jurava que ele parecia mais gordo do que antes. Havia até mesmo um brilho discreto a seu redor.

O que ela havia lhe tomado?

— Não fique com essa cara tão emburrada — disse Aiko. — Você acabou de conquistar o direito de ouvir uma história fantástica sobre uma das criminosas mais notórias de Valenda.

Aiko deslizou de volta para perto dos retratos na parede.

— Antes de desaparecer, Paradise, a Perdida, era uma espécie de lenda nesta cidade. As pessoas ficavam tão encantadas por Paradise que costumavam lhe escrever cartas e pedir que ela as assaltasse ou sequestrasse. Paradise, a Perdida, era verdadeiramente parte da realeza criminosa. Havia até mesmo rumores sobre príncipes de outros continentes que enviavam cartas para os senhores do Bairro das Especiarias, oferecendo-se para desposá-la.

Conforme Aiko falava, Tella tentava manter a raiva e frustração por perder uma de suas lembranças, mas, em vez disso, começou a visualizar sua mãe, tão claramente como se Aiko estivesse pintando a cena em seu caderno maligno. Tella viu Paloma como uma criatura jovem e espirituosa, deixando trilhas de contos cintilantes enquanto roubava, assaltava e surrupiava ao entrar na história até se tornar uma parte reluzente dela.

E então ela se casou com o pai de Tella. Dentre todas as pessoas que Paloma poderia ter escolhido.

— Por que Paradise não aceitou as ofertas de nenhum dos príncipes?

— Presumo que ela fosse inteligente o bastante para saber que a maioria dos príncipes é formada por seres cruéis, mimados e egoístas. E Paradise queria aventuras muito mais do que desejava o amor. Gabava-se de que não havia nada que não pudesse roubar. Assim, quando foi confrontada com um desafio, roubar um objeto impossível de ser roubado e de grande magia, ela aceitou a oferta. Mas o objeto era muito mais poderoso e perigoso do que ela foi induzida a acreditar. Ela não quis colocá-lo de volta e correr o risco de que outra pessoa o roubasse, por isso fugiu. E ninguém a viu desde então.

Mas Tella a vira.

Agora fazia mais sentido o fato de ela ter acabado em Trisda com o pai de Tella. Ninguém procuraria por ela em uma ilha pequena que fora conquistada e sem nenhuma característica notável.

— Que objeto ela roubou?

— Se quiser a resposta para isso...

— Não — interrompeu Tella em um tom forte. — Chega de negociações. Já fiz por merecer essa resposta. Ela faz parte da história.

As narinas de Aiko se dilataram, irritadas. Sua expressão, geralmente plácida, pulsava com a frustração; era claro que ela estava acostumada a tomar mais do que dar em troca.

Tella agarrou o caderno encantado de Aiko que estava sobre a mesa e o segurou sobre uma vela acesa.

— Diga-me o que ela roubou ou este caderno vai virar cinzas.

Aiko abriu um sorriso discreto.

— Você é mais audaciosa do que a sua irmã.

— Scarlett e eu temos forças diferentes. Agora, diga-me qual era o objeto. — Tella baixou lentamente o caderno para mais perto da chama, até conseguir sentir o cheiro do couro esquentando.

— Foi um Baralho do Destino amaldiçoado — cuspiu Aiko.

Tella largou o livro de Aiko sobre a escrivaninha com um baque alto.

Ao redor dela os pôsteres se agitaram, como se as batidas de seus corações de papel estivessem acelerando junto com as de

Tella; era o mais rápido que seu coração batia desde que Jacks a beijara. Como se essa nova revelação possuísse sua própria magia.

Apenas o retrato de Paradise, a Perdida, continuava imóvel, o núcleo calmo de uma tempestade de papel.

Tella sabia que imagens não tinham sentimentos, mesmo assim imaginou que o retrato de Paradise, a mulher que sua mãe outrora fora, estava prendendo a respiração, silenciosamente esperando e implorando a Tella que juntasse todas as peças de sua história.

Tella sempre soubera que o Baralho do Destino de sua mãe era diferente de outros baralhos comuns. Mas Aiko falava como se não houvesse nada no mundo como ele e chamara o artefato de *amaldiçoado.*

Amaldiçoado. Amaldiçoado. Amaldiçoado.

O mundo foi ficando mais ruidoso na cabeça de Tella, lutando com o som dos pôsteres que ainda se agitavam nas paredes. Os Arcanos também haviam sido amaldiçoados por uma bruxa, e, de acordo com Jacks, essa maldição os aprisionara dentro de um baralho.

Posso lhe dizer por experiência própria que o processo é torturante, dissera ele.

Parecia impressionante acreditar que sua mãe roubara esse mesmo baralho, mas, quanto mais Tella pensava na situação, mais sentido fazia.

Se o Baralho do Destino de sua mãe fosse aquele que aprisionava os Arcanos, isso explicava por que Paloma ficou aterrorizada quando encontrou Tella brincando com as cartas. Tella se lembrava de como elas estavam disfarçadas como um sachê malcheiroso até aquele dia. O feitiço que as disfarçava devia estar perdendo seu efeito quando Tella as encontrou.

Tella não conseguia acreditar que tocara o baralho que guardava dentro de si todos os Arcanos — os míticos Arcanos que outrora governaram o mundo estiveram na palma de sua mão.

Parecia impossível, e mesmo assim ela testemunhara as evidências toda vez que o Aráculo mostrara a Tella imagens do futuro. Nunca vira outra carta como aquela e duvidava que algum dia veria. Porque não era meramente uma carta. Era um Arcano, e Tella a guardara dentro de um pequeno baú.

Ela soltou um risinho quando pensou naquilo. Sua mãe deveria ser alguém incrível para roubar os Arcanos.

Mas agora sua mãe não tinha nenhum poder e estava presa dentro de uma carta, exatamente como os Arcanos.

Tella não riu desse pensamento. Subitamente, arrependeu-se de haver rido.

Desde aquele dia miserável em que sua mãe partiu, Tella acreditara que fora parcialmente por culpa sua. Que, se não tivesse desobedecido à mãe e brincado com sua caixa de joias, e nunca tivesse virado a carta com a Morte Donzela, que predizia a perda de um ente querido, sua mãe jamais teria desaparecido. Tella culpava as cartas e a si mesma. E ela estava certa, embora não da maneira que sempre acreditara.

Sua mãe não partiu porque Tella virara uma carta em particular; ela fugiu porque Tella encontrara as cartas, e as cartas eram ainda mais poderosas e perigosas do que Tella jamais imaginara.

Os pôsteres nas paredes finalmente pararam de se agitar. Em seguida, a loja ficou subitamente quieta. Ainda assim, Tella sentia o olhar firme do pôster de sua mãe, dando-lhe a sensação de que, apesar do que acabara de descobrir, ainda não sabia o bastante. Havia algo vital que ela estava deixando de fora — algo do qual havia se esquecido.

— Parece que você tem outra pergunta — disse Aiko.

Tella se esquecera brevemente de que a outra garota estava ali e do motivo pelo qual ela mesma estava ali. Ainda precisava encontrar a terceira pista, ou sua mãe ficaria aprisionada exatamente como os Arcanos. Tella não achava que isso fosse algo que tivesse esquecido, mas, qualquer que fosse a coisa de que ela não conseguia se lembrar, não poderia ser tão importante quanto isso.

Tella pegou a segunda pista mais uma vez.

O OBJETIVO DESTE JOGO NÃO É O QUE
VOCÊ ACREDITA SER.

A MULHER DE PERGAMINHO E TINTA
É QUEM VOCÊ DEVE IR VER.

SE BUSCA A VERDADE, APENAS ELA
É QUEM VAI TER

A PRÓXIMA PISTA, QUE FOI DEIXADA
SOMENTE PARA VOCÊ.

Os olhos de Tella foram da pista para o pôster de Procurada que retratava sua mãe.

E se a pista não se referisse à mulher que desenhava as efígies, como Tella pensara a princípio? E se se referisse à mulher em uma delas, como Paradise, a Perdida? Seu retrato era feito de pergaminho e tinta. E a imagem falava com Tella de uma maneira que não poderia alcançar ninguém mais que estivesse participando do jogo.

Tella ficou na ponta dos pés e arrancou o pôster da parede.

Esperou ouvir algum protesto de Aiko, mas a garota parecia estar quase tão ansiosa quanto Tella se sentia quando virou a folha de pergaminho e descobriu linhas escritas com uma caligrafia prateada no verso.

Se encontrou isto, no caminho certo você está,
mas ainda não é tarde demais para recuar.
Pistas não podem mais lhe dizer o lugar aonde ir.
Para encontrar o objeto que Lenda precisa, é seu
coração que deve conduzir.

A única coisa que havia em seu coração era a mãe, e Lenda devia saber disso, pois escrevera a pista no verso do pôster que a retratava. Mas o que sua mãe tinha a ver com o Caraval?

Paloma havia se apossado do baralho que aprisionava todos os Arcanos, e Lenda queria destruir todos eles. Talvez sua mãe também tivesse roubado o objeto capaz de destruir os Arcanos? Mas, se tivesse, por que...

Não. Tella afastou aquela ideia. Acreditar que o jogo era real era o caminho mais rápido para a loucura. Mesmo assim, talvez Tella já estivesse enlouquecendo, porque não tinha mais certeza daquilo em que acreditava.

Tella precisava descobrir a verdade antes de continuar. Precisava falar com Scarlett. Scarlett a ajudaria a organizar todas as ideias, especialmente se as suspeitas que Tella tivera em relação à irmã mais cedo estivessem corretas e Scarlett soubesse mais a respeito do jogo do que deixava transparecer.

Tella virou-se para a porta e começou a ir em sua direção.

— Antes de ir... — disse Aiko. — Seria melhor ouvir o restante da história de Paradise.

— Acho que já sei como ela termina — disse Tella.

— O que você sabe é meramente o quase fim; o fim verdadeiro ainda precisa ser escrito.

— Então o que ainda resta a ser dito?

— Retirei uma parte do meio da história. Paradise descobriu o verdadeiro poder do baralho e o perigo depois de usá-lo para ler seu futuro. Alguns dizem que ela fugiu; não para manter as cartas a salvo, mas para impedir que o futuro que viu se transformasse em realidade. O que ela não sabia era que, com este baralho em particular, uma vez que o futuro seja predito, ele não pode ser mudado a menos que as cartas sejam destruídas.

— Obrigada, mas acho que talvez seja um pouco tarde demais para esse aviso.

A expressão de Aiko ficou subitamente mais sombria.

Foi então que Tella o sentiu. Mais úmido do que lágrimas escorrendo por seu rosto. Ele se acumulou em suas orelhas antes de escorrer pelos lóbulos até o pescoço frio.

Sangue.

Grosso, morno e horrível.

Seu coração estrangulou uma batida e parou pelo espaço de várias outras, estonteando-lhe a cabeça e roubando-lhe o fôlego. Sua mão se apoiou contra a parede mais próxima para evitar a queda. O sangue que ela perdera na loja de Minerva eram gotas em comparação a isso. O líquido escorria, pegajoso, de suas orelhas e lhe caía no corpete em grossos riachos de carmim. Outra lembrança do Príncipe de Copas de que ela não estava participando deste jogo para se divertir.

Tella voltou para o palácio em meio a um borrão de sons úmidos e orelhas hemorrágicas. Mesmo depois que o sangramento parou, ela continuava a se sentir fraca. Seu coração nunca batera tão devagar.

Bate...

Nada.

Bate...

Nada.

Bate...

Nada.

Logo, tudo que restaria seria o nada.

Ela comprou um manto barato de um dos vendedores de rua. Mas, quando retornou ao palácio, foi capaz de jurar que cada criado e guarda conseguia ver seu corpete ensanguentado de sangue através do manto.

Mesmo depois de se lavar e se cobrir com um dos vestidos de Minerva, formado por camadas indóceis de tecidos azul-topázio elegantes, tudo o que Tella sentia era o sangue ressecado dentro das orelhas. Devia ter sido amaldiçoado exatamente como ela, já que não conseguira remover completamente as manchas do pescoço ou das mãos. Teria mergulhado a pele até que o sangue finalmente saísse, mas só se permitiu descansar nas águas aromáticas da banheira até que um pouco de sua força retornasse. Precisava conversar com Scarlett sobre o passado criminoso de sua mãe e o Caraval.

Tella calçou as luvas de Dante para cobrir as manchas e saiu da torre. Perdera a noção do tempo, mas imaginava que já passava bastante da meia-noite quando alcançou a ala de safira onde Scarlett estava hospedada. Dentro da ala, todos os azuis pareciam gloriosamente folheados a ouro. Uma criada solitária estava por ali, verificando e reabastecendo os grandes candelabros de parede, que estavam preenchidos por velas grossas como braços. Ela não disse uma palavra para Tella, mas Tella sentiu que a garota a observava conforme ia até o quarto da irmã.

Scarlett não atendeu à porta.

Tella bateu com mais força, para o caso de ela estar dormindo.

Silêncio.

Tella sacudiu a maçaneta da porta, talvez esperando conseguir assustar a irmã para que despertasse, mas nada aconteceu. Ou ela estava presa nos sonhos de um sono profundo, ou Scarlett ainda não estava ali. Mas deveria estar. Era o meio da noite, e Scarlett não estava participando do jogo. Scarlett já deveria estar de volta de qualquer lugar aonde houvesse ido a esta hora.

Tella atravessou o corredor até chegar perto de uma jovem criada com o rosto cheio de sardas, que ou estava bisbilhotando Tella sem a menor vergonha ou estava reacendendo uma vela muito teimosa.

— Como posso ajudá-la? — disse a jovem, parando com sua tarefa antes que Tella pudesse limpar a garganta. Definitivamente, uma bisbilhoteira, e muito mais audaciosa que a maioria das criadas arredias que Tella encontrara.

A criada se inclinou para chegar mais perto.

Tella recuou, mas a jovem sardenta não estava prestando atenção aos restos de sangue ressecado que manchavam seu pescoço.

— Se está procurando por aquele belo ator com as tatuagens, posso lhe dizer quando ele voltar. Ele não saiu com os outros. —

Os olhos ansiosos da criada se iluminaram de uma maneira com a qual Tella, infelizmente, já estava familiarizada.

— Lamento — disse Tella. — Não sei de quem você está falando.

— Não se preocupe. — A jovem conteve uma risada estridente. — Eu sei que você é noiva de outro. Não vou contar a ninguém que está à procura deste.

O que significava que ela provavelmente contaria a todo mundo. Mas Tella tinha preocupações maiores naquele momento.

— Na verdade, estou procurando pela minha irmã. — Ela apontou para a porta do quarto. — Ela se chama Scarlett. É mais ou menos alta, com cabelos castanhos volumosos e...

— Sei quem ela é — interrompeu a jovem. — Não a vejo desde ontem. — Um pouco da cor fugiu das faces da criada conforme ela baixou a voz até estar sussurrando. — Eu a ouvi pedir informações a alguém sobre como chegar ao Castelo Idyllwild, e ela não retornou mais.

O Castelo Idyllwild era o castelo de Jacks. Tella não conseguia pensar em uma única boa razão para que a irmã fosse até lá.

— É claro, tenho certeza de que nada de horrível aconteceu à sua irmã — emendou a criada sardenta apressadamente, como se lembrasse subitamente com quem estava falando. — Não acredito em todas as histórias que contam sobre o herdeiro. Sei muito bem o quanto as pessoas gostam de falar.

— E o que as pessoas dizem? — perguntou Tella.

— Que ele assassinou a última noiva. Mas também dizem que ele é muito bonito — acrescentou ela, como se isso pudesse compensar um assassinato. — Muitas das outras criadas dizem que ainda assim se casariam com ele.

Tella queria dizer que elas eram umas tolas. Queria afastar os cabelos e assustar a garota com o sangue que ainda lhe manchava as orelhas e o pescoço. Mas Scarlett estava desaparecida. Em vez de assustar criadas, Tella precisava usar o que lhe restava de energia para encontrar a irmã.

Ela jogou uma moeda para a jovem sardenta, mas até mesmo esse ato simples pareceu mais fraco do que deveria. A moeda mal chegou a girar no ar.

Quando Tella chegou à casa das carruagens, os sinos dobravam para indicar as três horas da manhã. O tempo estava se movendo rápido demais, e ela estava se movendo devagar demais. Sua carruagem flutuante também parecia estar demorando mais do que o necessário, deslizando arrastadamente pelo céu estrelado.

As constelações azuis de Lenda ainda estavam por toda parte, exceto sobre o Castelo Idyllwild, como um aviso para que ela não fosse até lá.

Na noite do Baile Predestinado, o castelo parecia algo roubado das fantasias de uma garotinha. Depois que Tella saiu da carruagem e alcançou a fortaleza de pedras, perguntou-se se o exterior reluzente de arenito branco havia sido uma mentira, uma ilusão criada por Lenda. Nesta noite, as pedras pareciam tão escuras quanto segredos guardados, iluminadas por tochas vermelho-alaranjadas débeis que pareciam estar perdendo a batalha contra a noite.

Ela parou para recobrar o fôlego na beirada da ponte, grata por haver trazido as luvas de Dante consigo. Não que tivesse visto qualquer ameaça. Na verdade, se havia algo que lhe chamava a atenção, era o fato de o castelo estar tranquilo demais.

Além do vento que embaraçava seu cabelo e agitava as camadas das saias indóceis de topázio, todo o resto estava calcado no silêncio. O tipo de silêncio normalmente reservado para tumbas, ruínas amaldiçoadas e outros lugares abandonados por aqueles que vivem. Tella reprimiu um calafrio, mas conseguiu transformá-lo num arrepio. Não tinha medo do perigo, embora preferisse que ele surgisse na forma de rapazes arrogantes. Pela segunda vez naquela noite, apanhou-se desejando que Dante a houvesse seguido.

Não que precisasse dele.

Mas talvez Tella o quisesse ali, pelo menos um pouco. Deu um passo pesado para a frente e sentiu uma punhalada desconfortável de uma vitória baça por ele haver finalmente decidido deixá-la em paz. Sabia que ele só a estava seguindo como parte do seu personagem, e, mesmo que seu interesse fosse real, ela não tinha dúvidas de que ele acabaria desistindo dela, mais cedo ou mais tarde. Todo mundo desistia dela, exceto Scarlett — que não conseguia parar de se importar com Tella.

Tella supunha que essa era outra coisa que as irmãs tinham em comum — nunca saber quando se afastar. Talvez, se Tella tivesse uma noção melhor de quando abandonar um interesse destinado ao fracasso, teria dado meia-volta naquele momento ou teria se questionado se a criada sardenta realmente lhe contara a verdade quando dissera que Scarlett não retornou do castelo — um castelo que agora parecia estar mais vazio que os olhos de uma boneca quebrada.

A ponte que levava até seu interior era ainda mais estreita do que Tella se lembrava, e mais alta também, erguendo-se acima de águas negras que não estavam tão tranquilas quanto na primeira noite em que ela visitara o lugar. Mas Tella se lembrava do que Dante dissera e se recusou a pensar na Morte desta vez, decidida a não lhe dar mais poder.

Seus passos estavam mais vacilantes do que o habitual, e sua respiração estava mais para o lado ofegante, mas ela não ia cair, nem saltar, nem fazer qualquer outra coisa que a levasse rumo às águas traiçoeiras abaixo. Iria chegar do outro lado, bater na porta e recolher a irmã. *Se Scarlett estivesse ali.*

Tella terminou de atravessar a ponte. Pelo espaço de uma lenta batida de seu coração, jurou ter ouvido o barulho de passos fantasmagóricos, mas não havia nem um guarda ou demônio à vista.

Fechando os punhos, ela concentrou a força e bateu contra as pesadas portas de ferro.

— Olá! — começou ela, jovialmente.

Nada.

— Há alguém aqui? — chamou ela, um pouco mais incisiva.

Novas batidas, um pouco mais enérgicas.

— Sou Donatella Dragna, a noiva do herdeiro!

Sua respiração ficou mais curta conforme as batidas, sem resposta, foram ficando mais agressivas.

— Tome cuidado ou poderá se machucar fazendo isso.

Tella se virou para trás lentamente, quase esperando ver Jacks ali, graciosamente mordendo uma maçã.

Em vez disso, havia outras três pessoas.

25

Elas se aproximavam de Tella como espectros, cobertos por mantos prateados finos e foscos que pareciam ter perdido o brilho havia muito tempo. Uma daquelas figuras era alta. Uma era curvilínea.

Uma era agitada. E todas cheiravam demais a perfume velho, florido e nauseabundo.

Era errado para uma noite implacável como esta.

Embora não fossem práticas, suas capas dificultavam que Tella conseguisse roubar mais de um vislumbre de seus rostos, que ou eram incrivelmente serenos ou estavam cobertos por máscaras.

O trio rastejou para mais perto.

Apesar do frio, o suor começava a se acumular dentro das luvas de Tella conforme suas suspeitas em relação às máscaras eram confirmadas. Os três estavam disfarçados como Arcanos: a Rainha Morta-Viva e Suas Aias.

Tella reconheceu o tapa-olho cravejado de joias da Rainha Morta-Viva e os lábios pintados de azul. Suas Aias eram igualmente inconfundíveis; ambas tinham os lábios fechados e costurados com fios cor de carmim. Nos Baralhos do Destino suas cartas representavam poder e lealdade eterna. Mas, naquele momento gélido, Tella via a aparição combinada como três presságios muito ruins. Ninguém usava máscaras a menos que estivesse celebrando alguma coisa... ou cometendo crimes.

— Está um pouco cedo para usar as fantasias — disse Tella. — Ninguém lhes contou que a Véspera de Elantine acontece somente depois de amanhã? Ou vocês estão fingindo celebrar antecipadamente porque são feios demais para mostrar seus rostos?

— Ao final desta noite, a única pessoa disforme será você — disse a Rainha Morta-Viva impostora. — A menos que nos dê o que queremos.

Tella virou-se de costas e renovou as batidas agressivas na porta.

— Isso não vai lhe ajudar em nada — disse a Rainha Morta-Viva. — Ele não está aqui.

Enquanto ela falava, as três figuras deslizaram mais para perto, substituindo o ar frio da noite com seu odor fétido. A arrumadeira sardenta devia ter enviado Tella em um caminho falso, de modo que aquelas três figuras pudessem assaltá-la, e ela fora tola o suficiente para cair na armadilha. Talvez conseguisse fugir, apesar do coração fraco, mas elas bloqueavam seu caminho, impedindo-a de chegar à ponte. Sua única rota clara de fuga, a menos que desejasse pular nas águas abaixo.

Ela jurou ter ouvido a voz da Morte, incitando-a a dar o salto, mas Tella não estava disposta a lhe dar ouvidos. O fosso escuro parecia ser profundo e plácido, mas, com uma segunda olhada, Tella viu os rochedos, visíveis sob a superfície na forma de surpresas desagradáveis.

Ela pegou a bolsa de moedas.

— Se vocês estão aqui para implorar por dinheiro porque o seu perfume fede e esses mantos cafonas estão fora de moda há muito tempo, então aqui está. — Tella jogou a bolsa em uma pequena área de terra nua à sua esquerda. Como imaginava que era isso que elas queriam, ela esperava que pelo menos uma delas fosse buscá-la como um cão e lhe desse uma chance de escapar. Mas cães eram claramente criaturas mais inteligentes do que aquelas três. Em vez de irem atrás da bolsa, cada uma delas avançou um passo na direção de Tella.

O cheiro daquele perfume putrefato ganhou força, intensificando-se até o aroma de flores murchas e uma obsessão retorcida. Tella sentiu a garganta se fechar. Mas elas nem perceberam.

— Não queremos essas suas moedas imundas — disse a Rainha Morta-Viva. — Queremos retornar à nossa glória plena. Queremos as cartas que a sua mãe roubou, as cartas que você planeja entregar a Lenda para que ele possa nos destruir e tomar o que resta dos nossos poderes, outrora magníficos.

— Pela divina dentadura. — Quem quer que essas mulheres fossem, estavam levando o jogo longe demais. — Vocês são mais loucas que peixes envenenados!

Aquele insulto bizarro pareceu atordoá-las por um momento, mas não o suficiente para Tella escapar. Ela ainda poderia ter corrido para a ponte, mas era mais provável que acabasse caindo por um dos lados do que conseguisse atravessá-la antes que elas a agarrassem.

Uma lufada de vento passou velozmente, mas Tella achou que ela soava como a Morte rindo.

— Diga-nos onde estão as cartas e nós vamos deixar cicatrizes somente em metade do seu rosto.

A Rainha Morta-Viva agitou os dois pulsos, e imediatamente Suas Aias removeram as mãos dos bolsos de seus mantos. Sua pele era de um branco espectral, brilhando contra a luz da lua conforme exibiam unhas grossas e negras, longas, afiladas e serrilhadas como garras. Isso não era uma parte tradicional de seus trajes.

Por sorte, Tella também tinha garras. Ela pressionou as pérolas negras em suas luvas e balbuciou um obrigada silencioso para Dante quando dez navalhas afiadas lhe saltaram dos dedos.

Mas Suas Aias não se fizeram de rogadas.

A Rainha Morta-Viva agitou o pulso outra vez, e Suas Aias avançaram como marionetes assassinas, sibilando por entre os lábios cerzidos.

Tella estava longe de poder contar com toda a sua força, mas reuniu o que tinha. Golpeou com as duas mãos e chutou com uma das pernas. No início ela tentou assustar em vez de lutar. Alguns instantes mais tarde, ficou claro que a Rainha Morta-Viva não estava mentindo sobre querer mutilar o rosto de Tella. Suas Aias tentavam acertar os olhos e as bochechas de Tella, unhando e arranhando até que tudo irrompeu em explosões dolorosas do caos.

Tella cortou mais selvagemente com suas garras, arranhando o braço de uma das Aias com força suficiente para arrancar sangue.

Somente fumaça saiu pelo ferimento da Aia.

Tella recuou a passos cambaleantes conforme a Aia desapareceu bem diante de seus olhos.

— Ao diabo!

Alguns segundos depois, a Aia estava de volta, com os contornos borrados, como se fosse um pouco menos corpórea do que antes. Mas certamente não era um fantasma. Fantasmas não deviam poder arranhar e ferir.

Agora, lutando para conseguir respirar, Tella continuou golpeando e esperneando. — O que são vocês?

— Fico decepcionada por você ter que perguntar. — A Rainha Morta-Viva fechou o punho.

Um segundo depois, uma das Aias socou a barriga de Tella com uma força capaz de deixar hematomas. As costas de Tella bateram no chão duro, e o ar escapou de seus pulmões com um ímpeto doloroso.

Crac.

Uma sandália encontrou seu pulso e pisou nele com uma força implacável.

Tella gritou. Seus ossos se estilhaçaram. Seu coração batia arrastadamente e sua cabeça girava. Mesmo com as costas pressionadas contra o chão, ela continuou golpeando com a outra mão, ainda mais forte do que antes. Arranhou, unhou e fustigou. Toda vez que conseguia ferir uma Aia, a mulher desaparecia magicamente, apenas para reaparecer segundos depois. Tella queria negar aquilo — já tivera uma quantidade suficiente de experiências capazes de alterar uma vida em um só dia —, mas claramente não eram atrizes nem participantes que haviam levado o jogo longe demais. Eram Arcanos de verdade.

Não sangravam porque não eram humanas.

Os joelhos de Tella poderiam ter cedido se ela já não estivesse deitada no chão. Como todos aqueles Arcanos podiam estar se libertando? Jacks devia tê-la alertado de que haveria mais deles à solta, com ideias de assassinato em mente.

Por que você simplesmente não cede? A voz da Morte se retorceu para invadir os pensamentos de Tella.

— Nunca! — disse Tella por entre os dentes.

— O que foi isso? — perguntou a Rainha Morta-Viva.

— As cartas que você quer nunca serão suas — gemeu Tella. — Quando eu as der para Lenda, ele vai fazer todos vocês sumirem para sempre.

Suas Aias sibilaram outra vez, aumentando a ferocidade do ataque, mas, por um momento, Tella não sentiu dor alguma conforme percebeu a verdade por trás do que acabara de dizer: o Baralho do Destino de sua mãe não era meramente o objeto que havia aprisionado os Arcanos. De acordo com a Rainha Morta-Viva, o baralho de sua mãe também era o objeto capaz de destruir os Arcanos.

O mundo de Tella era um borrão de dor, mas o que ela precisava fazer ficou subitamente claro. Para vencer o Caraval, Tella precisava apenas encontrar o Baralho do Destino de sua mãe. Esse era o objeto que Lenda queria.

Qualquer que fosse a vitória que aquele pensamento lhe trouxe, ela teve vida curta.

— Se você não vai nos ajudar, nós vamos usá-la para mostrar aos outros o que acontece com aqueles que afrontam os Arcanos — disse a Rainha Morta-Viva.

— Não me admira que uma bruxa a tenha colocado dentro de uma carta. Eu prenderia você, só para fazê-la calar essa boca — disse Tella, com a voz arrastada. Seu corpo inteiro estava gritando; ela ainda estava no chão, mas até este momento suas garras impediam que as Aias conseguissem agarrá-la e subjugá-la. Tudo o que precisava fazer era continuar lutando por tempo suficiente para que alguma outra pessoa viesse.

Por que Dante não a seguira desta vez?

Ou talvez ele a tivesse seguido, mas ainda não havia chegado. Se ele aparecesse, Tella seria mais gentil desta vez.

Redemoinhos negros giraram em seu campo de visão. Tella golpeou com mais força, cortando a panturrilha de alguém. Mas, novamente, isso só fez a Aia desaparecer por um momento breve.

— Acabem com ela — disse a rainha. — Estamos ficando sem tempo. A sandália pisou com mais força contra o pulso despedaçado de Tella, pulverizando seus ossos até transformá-los em poeira e fazendo-a desejar chorar lágrimas de pura dor conforme as duas Aias se curvaram sobre ela, baixando as garras até perto de seu rosto. Sabia que elas planejavam desfigurá-la, mas agora parecia que a queriam morta.

Tella parou de golpear com o braço que não estava machucado por um momento precioso, e então, chorando por entre a dor, ergueu os dois braços e enfiou as garras profundamente nos tornozelos das duas.

As Aias gritaram e se transformaram em fumaça. Um instante ofegante foi tudo de que Tella precisou antes que elas reaparecessem. Com o braço que não estava ferido, ela se levantou do chão rochoso com um empurrão, resfolegando a cada vez que respirava, e se jogou por sobre a beirada do penhasco.

Ela sentiu que aquilo foi um erro no instante em que bateu na água.

Não caiu sobre os rochedos, mas estava frio demais. Seu pulso estava quebrado demais. Seu coração estava fraco demais. Seu vestido era desajeitado demais. Mas ela lutava como um demônio tentando escapar do inferno para chegar aos céus. Ignorou coisas que a sugavam nos calcanhares e qualquer coisa que se esfregasse contra seus pés, agora descalços. Tella não escapou de seu pai, de um trio de Arcanos e de todas as outras tribulações em sua vida para permitir que um pouco de água fria e um punho quebrado a matassem.

A Morte teria de se esforçar mais se quisesse tomá-la de volta, e Tella não estava disposta a deixá-la fazer isso. Se perecesse ali, também não haveria ninguém para cuidar de Scarlett, para se certificar de que a irmã tinha todas as aventuras apropriadas e beijasse mais rapazes do que apenas Julian. Scarlett merecia todos os beijos. Talvez Tella quisesse mais beijos também, beijos que não terminassem em morte.

Tella não deixou que a água a levasse até a beirada enlameada; arrancou-se furiosamente da água em um emaranhado de cachos úmidos, saias e hematomas, o peito arfante, a pele azulada tremendo, mas ainda estava em pé, respirando e vivendo.

Infelizmente, não estava fazendo nada daquelas coisas sozinha. A Rainha Morta-Viva e Suas Aias do Horror estavam à espera.

Tella disse a si mesma que conseguiria deixá-las para trás. Porém, mal foi capaz de dar um passo trôpego para a frente conforme elas se aproximavam. Os braços e as pernas de Tella pareciam líquidos, tremendo por causa da dor, da exaustão e pelo horror da situação. Os pulmões quase não conseguiam engolir o ar úmido. Um sopro de vento poderia derrubá-la.

Se ela fosse Scarlett, alguém já teria vindo a seu socorro a esta altura. Julian provavelmente teria chegado voando em um balão de ar quente e, em seguida, feito brotar asas para levantar voo e levá-la para longe. Infelizmente, Tella não era o tipo de garota que as pessoas salvavam — era aquela que as pessoas deixavam para trás.

Mas também era o tipo de garota que as pessoas subestimavam.

Lembrou a si mesma que era filha de dois criminosos perigosos.

Apostara uma vez sua vida no amor da irmã.

Beijara o Príncipe de Copas e continuava viva.

Esses Arcanos não a matariam esta noite.

Todo Arcano tinha uma fraqueza. A fraqueza de Jacks era o seu verdadeiro amor; aquele que podia fazer seu coração bater novamente. As Aias eram meramente fantoches da Rainha Morta-Viva, que tinha o poder aterrador de controlar aqueles que lhe juraram obediência. Para derrotar as Aias, Tella precisava derrotar a rainha. A rainha mencionara que elas estavam ficando sem tempo, e, pela maneira como Suas Aias se transformavam em fumaça cada vez que Tella feria alguma delas, ela se perguntava se talvez elas ainda estariam ligadas às cartas do baralho de sua mãe. Se esses Arcanos não fossem tão livres quanto Jacks. Talvez, se Tella atacasse a rainha, todas as três retornariam à sua prisão de papel.

Felizmente, Tella conhecia a fraqueza da Rainha Morta-Viva: *Dizia-se que ela havia dado um olho em troca de seus terríveis poderes.*

Tudo que ela precisava fazer era apunhalar o tapa-olho cravejado de joias da Rainha Morta-Viva, e, se estivesse certa, Tella viveria para ver mais uma noite.

— Se realmente é um Arcano tão poderoso, venha lutar comigo você mesma. — Tella brandiu as navalhas que restavam em suas luvas. Restavam somente quatro.

A Rainha Morta-Viva inclinou a cabeça para o lado, sem se deixar abalar.

Outra navalha caiu, restando três.

E foi então que Tella cedeu. Talvez conseguisse continuar em pé, mas fora golpeada uma quantidade suficiente de vezes em sua vida para saber quando era melhor fingir.

Ela caiu de joelhos e, em seguida, tombou na água. Um monte disforme de roupas encharcadas e fracasso.

A água malcheirosa batia contra o rosto de Tella quando uma delas se aproximava. Os olhos de Tella ainda estavam fechados. Não podia se arriscar a abri-los. Ainda não. Tudo que podia fazer era esperar que a figura que estivesse se aproximando fosse a Rainha Morta-Viva, finalmente disposta a sujar as mãos. Tella sentiu um par de mãos geladas revirando a água suja em busca dela. Longas, ansiosas, invasivas. Procurando por sua pulsação.

Lentamente, Tella entreabriu um olho. O contorno da garganta estreita de sua agressora brilhou palidamente contra a escuridão. Era a Rainha Morta-Viva. Havia erguido a máscara. Tella conseguiu vislumbrar um rosto bonito marcado por uma expressão cruel.

Tella aspirou o máximo de ar que ousou. Suas veias estavam tremendo, os dedos também. Mesmo com toda aquela fachada de bravura, Tella nunca teria feito algo assim antes. A Tella que nunca morrera poderia ter desistido de tudo e enfrentado a Morte.

Mas aquela garota havia morrido. Literalmente.

Tella atacou com os dois olhos abertos.

O grito que veio a seguir foi horripilante, suplantando o eco de sua queda quando Tella voltou a cair nas águas rasas.

— Humana imunda! — gemeu a Rainha Morta-Viva, segurando o tapa-olho arruinado, com o sangue negro escorrendo pelo rosto. — O que você fez?

— Eu devia ter lhe avisado. Causo bem mais problemas do que valho. — Tella novamente brandiu o que restava de suas garras, bem no momento em que a Rainha Morta-Viva e Suas Aias se transformaram em fumaça e desapareceram.

Desta vez elas não voltaram a aparecer.

Ela havia conseguido. Lágrimas embaçavam o canto dos olhos de Tella. Não tinha certeza se já estava chorando pela dor que o pulso destroçado lhe causava ou pela vitória miserável. Tella podia ter vencido, mas foram raras as ocasiões em que se sentiu mais destruída. Jamais se ferira com a mesma gravidade antes e conseguira sobreviver ao martírio.

Seus músculos se pareciam com cordas arrebentadas, e sentia que tinha mais hematomas do que pele. Seus olhos se esforçavam contra a noite, com lágrimas exaustas escorrendo pelas faces. O caminho até a casa das carruagens era escuro e desgraçadamente distante. Ela julgou que o lugar havia se afastado dela durante a luta.

Scarlett claramente jamais viera ao Castelo Idyllwild; se tivesse sorte, ela agora estaria de volta ao palácio e poderia juntar os pedaços de Tella. Tudo o que Tella precisava fazer era chegar até lá.

Mesmo assim, as pernas de Tella tinham outras ideias. Seus joelhos afundaram novamente na água, que não estava tão gélida quanto ela se lembrava. E a lama era surpreendentemente macia. Só iria fechar os olhos por um momento. Iria descansar até conseguir reunir forças para se levantar outra vez ou rastejar de volta à casa das carruagens. A água que batia em seu corpo era surpreendentemente relaxante, entorpecendo seu pulso ferido e lavando todo o sangue e o fedor conforme ela afundava cada vez mais na...

Passos calçados em botas. Pesadas.

— Donatella? — A voz lhe soava frustrantemente familiar, mas sua cabeça estava tão convoluta que ela não sabia dizer se era a voz de Dante ou de Jacks. Era incisiva como a de Jacks, mas autoritária e ressonante como a de Dante. Precisava abrir os olhos, mas isso lhe exigia muitos movimentos. Se não fosse Dante, ela só iria querer dormir, dormir...

— Donatella! — A voz estava mais próxima, mais urgente desta vez, e agora se juntava a duas mãos exigentes. Elas a tiraram da água, envolvendo-a com o aroma de tinta e corações partidos. *Dante.*

Tella poderia ter chorado o nome dele. Mas tudo lhe doía demais. Poderia ter tentado enfiar a cabeça de volta na água, e mesmo assim aquele desgraçado se recusava a deixá-la fazer qualquer coisa.

Ele aconchegou contra seu peito a cabeça ensopada de Tella.

— Consegue abrir os olhos para mim?

— Talvez eu queira dormir aqui — balbuciou Tella. — Aposto que é mais seguro do que nos seus braços.

— O que há de tão perigoso nos meus braços? — murmurou ele.

— Para mim, tudo. — Tella abriu lentamente uma das pálpebras.

Veios de névoa como aquela que surge no início das manhãs coroavam a cabeça morena de Dante como uma auréola macabra. Quanto tempo ela ficou deitada ali?

E por que ele se parecia com um anjo vingador?

Seus olhos estavam negros, seu queixo era uma cadeia de linhas fortes e sua boca se inclinava para formar uma espécie de sorriso torto. Esse não era o mesmo rapaz cujos olhos cintilaram quando lhe disse que ela sempre deveria vestir roupas feitas de flores. Parecia suficientemente feroz para lutar contra o sol nascente, e mesmo assim Tella jurou que seu olhar brutal ficou embaçado quando ele olhou para seu punho e rosto.

— Quem fez isso com você? — perguntou ele.

— A Rainha Morta-Viva e as Suas Aias. Estou começando a acreditar... — a fala de Tella começou a ficar mais arrastada — que isso pode não ser somente um jogo...

Seus olhos se fecharam outra vez.

— *Não* se atreva a dormir. — Dante a arrancou completamente da água.

Pinga. Pinga. Pinga. Ela soava como um pano molhado e sentia-se ainda pior.

Dante a puxou para mais perto de si. Não havia nada nele que fosse suave. Tinha a sensação de que aquele peito era um bloco de mármore, e mesmo assim ela podia fechar os olhos, se aconchegar contra ele e dormir para sempre.

— Não faça isso — ralhou ele. — Nem pense em desistir bem diante de mim. Você precisa ficar consciente até que eu a leve a algum lugar seguro.

— E onde é isso? — Tella entreabriu os olhos doloridos, a cabeça balançando e batendo contra o corpo dele a cada passo que Dante dava para longe do caminho principal. Quando ele começara a andar?

Eles não estavam voltando ao Castelo Idyllwild, mas não parecia que estavam indo em direção à casa das carruagens também. Ela se perguntou, delirante, se estaria visualizando o próprio futuro, porque parecia que estavam em alguma espécie de cemitério. Tudo o que Tella conseguia ver eram contornos granulosos de lápides cobertas de musgo e encimadas por querubins que se esfarelavam, ou ladeados por estátuas chorosas cobertas por véus. As árvores acima pareciam estar chorando também, fazendo chover gravetos quebradiços que estalavam sob as botas de Dante.

— Você decidiu que já é hora de me enterrar? — perguntou ela.

— Você não vai morrer. Vamos encontrar um lugar onde você possa se curar. — Dante desceu por um lance de degraus de pedra envelhecidos flanqueados por uma escultura gigantesca de homens alados cobertos por mantos, todos segurando um caixão acima das próprias cabeças.

Tella poderia ter bufado uma risada; parecia que, a qualquer lugar que fosse, a morte e a perdição estavam determinadas a segui-la.

— Menti para você naquela loja de vestidos — disse Tella. — Você tinha razão em relação a Jacks... — Ela forçou os olhos a se abrirem novamente. Sua cabeça estava girando. O mundo estava girando. Só o que ela queria era que o mundo parasse. Que tudo parasse

— Eu não devia ter beijado Jacks — murmurou ela. — Nem sei por que o beijei. Eu nem me importava se ele me enxotaria do palácio por mentir. Acho que eu queria deixar você com ciúme.

— Deu certo — disse Dante, rispidamente.

Tella talvez sorrisse se tudo não doesse tanto.

Dante a segurou junto de si e alisou uma mecha de cabelo que havia caído sobre o rosto de Tella, afastando-a. Em seguida, seus dedos retornaram, contornando graciosamente a curva de sua boca enquanto ele dizia:

— Eu nunca quis ser outra pessoa até aquele momento em que o vi beijando você na pista de dança.

— Você devia ter me tirado para dançar antes.

— É o que farei da próxima vez. — Seus lábios deram um beijo ligeiro na testa de Tella. — Não desista bem nos meus braços, Donatella. Se ficar comigo o bastante para que eu a leve a algum lugar seguro e quente, então prometo que não vou me afastar de você como fiz naquela noite. Juntos nós vamos dar um jeito em tudo isso.

Os traços duros deixaram o rosto de Dante, e por um momento ele pareceu traiçoeiramente jovem. Seus olhos escuros estavam mais abertos do que o habitual, contornados por fragmentos da luz das estrelas que a faziam querer fitá-los fixamente para sempre. Seus cabelos caíam como fios de tinta perdida em todas as direções, enquanto sua boca perigosa continuava entreaberta, parecendo vulneravelmente próxima de deixar escapar algum segredo maldoso.

— Você é o mentiroso mais bonito que já vi. — Ela tentou balbuciar mais, mas sua boca não queria se mover. Seus músculos estavam muito, muito cansados.

Dante a segurou perigosamente perto de si quando alcançou um mausoléu e abriu o portão. Tella disse a si mesma que iria fechar os olhos apenas por um momento. Dante estava murmurando alguma outra coisa, e ela queria ouvir. Parecia algo que devia ser importante. Mas subitamente o ar ficou bem mais morno aqui, e ela não queria saber qual seria a sensação de dormir envolta nos braços dele?

26

Tella quis voltar a dormir no instante em que acordou, se essa forma sufocante de consciência pudesse realmente ser considerada um estado desperto. Seus olhos não se abriam. Os lábios não se moviam. Mas ela conseguia sentir a dor queimando-lhe com força. Seu mundo inteiro era formado de ossos machucados e pele retalhada, pontilhada por fragmentos de sons e palavras desconexas, como se sua audição não conseguisse decidir se queria funcionar ou não.

Havia duas vozes masculinas, as duas ecoando. A cabeça grogue de Tella conjurava imagens de paredões rochosos escondidos nas profundezas da terra.

— O que ela...

— Eu...

— Salvá-la...

— Eu conheço os riscos... mas os Arcanos... Ela não vai melhorar.

— Achei que o Príncipe... fosse o único Arcano livre?

— Esses Arcanos... ficaram escondidos durante anos... ou o feitiço que aprisiona os Arcanos está enfraquecendo.

A outra voz resmungou um palavrão.

Foi então que Tella sentiu algo, que não era dor, úmido contra seus lábios. Mais espesso do que água e ligeiramente metálico. *Sangue.*

— Beba.

Algo morno foi pressionado com mais firmeza contra a boca de Tella, até que ela conseguiu sentir o sangue úmido gotejando em sua língua. Seu primeiro instinto foi cuspir aquilo. Mas ainda era impossível se mover, e ela gostou do sabor que o líquido tinha, um gosto de poder e força e algo feroz o bastante para fazer seu coração bater mais rápido. Com um esforço extremo, conseguiu lamber e engolir mais.

— Boa garota. — Era uma das vozes de antes, mas, agora que um pouco de sua dor arrefecera, Tella conseguiu acrescentar um nome. *Julian.*

— Isso deve ser o bastante. — A segunda voz era mais baixa e mais autoritária. *Dante.*

O coração de Tella bateu ainda mais rápido.

Um instante depois, não havia mais sangue. A dor ainda estava presente, mas havia perdido força e agora era mais um latejar.

— Encontre a irmã dela. — Dante novamente. — Leve-a para o quarto de Tella no palácio. Não quero que ela acorde sozinha.

Uma pausa se seguiu, estendida de um modo que fez Tella temer que sua audição lhe faltara até que a voz de Julian quebrou a quietude.

— Você realmente se importa com ela?

Outra pausa.

— Eu me importo com a missão de encontrar aquelas cartas, e ela é a nossa esperança de que isso aconteça, irmão.

27

Tella deveria ter sentido como se o fim da existência houvesse chegado quando recobrou a consciência outra vez. Tudo nela deveria estar doendo de todas as formas possíveis. Deveria ter despertado para um mundo de dor, para um pulso dilacerado, um rosto inchado e pés feridos. Em vez disso, seu corpo se sentia pleno e descansado, e o coração batia mais forte do que na noite anterior. Onde quer que estivesse, este novo universo era deliciosamente aconchegante e doce, como se alguém a houvesse colocado bem no meio de um feriado.

Alguma coisa crepitava, um fogo que cheirava discretamente a canela e cravo. Havia risadas ondulantes também, desiguais e arfantes, o riso de sua irmã quando achava que sua companheira era genuinamente engraçada.

Se Scarlett estava rindo, não podia ser algo tão ruim.

Tella entreabriu cuidadosamente as pálpebras.

E as fechou com força imediatamente. Ou tentou fechar os olhos, mas eles se recusaram a fazê-lo, como se fossem incapazes de se desviar da imagem vívida de sua irmã, trajada em tons sedutores de vermelho, e Jacks, brilhando com suavidade enquanto se apoiava preguiçosamente sobre um dos divãs felpudos da suíte de Tella na torre. Sua irmã e seu noivo fajuto riam, conversavam e se encaravam como se não pudessem estar mais encantados um pelo outro.

Tella ergueu o corpo até estar sentada. Parecia que estava sobre sua cama, mas não no meio dela. Não tinha certeza se queria saber quem havia trocado sua roupa, tirando-a do vestido arruinado, ou como. Mas, de algum modo, estava em um vestido novo em folha, no mesmo tom de sal marinho prateado e azul dos olhos de Jacks, com mangas fechadas por um simples cordão, uma saia rodada e um corpete atado com fitas escuras de cardo que a faziam se parecer com um presente que alguém ainda não havia acabado de desembrulhar.

Dante parecia não estar em lugar nenhum, assim como Julian. O olhar de Tella apontou para cada canto do quarto. A luz desbotada cor de pêssego que entrava pela janela lhe dava a impressão de uma manhã preguiçosa, mas não havia indícios de que Julian ou Dante estiveram ali. O simples fato de pensar em Dante lhe causou uma onda de tontura que a fez querer fechar os olhos outra vez. Sua pele esquentou quando se lembrou da maneira protetora como ele a aconchegara nos braços. Mas, em seguida, começou a arder quando pensou nas últimas palavras que ele dissera a Julian. Queria acreditar que tudo que ouvira fosse somente um sonho. Mas, se assim fosse, quem a havia curado? E como ela chegara aqui?

Diante do fogo que já morria, Jacks e Scarlett ainda conversavam; nenhum dos dois notara que Tella não estava mais dormindo. Jacks estava jogando uma maçã azul pálida de um lado para outro e dizendo algo baixo demais para que Tella ouvisse, mas aquilo fez as faces de sua irmã ficarem rosadas.

Tella tossiu. Ruidosamente.

— Oh, Tella! — Scarlett se levantou de seu assento com um pulo, e Tella jurou que o rosto da irmã ficou ainda mais vermelho. — Estou tão feliz por você ter acordado. Jacks e eu estávamos muito preocupados.

A cabeça de Tella apontou para o vilão em questão com um movimento brusco.

— Eu nem sabia que você podia entrar aqui.

— Adoro o jeito como você se esquece de que sou o herdeiro do trono

— disse Jacks, suavemente. — Este palácio é praticamente meu. E, ainda que não fosse, ninguém poderia me impedir de estar ao seu lado, mesmo depois de um pequeno incidente como o que aconteceu.

Seus olhos se fixaram nos de Tella quando ele veio até seu lado da cama, silenciosamente ordenando que concordasse com qualquer coisa que dissesse a seguir.

— Sei que você sofreu uma queda de um ou dois metros, depois de sair acidentalmente de sua carruagem antes de ela chegar em terra e bater a cabeça. Mas ainda me preocupo com o que poderia ter acontecido se eu não estivesse lá para pegá-la e trazê-la de volta para cá, meu amor. — Ele falou tudo aquilo com bastante afeição, como se achasse que todos os aspectos dela fossem totalmente cativantes.

Tella jurou que os olhos de Scarlett se transformaram em dois pequenos corações.

Tella começou a imaginar se talvez isso seria um sonho, embora a sensação fosse mais parecida com a de um pesadelo. Scarlett parecia encantada demais por Jacks, que nem deveria estar ali. Dante e Julian a haviam salvado — onde *eles* estavam?

Jacks pegou o pulso de Tella e o apertou carinhosamente. Se não soubesse o que havia por trás daquilo, diria até mesmo que ele parecia estar preocupado.

— Seu pulso parece estar forte. Mas você provavelmente precisa comer um pouco. — Ele voltou a olhar para Scarlett. — Você poderia fazer a gentileza de ir buscar uma travessa de frutas frescas, chá e biscoitos para sua irmã? Vai demorar demais até conseguirmos chamar uma criada, e não acho que deveríamos correr o risco de deixar que ela desmaie outra vez.

— É claro — disse Scarlett. Alguns segundos depois ela se foi, deixando Tella e Jacks a sós.

Por um momento, houve somente o crepitar da lareira e o olhar preocupado de Jacks, tão prateado quanto estrelas cadentes; ele parecia ser melhor ao imitar emoções verdadeiras agora do que quando ela o vira três noites antes.

— O que você está fazendo aqui? — perguntou Tella.

O olhar de Jacks perdeu toda a paixão instantaneamente.

— Tenho espiões por todos os lugares — disse ele. Seu tom de voz era enfastiado, como se o decepcionasse o fato de que ela não lhe fizera uma pergunta mais original. — Sei de tudo o que acontece aqui. No momento em que aquele ator a carregou pelos túneis, eu fui alertado, e isso é uma coisa boa. Sua irmã correu para cá minutos depois que cheguei, e tive que inventar aquela história sobre você ter caído da carruagem, porque ela estava com a impressão de que você quase havia morrido.

— Realmente quase morri! Por que você não me disse que outros Arcanos estavam livres?

— Quem você encontrou? — perguntou ele, friamente.

— A Rainha Morta-Viva e Suas Aias.

Jacks deu uma mordida descuidada na maçã azul, mas Tella jurou que suas feições foram ficando mais intensas e angulosas enquanto mastigava, como se ele não estivesse tão indiferente quanto parecia.

— Você tem sorte por elas estarem fracas.

— Elas não pareceram fracas para mim. Aquelas Aias quase me mataram. Quantos outros Arcanos estão livres?

Jacks soltou uma risada amarga.

— Só porque alguns de nós estão fora daquelas cartas, isso não significa que estamos livres. Quando aquela bruxa nos amaldiçoou, ela tirou metade dos nossos poderes. Sou uma sombra do que já fui. Você acha que o meu único poder era ter um beijo letal? Eu era chamado de Príncipe de Copas porque era capaz de controlar mais do que a batida do coração de alguém. Com um toque, eu podia dar ou tirar sentimentos e emoções. Se estivesse com todos os meus poderes, nós nem estaríamos aqui tendo esta conversa. Você estaria tão incontrolavelmente apaixonada por mim que faria qualquer coisa que eu lhe pedisse sem questionar.

Tella nem se preocupou em conter a gargalhada.

— Nenhum poder na Terra poderia fazer com que eu me apaixonasse por você.

— Veremos. A menos que você não viva além desta semana. — Jacks jogou sua maçã no fogo. Ela faiscou um azul celestial, cobrindo brevemente o quarto em um brilho incongruente com aquela conversa mortal. E fez Tella se lembrar das estrelas de Lenda da noite anterior.

Ou aquelas seriam as estrelas de Dante?

Finalmente, Tella se permitiu considerar o que escutara entre Dante e Julian. Não somente eles a haviam magicamente curado com sangue, mas Dante chamara Julian de irmão.

Se Julian tivesse contado a verdade a Scarlett sobre Lenda ser seu irmão, então Dante era Lenda. Mas, se Dante era Lenda, por que trouxera Tella para Julian para que ele a curasse? Talvez Julian fosse realmente Lenda.

Tella gostaria de ter sido capaz de abrir os olhos e ver de quem era o sangue que ela bebera. Havia uma chance de que ele não pertencesse a Julian ou Dante; talvez Julian guardasse estoques de sangue mágico em algum lugar. Isso parecia bastante improvável. Mas era também surreal imaginar que um dos irmãos fosse realmente Lenda e que lhe daria seu sangue para beber para que ela continuasse viva.

De qualquer maneira, entregar Lenda a Jacks ao final do jogo não lhe causava exatamente a mesma sensação de antes, e nem chegava perto.

E ainda assim havia uma parte insidiosa de Tella que sentia prazer com a ideia de que Dante realmente fosse Lenda. Depois de ouvir Dante dizer a Julian que só se importava com Tella porque ela era capaz de encontrar as cartas, uma parte dela o entregaria de bom grado a Jacks — mesmo que o resto dela alertasse que isso era uma ideia terrível.

Tella voltou a olhar para Jacks e o viu brincando com um de seus cachos cor de mel. Isso lhe causou um calafrio que balançou seu corpo inteiro, fazendo as partes dela que haviam se curado sentirem que estavam estraçalhadas outra vez. Ela tentou afastar a sensação. Em vez disso, apanhou-se imaginando como Jacks seria se recobrasse todos os seus poderes. Quando os Arcanos governaram o mundo, antigamente, dizia-se que eram mais como deuses do que humanos. Ela visualizou os lábios dele manchados com sangue e uma pilha de donzelas mortas a seus pés.

— É por isso que você quer Lenda? — perguntou Tella a Jacks. — Para recuperar o resto dos seus poderes?

— Acho que você já sabe a resposta para essa pergunta — disse Jacks, com a voz arrastada.

— O que vai acontecer com Lenda quando essa transação estiver completa?

A irritação brilhou em um relance nos olhos de Jacks.

— Você está preocupada com o imortal Mestre Caraval?

— Não, mas estou preocupada com o que vai acontecer se monstros como você e a Rainha Morta-Viva ganharem mais poder.

— Monstros vão ganhar mais poder, não importa como esta história termine — disse Jacks, tranquilamente. — O que você acha que vai acontecer com Lenda se ele nos destruir e adquirir toda a nossa magia? Eu gosto de poder, mas nenhum ser humano ou imortal deveria ter uma quantidade tão grande. Se Lenda conseguir o que quer, ele será um vilão muito maior do que o mundo jamais viu.

— Então você acredita que o jogo é real?

— Talvez não para todos que estejam jogando, mas é real para você, para mim e para Lenda. Isso muda as coisas para você, meu bem? Porque, se estiver pensando em se livrar do nosso acordo, permita-me lembrá-la de duas coisas. Se não conseguir cumprir a sua parte da barganha comigo, você vai morrer no fim desta semana, e a sua mãe também. Há somente duas maneiras de livrar alguém de uma carta. Um humano deve tomar o lugar dela dentro da carta por livre e espontânea vontade, ou um imortal com poder maior deve quebrar a maldição e libertar *todos* aqueles que estão aprisionados nas cartas. Lenda jamais escolheria libertar os Arcanos. Se ele puser as mãos nas cartas, vai destruir todas elas, incluindo sua mãe.

Jacks se aproximou o bastante para roçar na orelha de Tella com lábios frios enquanto encaixava ali a mecha de cabelo e suspirou:

— A carta na qual sua mãe foi presa está ligada ao baralho que aprisiona todos os Arcanos. A menos que queira que a sua mãe morra, assim que vencer o jogo, você vai usar a moeda sem sorte para entrar em contato comigo e me entregar Lenda, como prometeu.

— Odeio você — rosnou Tella.

Jacks riu, com o canto do lábio indo de encontro ao lóbulo de sua orelha, como se aquele sentimento o alvoroçasse.

— Estou interrompendo alguma coisa? — a voz de Scarlett veio do vão da porta.

Tella olhou para lá e viu a irmã segurando uma travessa variada de comida, e com um sorriso que ainda era um pouco grande demais para Jacks.

— Eu estava só me despedindo. — Jacks afastou uma mecha rebelde da testa de Tella com expressão séria no rosto, como se detestasse se afastar dela.

Scarlett parecia que iria desmaiar ao ver aquilo. E Tella imaginou que aquilo provavelmente pareceria impecavelmente elegante, com ela deitada ali, toda pálida sobre as almofadas, e Jacks com uma aparência atarantada, reluzente e dourada, os cabelos claros lhe caindo sobre um dos olhos atraentes.

— Eu gostaria de poder ficar por mais tempo. Mas não se preocupe, meu amor, voltarei para buscá-la esta noite para o nosso jantar com a imperatriz.

Scarlett soltou um suspiro exasperado ao colocar a bandeja ao lado da cama.

— Vocês vão jantar com a imperatriz?

— Oh, sim — adiantou-se Jacks antes que Tella pudesse reagir a essa nova informação. — Sua Majestade está muito ansiosa para conhecer a garota que roubou o meu coração. Ela não gostava muito da minha última noiva, mas sei que vai amar Donatella tanto quanto eu.

Sua voz não podia ser mais doce mesmo que ele a mergulhasse em um pote de mel, e desta vez Tella não conseguiu discernir se o que ele acabara de dizer fora apenas para deixar Scarlett tranquila ou para atormentar Tella. Se a imperatriz amasse Tella tanto quanto Jacks a amava, então ela não a amaria nem um pouco.

Esse jantar subitamente lhe pareceu uma ideia muito ruim.

De certa maneira, a imperatriz sempre fora tão mítica para Tella quanto os Arcanos; uma governante poderosa sobre a qual ela ouvia falar, mas que nunca vira. E, embora fosse curiosa, Tella poderia ter passado sem a honra de conhecer Sua Majestade. E, mais importante, uma noite com a imperatriz significava que Tella teria uma noite a menos para disputar o jogo e encontrar as cartas de sua mãe, que agora ela tinha certeza de que eram a chave para vencer o jogo.

— Não posso jantar com você hoje — disse Tella. — Restam somente três noites do Caraval.

— Você insiste em se esquecer do quanto sou importante — disse Jacks. — Isso significa que você também é importante agora. Eu disse à imperatriz o quanto você está gostando do jogo, e ela cancelou tudo que a organização planejara para esta noite, a fim de que você não fique para trás.

— Mas...

— Já está feito — ronronou Jacks, com um olhar para a irmã e um toque de combatividade na voz que não estava ali antes, lembrando Tella exatamente do que ela tinha a perder se a farsa desse noivado fosse exposta.

Tella queria perguntar por que aquilo lhe importava tanto. Na primeira vez em que conversaram, ele disse que expor aquela mentira o faria parecer fraco e colocaria sua vida em risco. Assim que descobrira que ele era um Arcano, Tella imaginou que aquilo fosse uma mentira, mas talvez ele estivesse vulnerável até recobrar completamente seus poderes.

— Agora... — emendou ele, em voz alta — realmente devo me retirar. — Jacks disse um rápido adeus a Scarlett. Felizmente, não fez nenhuma tentativa de beijar sua mão ou seu rosto.

Embora, pela maneira como Scarlett agitou os cílios ao fechar a porta do quarto para ele, Tella imaginou que a irmã quisesse que Jacks ao menos lhe tocasse os dedos com os lábios.

— Scar, você precisa ter cuidado com ele.

— Que engraçado — disse Scarlett, virando a cabeça bruscamente para trás, na direção de Tella. — Eu estava prestes a lhe dizer a mesma coisa.

28

Scarlett se segurou na maçaneta de vidro da porta com cinco dedos esbranquiçados enquanto se encostava nela, como se a estivesse bloqueando para impedir a entrada de alguma pessoa em particular.

— Tella, o que você está fazendo com o herdeiro-sucessor do trono? — O sorriso de Scarlett desaparecera, e sua voz havia passado da doçura do melaço para o azedume.

— Achei que você gostasse dele, com todos aqueles sorrisos que vi vocês trocarem.

— A reputação dele é insidiosa, e ele é parte da realeza; vi retratos dele espalhados por todo o palácio. De que outra maneira eu deveria agir?

— Scarlett veio marchando até a cama e se empoleirou na beirada, um pássaro carmim brilhante prestes a atacar. — Tella, o que está acontecendo? Quando Julian me mandou vir até aqui, ele falou como se você quase houvesse morrido, mas Jacks me contou uma história ridícula sobre você ter caído de uma carruagem. Ele a machucou?

— Não. Jacks não encostou um dedo sequer em mim.

— Então me diga o que aconteceu. Julian se recusou a explicar. Ele saiu correndo, e desta vez eu nem disse a ele para ir embora.

Tella puxava as fitas cor de sal marinho azulado que pendiam de seu vestido, evitando o olhar insistente da irmã. Scarlett continuava olhando para Tella como se a irmã mais nova houvesse feito algo de errado. Mas Tella não estaria nessa situação se Scarlett não houvesse escondido segredos.

— Quer saber o que aconteceu? — perguntou Tella. — Saí para procurar por você. Fui até a sua suíte depois da meia-noite, mas você não estava lá. — Tella finalmente ergueu os olhos. — Onde você estava, Scarlett?

— Eu não estava em lugar nenhum — respondeu ela, sem se alterar. — Estava no meu quarto, dormindo.

Os olhos de Tella se estreitaram.

— Bati à porta.

— Provavelmente não ouvi porque estava dormindo.

— Bati com força suficiente para machucar os nós dos dedos.

— Eu estava exausta. — Scarlett pressionou as mãos contra a saia e alisou um pedaço amarrotado inexistente. — Você sabe que tenho o sono muito pesado às vezes.

Tella não queria duvidar da irmã. O tom de voz de Scarlett era sincero, mas a maneira como suas mãos insistiam em se agitar com as dobras perfeitas de seu vestido davam a Tella a impressão de que, mesmo que estivesse dizendo a verdade, aquela não era toda a história. Ela simplesmente continuava alisando, alisando, alisando.

Scarlett pareceu sentir as dúvidas crescentes da irmã.

— Não estou participando do jogo. Onde eu estaria, Tella?

— Talvez você não esteja jogando porque está trabalhando para Lenda — acusou Tella.

— Você... você acha que sou parte do jogo? — disse Scarlett, escandalizada.

— Não sei o que pensar! Depois de tudo que aconteceu na noite passada, nem sei se consigo acreditar que isso tudo é só um jogo — admitiu Tella.

Em seu favor, Scarlett não disse que isso era exatamente o problema do qual a avisara. Em vez disso, respirou fundo e alisou a saia mais uma vez antes de dizer calmamente:

— Já se esqueceu do que Lenda me fez passar no último jogo? Você realmente acredita que eu seria parte de algo que fizesse o mesmo com você? Não responda, porque está claro pelo seu olhar que você acredita. Mas eu nunca a machucaria desse jeito, Tella. Juro, não estou trabalhando para Lenda, e, se não acredita que isso seja verdade, então os truques de Lenda estão funcionando em você.

Scarlett tomou uma das mãos da irmã, com a pegada morna e firme, mas um pouco trêmula. Tella poderia ter interpretado aquilo como prova de que a irmã estava sendo desonesta ou que Scarlett, que raramente mentia para Tella, estava genuinamente ofendida.

Tella sentiu uma flechada de culpa.

— Desculpe — disse Tella. — Você está certa. Eu não deveria ter me precipitado a concluir que você estava trabalhando com Lenda somente porque não atendeu à porta.

Tella quase riu quando disse aquelas palavras em voz alta; havia dado um salto relativamente longo. Mas parecia cedo demais para rir. Scarlett ainda estava segurando sua mão, e mesmo assim o elo entre as duas parecia estranhamente frágil, como se o peso dos muitos segredos de Tella pudesse quebrá-lo.

Ela olhou pela janela. A luz havia mudado de um tom preguiçoso de pêssego para um de damasco brilhante, deixando tudo naquele quarto um pouco mais dourado.

Tella não estava prestando atenção aos sinos, mas imaginou que já fosse meio-dia ou um pouco depois. Havia horas suficientes até o cair da noite e seu jantar com a imperatriz para confessar tudo a Scarlett. E Tella considerou aquela possibilidade. Mas duvidava de que Scarlett acreditaria em qualquer coisa que Tella houvesse aprendido durante o jogo, o que a assustava quase tanto quanto a ideia de que Scarlett acreditaria em tudo.

Tella quase queria ouvir a voz da irmã lhe garantindo que tudo aquilo era apenas um jogo. Se o Caraval fosse totalmente real — como o encontro com a Rainha Morta-Viva naquela manhã começou a convencer Tella —, fingir que aquilo era somente um jogo não lhe faria nenhum bem. Entretanto, convencer Scarlett de que o jogo era real também não faria nenhum bem à irmã. Ela só iria se preocupar ainda mais com Tella.

Talvez houvesse um segredo que Tella pudesse revelar que deixaria as coisas melhores em vez de piores.

— Acho que Dante pode ser irmão de Julian.

— Por que você está dizendo uma coisa dessas? — O tom de voz de Scarlett era puro ceticismo. — Os dois nem mesmo se parecem.

— Ouvi algo que eles disseram ontem à noite.

— Provavelmente era só uma mentira criada para o jogo.

— Soou de um jeito bem convincente.

Scarlett apertou os olhos.

— Você realmente está começando a acreditar que isso não é somente um jogo, não é?

— Não — mentiu Tella.

— Mas você acha que Julian e Lenda são irmãos?

— Sim — disse Tella. — Acho. — Ou pelo menos achava, até que a irmã começou a olhar para ela como se Tella tivesse perdido a cabeça.

Scarlett respirou fundo.

— Eu gostaria de poder acreditar em você, mas não estou nem mesmo jogando, e o jogo está me fazendo questionar certas coisas. — Ela apontou para a porta. — Ainda não consigo entender por que você e o herdeiro estão dizendo que são noivos. Tenho certeza de que isso tem alguma coisa a ver com o jogo, mas não consigo imaginar o que seja. Tudo o que sei é que isso me assusta, Tella. E, se eu estou confusa desse jeito, você deve estar ainda mais confusa. — A voz de Scarlett ficou entrecortada, e alguma coisa dentro de Tella se despedaçou junto.

Tella não queria mentir para a irmã outra vez, mas sabia que não podia lhe contar toda a verdade.

— Estou participando do jogo em nome de Jacks — confessou Tella. — Se eu vencer e entregar o prêmio a ele... — ela hesitou — Jacks vai nos reunir com a nossa mãe.

A expressão de Scarlett endureceu, mas ela não disse uma palavra. Segundos se passaram.

Tella quase temeu que a irmã não fosse responder, que ignoraria o assunto como sempre fazia. Mas foi quase pior quando ela falou.

Scarlett pronunciou cada palavra como se fosse um insulto, como se preferisse ter descoberto que a mãe estava morta.

— Por que você ainda está procurando por essa mulher?

— Porque ela não é uma mulher qualquer. Ela é a nossa mãe. — Tella considerou a hipótese de ir até seu pequeno baú e tirar dali a carta dentro da qual Paloma estava aprisionada, mas ela não era indestrutível como o Aráculo, e temeu que Scarlett pudesse fazer algo imprudente como rasgar a carta em duas.

A cor do vestido de Scarlett mudou, escurecendo de um carmim sedutor para um vermelho-vinho colérico, igual ao tom tenebroso de sua voz quando disse:

— Sei que você quer acreditar no que há de melhor em relação a ela. Por muito tempo isso foi o que eu também quis. Mas ela nos deixou, Tella. Não nos abandonou simplesmente; ela nos deixou com o nosso pai. Sei que você continua esperando que haja uma boa razão para isso. Mas a verdade é que, se ela realmente nos amasse, teria ficado conosco ou nos levaria consigo.

Tella considerou a possibilidade de dizer à irmã que a mãe as havia deixado para protegê-las de um Baralho do Destino amaldiçoado que encerrava todos os Arcanos, mas, ao pensar em tudo aquilo de uma só vez, o argumento lhe pareceu ridículo. Se Tella contasse a Scarlett sobre as cartas, teria de confessar também que a mãe era uma criminosa que havia, antes de tudo, roubado o baralho. Ela duvidava de que isso ajudaria em sua argumentação.

— Lamento por vermos essa questão de um jeito tão diferente — disse Tella.

— Eu simplesmente não quero ver você machucada outra vez. — Scarlett murchou contra a coluna mais próxima do dossel. — Olhar para essa situação, para o fato de que você se juntou a um herdeiro violento para encontrá-la, só serve para me dizer que isso não vai terminar bem.

— Sei que você não gosta disso — disse Tella. — Mas, se é com Jacks que você está preocupada, pode confiar em mim quando digo que esse assunto entre nós dois vai terminar assim que o jogo estiver acabado.

— Tem certeza disso? — disse Scarlett. — Quando ele esteve aqui, não parecia querer se afastar de você tão cedo.

— Ele é um ótimo ator.

— Acho que esse não é o motivo.

— É por isso que estou pedindo a você que confie em mim. — Tella apertou a mão da irmã. — Confiei em você quando me disse que não estava trabalhando para Lenda. Prometo que, daqui a três dias, nem eu e nem você teremos de ver Jacks outra vez.

— Muita coisa pode mudar em três dias — disse Scarlett.

Mas ela não continuou a discutir depois daquilo, o que fez Tella imaginar se talvez a irmã tivesse algum segredo a esconder dela.

O QUE DEVERIA TER SIDO A QUARTA NOITE DO CARAVAL

29

Tella não conseguia parar de trançar flores nos cabelos. Sabia que havia uma quantidade excessiva delas; sua cabeça parecia um jardim, cheia de plumérias azuis. E ela continuava a acrescentar mais.

Depois que Scarlett saiu, um buquê de plumérias chegou à sua porta sem nenhum cartão. Tella imaginou que fosse um presente de Jacks, já que as flores eram iguais ao vestido de festa rodado e esvoaçante que ele mandara para que ela usasse naquela noite. Tella fizera menção de jogar as flores pela janela, mas alguma coisa no perfume delas era familiar de uma forma que a ideia de se separar daquele buquê azul lhe causava dores. Ela colocara uma nos cabelos, depois outra e depois mais outra, perdendo-se em seu aroma doce e concentrando-se no pequeno ato de trançá-las em seus cachos, e não no fato de que iria jantar com a imperatriz do Império Meridiano.

O simples ato de pensar naquilo a desequilibrava.

Como seu pai era um governador, Tella havia sido instruída sobre todos os modos apropriados para participar de banquetes com nobres, mas nunca fora muito boa em segui-los. E não sabia nada sobre jantar com membros da realeza.

Ela retirou outra pluméria do buquê já mirrado.

Uma risada contida flutuou do vão da porta até seu quarto.

Tella girou para trás, afastando-se da penteadeira, para avistar Jacks, encostado no batente.

Ela esperava que pelo menos uma vez ele fizesse uma tentativa de parecer respeitável. Mas, assim como na noite do Baile Predestinado, Jacks não vestia nem mesmo uma casaca. Usava uma camisa folgada da cor de conhaque derramado, com ombros rasgados que davam a impressão de que ele havia arrancado alguns dos ornamentos, pendendo por cima do cós de calças castanho-avermelhadas enfiadas em botas de couro que não haviam sido engraxadas. *Casual* seria uma palavra elegante demais para descrevê-lo, mas ainda assim a magia ainda pulsava ao redor dele em um brilho de cobre ardente.

Em uma mão desenluvada ele segurava uma maçã fresca, tão branca e intensa quanto os lençóis de uma virgem.

— Boa noite, Donatella.

— Você sabe que não é cortês entrar às escondidas no quarto de uma jovem dama.

— Acho que já deixamos a cortesia para trás há algum tempo. Entretanto... — Jacks empurrou o batente da porta para se afastar dele com um movimento gracioso e lhe ofereceu o braço — prometo me comportar da melhor maneira possível esta noite.

— Isso não me diz muita coisa. — Tella alisou a saia rodada enquanto se levantava da banqueta. O vestido que ela usava era mais pesado do que qualquer outro que Jacks lhe enviara. Metade dele era feito de seda azul-perolada sem adornos, e a outra era uma combinação bastante ornamentada de espirais formadas por joias, flores de veludo azul-crepúsculo e enfeites de renda azul-geleira, que se derramavam por sobre a saia em uma combinação atabalhoada que fazia Tella pensar em uma caixa de joias revirada.

— Não se preocupe — disse Jacks. — Tenho certeza de que El vai adorar você.

— Você, por acaso, acabou de chamar a imperatriz de "El"?

— "Elantine" é um nome longo demais.

— Você me chama de Donatella.

— Gosto do sabor do seu nome. — Os dentes de Jacks perfuraram a casca da maçã lentamente, revelando uma polpa vermelha escura enquanto ele dava uma enorme mordida.

Tella forçou-se a aceitar o braço dele, sabendo que quaisquer sinais de desconforto só pareciam fazê-lo se deliciar. Mas, para sua surpresa, ele se comportou como um cavalheiro conforme subiram os degraus da torre dourada de Elantine para encontrar a imperatriz no pavimento mais alto.

Jacks segurou o braço de Tella com tamanha leveza que ela poderia ter se desvencilhado a qualquer momento, mais concentrado em sua maçã do que nela, até depois de subirem alguns lances de escada. Ele deixou o braço de Tella cair e se virou de frente para ela, abruptamente.

Seus dentes afiados morderam os próprios lábios em vez de sua fruta, enquanto os olhos cor de mercúrio dançaram sobre os cabelos de Tella. Ela havia perdido várias flores ao subir as escadas. Provavelmente era melhor assim. Jacks começou a franzir a testa conforme a observava.

— O que foi? — perguntou Tella.

— A imperatriz precisa acreditar que estamos apaixonados. — Ele fez uma pausa, como se estivesse escolhendo cuidadosamente suas próximas palavras. — Minha situação com El é complicada. Se pudesse matá-la, eu o faria, mas há proteções ao redor dela que me impedem de fazer isso. Embora ela seja velha, não está perto de morrer. Ela está perto de passar seu trono para mim, mas isso não vai acontecer até que eu encontre uma pessoa que ela acredite ser adequada para compartilhá-lo comigo.

— E você acha que sou essa pessoa? — Um riso acompanhou as palavras de Tella.

Mas Jacks não sorriu.

— Você convenceu Lenda a ajudá-la. Você morreu e voltou à vida, e ousou me beijar. É claro que você é essa pessoa. — Ele a fitou nos olhos por um momento, antes que seu olhar apontasse para trás dela.

Tella seguiu a linha dos olhos de Jacks até um espelho pendurado na parede. Ele refletia os dois. Para surpresa de Tella, Jacks parecia diferente no espelho; o artefato devia ser incapaz de capturar sua verdadeira essência. Com a camisa rasgada e as botas sem engraxar, ele ainda parecia ter acabado de se levantar da cama ou caído de uma janela baixa — mas também parecia ser mais jovem, mais pueril, mais travesso, em vez de ser o mal encarnado. Os olhos dele tinham um tom brilhante de azul sem quaisquer indícios gélidos de prata. A pele ainda era pálida, mas havia toques de cor nas bochechas e uma curva sutil na boca que o faziam parecer como se estivesse prestes a dizer algo travesso.

— Você está olhando para a pessoa errada, querida. — Jacks pressionou gentilmente a mão contra a face de Tella, mudando sua linha de visão para que ela visse seu próprio reflexo.

Ela havia se sentado diante de um espelho, prendendo flores nos cabelos por mais de uma hora, mas não havia olhado para si mesma, não de verdade. Às vezes, quando se olhava no espelho, jurava que via a sombra da Morte em vez da sua própria. Mas agora, conforme examinava seu reflexo, não via a morte. Sua pele brilhava não somente com o viço que ganhara ao subir as escadas, mas também com a vida capaz de encarar dias, semanas e estações de aventuras que ainda não tivera. A seu lado, Jacks subitamente pareceu ainda mais pálido em comparação. O brilho de Jacks indicava que ele jamais morreria por causas naturais ou ferimentos mortais, mas a radiância de Tella significava que ela iria verdadeiramente viver.

— Outras pessoas podem subestimá-la, Donatella. Mas eu não.

Tella tentou não sentir nada ao ouvir aquelas palavras. Durante toda a sua vida fora subestimada: pelo pai, que pensava que ela era inútil; pela irmã, que a amava, mas temia que Tella não seria capaz de se manter longe de problemas; pela avó, que a considerava um mero aborrecimento; ela mesma chegava a se subestimar de quando em quando. Era quase cruel que aquele que mais parecia acreditar nela fosse o mesmo ser que também a estava matando lentamente.

— Se eu fracassar, você vai me matar depois de pouco tempo, do mesmo jeito que assassinou sua última noiva?

A expressão de Jacks se fechou.

— Eu não a matei.

— Quem foi, então?

— Alguém que não queria que eu tomasse o trono.

Jacks largou a maçã, deixando-a rolar pelas escadas conforme tomava o braço de Tella. Segurou-a mais perto de si do que antes, quase de maneira protetora, mas ficou em silêncio enquanto eles continuavam a subir, como se a menção que ela fizera a sua ex-noiva o houvesse genuinamente irritado. Talvez, se Tella acreditasse nele, teria se sentido culpada. Mas ele era o Príncipe de Copas, e todos sabiam que o príncipe não era capaz de amar. As histórias diziam que ele tinha um verdadeiro amor, mas Tella duvidava de que o encontrara. E, considerando que ele mencionara casualmente o desejo de poder matar a imperatriz, Tella duvidava de que Jacks fosse afetado pela perda de uma vida humana.

— Por que o trono tem tanta importância para você? — perguntou Tella depois de mais alguns passos. — Como é um Arcano, imaginei que você não iria querer o fardo do poder mortal.

— Talvez eu goste da ideia de usar uma coroa. — Jacks inclinou a cabeça, deixando mais cabelos dourados caírem por cima dos olhos. — Você já viu a coroa do imperador?

— Não posso dizer que já vi. — Mas Tella havia testemunhado quão casualmente Jacks se trajava, e, mesmo se não fosse o caso, não conseguia imaginar que o Príncipe de Copas lutaria com tanto empenho para ser o sucessor apenas para poder usar uma coroa.

Ela estava prestes a perguntar o que havia de tão especial naquela coroa quando a subida finalmente se encerrou.

Tella não contara o número de lances que eles haviam subido, mas imaginava que estariam perto do topo da torre. Duas portas pretas laqueadas esperavam por eles, com guardas envergando armaduras completas em cada um dos lados. Devem ter reconhecido Jacks. Sem dizer uma palavra, os guardas abriram as portas.

Velas caíam de cada centímetro do teto branco, como gotas de chuva incandescentes e cerosas, enchendo a sala abaulada com torres tremeluzentes de luz de calêndula. Tella teve apenas um momento para admirar tudo aquilo, para olhar para o vapor que se erguia do festim elaborado sob as velas e o palco intrincadamente entalhado do outro lado da sala, antes que uma voz feminina irrompesse por entre o silêncio.

— Vocês finalmente estão aqui! — A Imperatriz Elantine se ergueu de um assento na outra extremidade da mesa do banquete.

Tella esperava ver o espectro pálido de uma mulher, magra, ossuda e mais fria do que sua avó Anna, mas Elantine era cheia de bochechas rosadas, uma pele escura de tom azeitonado e um corpo rotundo que parecia ser bastante macio para se abraçar.

— Você, minha querida, é adorável. — Elantine sorriu, e a expressão foi luminosa, como se tivesse guardado sorrisos para a ocasião em que se encontraria com Tella. A expressão iluminava todo o rosto de Sua Majestade, fazendo com que a tiara dourada sobre sua cabeça e as joias que forravam seu manto azul-royal brilhassem ainda mais.

Tella curvou-se em uma mesura.

— É um prazer conhecê-la, Majestade. Jacks me falou muito a seu respeito.

— Ele lhe disse como planeja me matar? Tella sufocou um gemido exasperado.

— Não fique tão assustada. Estou só brincando! Jacks é o meu herdeiro-sucessor favorito até agora. — Elantine piscou e envolveu Tella com força entre os braços.

Por causa de sua avó Anna, que era magra como um galho de árvore, Tella sempre pensou que pessoas mais velhas seriam coisas frágeis e quebradiças, mas Elantine a abraçava ferozmente, com um carinho e um despojamento suficientes para amarrotar seus trajes imaculados.

Depois de soltar Tella, Elantine abraçou Jacks também. Chegou até mesmo a passar a mão por sua cabeça, bagunçando os cabelos como se ele fosse um garotinho.

— Você seria muito mais bonito se fizesse um mínimo de esforço para melhorar a sua aparência.

Para espanto de Tella, Jacks chegou até mesmo a corar; sua pele era mais azulada do que avermelhada, mas o rubor estava definitivamente ali. Ela não sabia que era possível fingir um rubor — era impossível que ele pudesse genuinamente estar embaraçado por aquelas demonstrações de afeição —, mesmo assim as faces pálidas de Jacks ficaram um pouco azuis. Depois de um instante, ele emendou um sorriso torto, sem dúvida para fazer a imperatriz acreditar que, embora fosse tímido, ele gostava daquela atenção. Era perturbador o quanto ele era bom naquela farsa.

A imperatriz abriu um largo sorriso, mas ele logo se desfez.

— Você está magro demais, Jacks. Espero que coma mais do que uma maçã hoje. — Elantine voltou a olhar para Tella. — Você vai ter que se certificar de que ele coma o suficiente. As pessoas estão sempre tentando envenenar o meu querido Jacks, por isso ele nunca come nada nos meus pequenos banquetes. Mas espero que ele se divirta esta noite. Mandei que preparassem um festim digno de... bem, de mim.

Elantine riu enquanto levava Jacks e Tella rumo à mesa abarrotada de comida. Todos os pratos imagináveis, desde torres de favos de mel com flores comestíveis até um porco caramelado com uma maçã na boca, estavam presentes. Havia árvores frutíferas em miniatura das quais brotavam ameixas banhadas em chocolates e pêssegos com calda de açúcar mascavo. Fatias de queijo surgiam de dentro de arcas de tesouros feitos de massa de pão. Cascos de tartaruga virados de cabeça para baixo cheios de sopa. Canapés com o formato de dedos. Pratos coloridos com rabanetes salgados, vermelhos e cor-de-rosa. Água com bolhas de alfazema e vinho da cor de pêssego com frutinhas no fundo dos copos.

— Vocês vão perceber que não há criados. Eu queria que esta fosse uma ocasião especial para poder conhecê-la. — Elantine sentou-se à cabeceira da mesa. Havia somente duas outras cadeiras, ambas de frente para o palco teatral que ficava do outro lado da sala. O arco de madeira sobre a estrutura estava entalhado com imagens de máscaras ovais sem adornos, sorrindo e também com expressões sérias, tristes e risonhas, e também uma variedade de outros rostos estranhos quando eles olharam para a cortina fechada, verde como os contos de fadas, mais abaixo.

— Agora, conte-me um pouco sobre você — disse a imperatriz. — Jacks disse que você está em Valenda à procura da sua mãe que desapareceu.

Tella abriu a boca para responder enquanto se sentava, mas, em vez de permitir aquilo, Elantine continuou a recitar uma lista impressionantemente longa de todas as outras coisas que Jacks dissera sobre Tella. A imperatriz sabia até mesmo que o aniversário de Tella estava chegando e prometeu lhe fazer uma pequena festa.

— Jacks também me disse que você tem fixação pelos Arcanos. Eu mesma cheguei a ter um Baralho do Destino, há muito tempo. Ele nunca pareceu predizer coisas boas. — Ela riu outra vez.

O som surpreendeu Tella quase tanto quanto na primeira vez. Não esperava que Sua Majestade fosse tão bem-humorada. Ou que amasse tanto Jacks. Ela assentia ou ria de qualquer coisa que ele dizia, e empilhava comida em seu prato como se ele fosse uma criança, embora Tella percebesse que Jacks não havia tocado em nada do que ela lhe servira. Ele pegou a maçã da boca do porco, mas também não a comeu. Simplesmente a rolou pela palma de uma das mãos.

Em seguida, a outra mão estava no pescoço de Tella, os dedos gelados brincando ociosamente nos cabelos dela. Era somente para manter as aparências, mas não parecia ser um gesto ensaiado. Como se fosse a coisa mais natural do mundo para ele estender a mão e tocá-la. Ela jurou que sentiu o olhar dele também, frio como a geada pela manhã; ele roçou pelos seus lábios enquanto Jacks observava cada pedaço de comida que ela colocava na boca.

— Vocês precisam experimentar isto aqui. — Elantine apontou para uma travessa de bolos do tamanho de uma palma decorados para que se parecessem como presentes em todas as combinações de cores. Desde tangerina e azul-esverdeado até prata e o azul do mar gelado, a cor dos olhos de Jacks.

— É um prato tradicional de noivado exclusivo para a realeza. Somente o confeiteiro real é quem os faz. É ilegal para qualquer pessoa encomendar esses doces. Há uma surpresa diferente em cada um deles que simboliza o que o seu futuro, quando estiverem juntos, vai lhes trazer. Alguns são recheados com creme açucarado para representar uma vida doce, e outros estão recheados com ovos confeitados, simbolizando uma grande fertilidade. — Elantine piscou o olho novamente, e Tella quase cuspiu a água que estava bebendo.

Jacks, que não comera nada desde sua maçã na escadaria, pegou um bolo cravejado de joias e coberto com uma cobertura de veludo azul, a mesma cor do vestido de Tella, e o levou até a boca. Quando afastou o doce, uma geleia espessa de framboesas escorreu.

Elantine aplaudiu.

— Parece que vocês dois sempre terão paixão. Agora é a sua vez, meu bem.

Tella jamais se casaria com Jacks; preferia ficar aprisionada dentro de uma carta. Assim, não devia importar qual bolo ela escolheria. Mas ela realmente não queria escolher um bolo. Já havia previsões suficientes sobre seu futuro até ali. Contudo, tanto Jacks quanto a imperatriz estavam olhando para ela. Não se tratava apenas de um pedido; era um desafio.

— Interessante — murmurou Elantine.

Tella baixou os olhos e viu que seus dedos haviam escolhido um bolo negro como a noite e sem qualquer alma, com um laço feito de um glacê azul-escuro como a meia-noite; a mesma cor das asas tatuadas nas costas de Dante.

— Ele me lembra da noite sem lua em que conheci Jacks — mentiu Tella.

— Oh, eu não estava falando sobre o bolo. — Elantine fixou o olhar régio no anel de opala em forma de estrela que estava no dedo de Tella. — Não vejo um desses há muito tempo.

— Foi uma herança da minha mãe — disse Tella.

— E ela o deu para você? — perguntou Elantine, tão calorosamente quanto todas as outras coisas naquela noite, mas Tella jurava que os olhos da imperatriz, agora, estavam contraídos nos cantos, como se seu sorriso não fosse mais genuíno. — Ela lhe falou para que serve?

— Não, foi somente uma das poucas coisas que restaram quando ela desapareceu.

— E você o usa para se lembrar dela? — A expressão de Elantine ficou mais suave. — Você realmente é uma joia rara. Quando Jacks me contou que estava noivo novamente, fiquei cética. Temi que... bem, não importa o que temi. Agora percebo por que você o atraiu. Mas tome cuidado com essa sua herança. — Seu tom de voz se reduziu a um sussurro. — Parece uma das chaves para o Templo das Estrelas, e, se for, sua mãe deve ter pagado um preço muito alto por ele.

Os olhos de Tella voltaram a pousar em sua mão. Parecia inacreditável, mas aquela parte desesperadamente esperançosa que tinha dentro de si se perguntou se o anel que ela usara durante os últimos sete anos poderia ser uma chave para destrancar os segredos de sua mãe.

— Perdoe a interrupção — chamou uma voz rouca do palco.

Tella ergueu os olhos e viu Armando vestido como o Rei Assassinado — um Arcano que podia representar a traição ou o retorno de algo perdido. Ele sorriu para sua pequena plateia, e a expressão era gélida como de costume. Uma espada vermelha e gotejante estava pendurada em sua cintura; um grosso corte ensanguentado manchava sua garganta exposta, e uma coroa maligna feita de adagas lhe cobria a cabeça. — É um prazer estar aqui esta noite.

50

Metade das velas que pendiam do teto se apagou, deixando a mesa do banquete nas sombras. Somente Armando e o palco permaneceram iluminados.

— Oh, que maravilha! — aplaudiu Elantine. — O entretenimento está para começar.

— Obrigado por nos receber, Majestade. — Armando se curvou até quase tocar o chão, surpreendentemente humilde. — Desde a sua coroação, o maior desejo de Lenda é trazer seus artistas do Caraval para Valenda. Somos profundamente gratos por Vossa Majestade ter aceitado a nossa oferta. Para homenagear Vossa Majestade na noite de hoje, elaboramos uma apresentação muito especial para mostrar como era a vida quando os governantes não eram tão sábios e graciosos. Esperamos que vocês todos se divirtam.

As cortinas se abriram.

O espetáculo parecia ser uma paródia de uma paródia.

O palco estava organizado para lembrar uma antiga sala do trono, mas todas as cores eram extravagantes e brilhantes demais — tudo era pintado em tons de verde-limão espalhafatoso, violeta-elétrico, fúcsia-flerte, azul cósmico e amarelo pulsante —, como se uma criança houvesse colorido os panos de fundo do cenário, os trajes dos atores e o trono, sobre o qual Armando se sentou. Jovan, vestida como a Rainha Morta-Viva com um tapa-olho cravejado de joias e um vestido preto longo e justo, repousava apoiada em seu braço.

Tella estremeceu, sentindo as lembranças do que houve na ponte do lado de fora do Castelo Idyllwild retornarem a toda a velocidade.

Os lábios de Jovan se retorceram, estranhamente cruéis — exatamente como a Arcana de verdade —, enquanto observava sua corte exposta no palco.

Tella desviou o olhar. Reconheceu vários dos outros atores: alguns estavam vestidos como nobres, mas muitos outros achavam-se fantasiados como Arcanos. Tella avistou a Criada Grávida, as Aias da Rainha Morta-Viva e o Envenenador em meio à pequena multidão.

Não viu Dante. E ficou frustrada consigo mesma por ter procurado por ele.

No palco, Jovan, caracterizado como a Rainha-Morta Viva, suspirou dramaticamente.

— Estou muito entediada.

— Talvez eu possa ajudá-la. — Caspar entrou em cena aos saltos, usando uma casaca de veludo vermelho que combinava com o sangue que lhe escorria do canto da boca e da beirada de um dos olhos. Aparentemente, ele estava interpretando o papel do Príncipe de Copas.

Tella arriscou uma olhada em Jacks, para ver como ele reagiria ao perceber que estava sendo retratado no palco. Sua expressão continuou neutra, chegando às raias do desinteresse, mas Tella sentiu o braço que ele colocara a seu redor ficar ártico quando Caspar acenou com a mão, trazendo dois atores jovens para o palco.

Tella não reconheceu nenhum dos dois. Eram jovens, um garoto e uma garota um pouco mais jovens do que a própria Tella. Alguma coisa na maneira como estavam trajados era particularmente perturbadora. Todos os outros atores estavam claramente fantasiados como personagens; mas o garoto e a garota pareciam estar trajando suas melhores roupas, cuidadosamente passadas e ligeiramente fora de moda quando comparadas ao restante da corte, como se nenhum dos dois tivesse motivos para se vestir elegantemente com frequência, e por isso havia poucos motivos para atualizar seu guarda-roupa. Isso fazia os dois parecerem mais reais do que o restante, como se Caspar houvesse acabado de encontrá-los nas ruas e prometido lhes dar sacos de doces se o seguissem.

— Qual é o seu nome? — perguntou Caspar à garota.

— Agathe.

— Que belo nome, Agathe. E o seu? — perguntou ao garoto.

— É Hugo.

— Outro nome excelente. — O tom de voz de Caspar passou da meiguice para o escorregadio. — Na verdade, gosto tanto dos nomes de vocês dois que vou escrevê-los para me certificar de que jamais me esquecerei deles.

Agathe e Hugo trocaram olhares intrigados, como se pressentissem que havia alguma coisa que não deveria estar acontecendo ali, mas em seguida os dois assentiram, claramente ansiosos para agradar ao Arcano.

Caspar puxou duas papeletas do bolso, do tamanho e formato exatos de cartas.

— Oh! — gemeu ele. — Parece que não tenho tinta. Creio que terei de usar o meu sangue imortal.

Ele tirou uma adaga ornamentada com joias e a pressionou contra a ponta do dedo. O sangue brotou, e Caspar fez gestos grandiosos para mostrar que estava usando o sangue para escrever na carta. Quando terminou, uma nuvem de fumaça teatral prateada surgiu, o suficiente para cobrir metade do palco. Quando ela se dissipou, Agathe havia desaparecido. Em seu lugar estava uma carta.

Caspar a recolheu e a brandiu diante de Jovan e Armando.

— Você a transformou em uma carta! — exclamou Jovan. — Faça de novo! Faça de novo!

Hugo começou a correr, mas o dedo ensanguentado de Caspar já estava se movendo, escrevendo o nome do garoto em sua outra carta em branco.

Outra nuvem de fumaça, e Hugo desapareceu.

Caspar foi até onde o garoto estava e recolheu a carta do chão.

Jovan aplaudiu. — Por quanto tempo eles vão ficar assim? Caspar deslizou até o trono.

— Você pode guardá-los dessa forma pelo tempo que eles a entretiverem. — Caspar estalou uma longa língua cor-de-rosa e lambeu uma das cartas antes de passá-la a Jovan. — Vou lhe fazer um baralho inteiro para que você possa jogar um jogo de verdade.

O braço de Jacks subitamente pareceu estar mais pesado e gelado do que antes conforme se agarrava ao ombro de Tella.

— Foi realmente assim? — sussurrou ela. — Foi isso que você fez mesmo? Você transformou pessoas em cartas e jogou com elas?

Jacks respondeu junto à orelha de Tella.

— Nunca lambi uma carta daquele jeito.

— Mas o restante... — Tella se virou para conseguir ver o rosto dele, para caçar qualquer indício de remorso. Ela sabia que os Arcanos eram malignos; Jacks a amaldiçoara para conseguir o que queria. Mas a ideia de prender alguém, transformar uma pessoa em um reles pedaço de papel e brincar com ela em troca de prazer e entretenimento parecia um tipo inteiramente novo de vileza.

Jacks respondeu com um sorriso preguiçoso e sussurrou:

— O que você está tentando encontrar, Donatella? Está procurando por algo de bom em mim? Você jamais vai encontrar, porque simplesmente não existe.

— Não preciso que você me diga isso.

— Então por que insistir em olhar para mim como se estivesse procurando por respostas?

Ela inclinou a cabeça na direção do palco.

— É isso que você planejou fazer com o verdadeiro nome de Lenda? Prendê-lo em uma carta?

— Ele quer me destruir — disse Jacks, com a voz baixa. — Estou meramente tentando me defender.

— Então por que você agora quer mais do que o nome dele?

— Porque eu posso ter mais. — O braço frio ao redor de Tella ficou ainda mais apertado quando Jacks disse a palavra *mais*.

— Como? — perguntou Tella. — Como você planeja tomar mais de Lenda?

— A minha resposta só vai servir para deixá-la mais infeliz.

— Prefiro o conhecimento à felicidade nesta situação.

— Vou beber o sangue dele, direto das veias. É assim que o poder é dado e roubado. Não vai funcionar se for engarrafado. Eu poderia tomar um pouco da magia dele emprestada dessa maneira, mas não conseguiria mantê-la comigo por muito tempo.

Ele também era capaz de fazer aquilo. Tella se lembrava de como ele fizera parar os corações de todo mundo no salão de baile depois do beijo que trocaram. Durara apenas um minuto, mas foi tudo de que ele precisava.

Sem dizer outra palavra, Jacks voltou a olhar para o palco e sorriu como se estivesse entretido pelo espetáculo, mas Tella imaginou que o desconforto que sentia fosse a verdadeira fonte do prazer dele.

Ele adorava atormentá-la, assim como o Príncipe de Copas no palco adorava brincar com as crianças que havia colocado nas cartas.

Lenda não estava se aproximando do limite com essa apresentação; estava atravessando-o.

Tella poderia até estar imaginando coisas demais, mas pensava que a apresentação não era realmente para Elantine, e sim para ela mesma — para convencê-la exatamente de quão cruéis eram os Arcanos, de modo que ela ajudasse Lenda a destruí-los, em vez de ajudar Jacks a recuperar seus poderes.

Outra ideia lhe ocorreu naquele momento. Naquele mesmo dia, mais cedo, Jacks lhe contara que havia somente duas maneiras de livrar alguém de uma carta. *Um humano deve tomar o seu lugar dentro da carta por livre e espontânea vontade, ou um imortal com poder maior deve quebrar a maldição e libertar* todos *aqueles que estão aprisionados nas cartas.*

Jacks disse que libertaria sua mãe, mas Tella sabia que ele jamais tomaria o lugar de Paloma. E se Jacks não quisesse Lenda apenas para restaurar o próprio poder? E se Jacks quisesse o poder de Lenda para poder quebrar a maldição das cartas e libertar todos os Arcanos? Talvez a verdadeira razão pela qual ele quisesse o trono era para permitir que os Arcanos reinassem novamente, exatamente como fizeram antes.

No palco, a apresentação continuava.

Um estampido disse a Tella que mais fumaça havia explodido. Quando voltou a olhar para o palco, todos os nobres que faziam parte da corte haviam desaparecido, e em seu lugar havia mais cartas.

Tella observou horrorizada enquanto Caspar as recolheu e começou a embaralhá-las para Armando, o Rei Assassinado, e Jovan, a Rainha Morta-Viva.

— Se vocês se cansarem destas, sempre posso criar mais — disse Caspar. — Ou podemos facilmente trocar uma delas, escrevendo o nome de outra pessoa na carta.

— Conseguem imaginar como seria se governássemos assim? — Elantine começou a rir, um som livre e desimpedido que rapidamente se transformou numa tosse gutural quando a cortina verde se fechou para o intervalo.

A imperatriz fez menção de pegar seu cálice de água, mas derrubou tanto o seu copo quanto o de Jacks, junto com o que restava do vinho.

Tella tentou passar seu cálice para Elantine, mas a imperatriz fez um sinal negativo com a cabeça, como se não confiasse nela.

— Jacks — disse ela, com a voz embargada.

Jacks se levantou da cadeira com um salto e saiu da sala para buscar mais água.

Elantine tossiu, um último som crepitante. Em seguida, seu semblante recuperou o foco. Ela olhou para Tella com olhos lúcidos e inteligentes. Quando falou, sua voz também estava diferente; não era mais a imperatriz meiga que parecia adorar Jacks. Sua voz era cortante como a presa de um leão.

— Minta para mim e eu vou mandar enxotar você desta sala antes que Jacks retorne. Ou me diga a verdade e ganhe uma aliada poderosa. Agora, responda rápido: o que você está fazendo com aquele rapaz insidioso que quer o meu trono?

A garganta de Tella subitamente ficou seca. Seu primeiro instinto foi acreditar que isso era um dos testes de Jacks, mas em seguida seus pensamentos voltaram rapidamente ao momento em que Elantine perguntara como Jacks planejava matá-la. Dissera que estava somente brincando, mas a pergunta não soou como se houvesse sido feita meramente por diversão.

— Seu tempo está acabando — pressionou Elantine.

— Ele está mantendo a minha mãe prisioneira — confessou Tella. Não que confiasse em Elantine, mas qualquer mulher capaz de governar um império sozinha por cinquenta anos tinha de ser mais inteligente do que uma raposa, o que, se tudo corresse como ela esperava, significava que a imperatriz era capaz de enxergar além da aparência de Jacks. — Até a minha mãe estar livre, eu também não vou estar livre de Jacks.

Elantine apertou os lábios, formando uma linha fina.

A pulsação de Tella acelerou.

Antes que a imperatriz pudesse responder, Jacks voltou a entrar na sala e lhe entregou um cálice de água.

— Obrigada, meu menino querido. — Elantine levou a água até os lábios, mas Tella podia jurar que a imperatriz não bebeu. Ela distraiu Jacks dizendo: — Eu estava contando à sua bela futura esposa que quero que ela se junte a nós na Véspera de Elantine para assistir aos fogos de artifício do alto desta torre.

Tella não se lembrou de muito do que houve depois daquilo. Jacks e Elantine continuaram conversando, mas Tella mal ouviu uma palavra do que eles diziam. Não conseguia parar de pensar na peça, nos Arcanos com que se defrontou diante do Castelo Idyllwild, e que estaria condenando Lenda e o Império se vencesse o jogo e entregasse Lenda para Jacks.

Ao voltar à sua suíte, Tella pegou o Aráculo.

A imagem não estava clara, até que ela se imaginou vencendo o jogo e entregando Lenda para Jacks como prometera. Instantaneamente, a imagem se aguçou até formar uma cena com Tella, a irmã e a mãe. Uma imagem boa demais para ser verdade. E talvez fosse.

Durante anos, Tella confiou no Aráculo sem questionar. Mas, se o verdadeiro Aráculo estivesse preso dentro dessa carta, ele não mostraria a Tella exatamente do que precisaria para que ela o ajudasse a escapar?

QUINTA NOITE DO CARAVAL

31

No início, parecia que não havia estrelas. Do chão, o céu parecia um espelho cintilante negro. Mas de cima, por um breve momento dentro de sua carruagem aérea, Tella conseguiu ver que os céus não estavam totalmente escuros. Um contorno delgado de estrelas brancas reluzia no formato de um coração. A forma se sobrepunha à maior parte de Valenda, brilhando com uma luz fina como o pó das fadas sobre os limites da antiga cidade, indicando encantos, feitiços e sonhos infantis.

Tella se aproximou um pouco mais da janela da carruagem. Mesmo com o brilho incandescente das estrelas, estava escuro demais para avistar claramente as pessoas abaixo. Mas ela visualizava aqueles que ainda participavam do jogo correndo pelas ruas. Ninguém lhe dissera nada diretamente, mas Tella ouviu algumas arrumadeiras discutindo o quanto todas as pessoas ficaram irritadas por Elantine ter cancelado a quarta noite do Caraval.

Com sua vida dependendo do resultado do jogo, Tella não queria perder uma única noite do evento. Mas seu corpo aproveitara avidamente o repouso. Depois do jantar de Elantine, Tella dormira, dormira e dormira. Quase chegou a esperar que acordaria coberta em sangue lhe escorrendo pelos olhos. Mas ou Jacks havia lhe concedido um respiro ou o sangue que Dante e Julian deram para Tella beber ainda estava funcionando para contrabalançar o beijo assassino de Jacks.

Infelizmente, ela não estava completamente livre da maldição. Seu coração novamente batia mais devagar do que deveria.

Bate... bate.

Nada.

Bate... bate.

Nada.

Bate... bate.

Nada.

Nada.

Tella levou as mãos ao peito e xingou Jacks. A batida que faltava parecia ser a maneira encontrada por ele para fustigá-la e impulsioná-la a agir.

Conforme sua carruagem descia rumo ao Distrito do Templo, ela pegou a terceira pista, que havia copiado do verso do pôster com o retrato de sua mãe para que fosse mais fácil de carregar.

Se encontrou isto, no caminho certo você está, mas ainda não é tarde demais para recuar.

Pistas não podem mais lhe dizer o lugar aonde ir. Para encontrar o objeto que Lenda precisa, é seu coração que deve conduzir.

Tella agora tinha relativa certeza de que o objeto de que precisava para vencer era o Baralho do Destino amaldiçoado de sua mãe. Ela também acreditava que aquilo não era simplesmente um jogo e que Lenda realmente queria esse baralho. Assim, por meio daquela pista, ele instruíra Tella a seguir seu coração, esperando que ela soubesse onde sua mãe escondera as cartas.

Uma nuvem pungente de incenso cercou a carruagem de Tella quando ela pousou no Distrito do Templo. Orações e hinos ainda enchiam as ruas, mas o lugar não estava tão abarrotado quanto estava algumas noites antes. Nenhum sussurro de Lenda chegou aos ouvidos de Tella.

Ela parecia ser a única jogadora cujo coração a guiara até ali, embora não fosse tanto o seu coração que a guiava, mas sim o anel ígneo de opala da sua mãe, o qual Elantine acreditava ser alguma espécie de chave conectada ao Templo das Estrelas.

Tella esperava que a imperatriz estivesse certa e que, se o anel fosse uma chave, serviria para destrancar os segredos de que Tella precisava para encontrar o Baralho do Destino da sua mãe. Mas Tella duvidava que seria tão simples, e a conexão do anel com o Templo a deixava desconfiada.

As religiões praticadas em Valenda pareciam ser templos de entretenimento em vez de santuários de fé. Mas Tella ouvira dizer que aqueles que praticavam sua fé no Templo das Estrelas eram verdadeiros crentes, dispostos a sacrificar a juventude, a beleza ou quaisquer coisas que as estrelas lhes pedissem. E, embora Tella não soubesse muito sobre as estrelas em si, ouvira dizer que os seres antigos eram desalmados, ainda menos humanos do que os Arcanos. Aquilo a fazia suspeitar de qualquer pessoa disposta a se juntar à congregação em questão.

Ela apertou ao redor da cintura a corda que mantinha no lugar o sudário que pedira a um criado do palácio para encontrar. Para conseguir entrar no Templo das Estrelas, precisava se parecer com um dos fiéis, dócil e conformista, e vestir-se com um sudário horrível de acólito.

Estremeceu com o vento cortante que passava por entre as pernas. Tella jamais fora pudica, mas sentia que estava usando somente um lençol rasgado, preso ao corpo por um nó amarrado sobre o ombro e um cordão trançado ao redor da cintura. O cordão se arrastava no chão a cada passo que ela dava. Um traje que não valorizava nem um pouco sua silhueta e que lhe causaria dificuldades se precisasse correr.

E absolutamente todos os aspectos do Templo das Estrelas a faziam querer dar meia-volta e fugir na direção oposta.

Asas enormes empoleiradas sobre o telhado abobadado do templo, brilhando como chamas avivadas, e, mesmo a despeito de toda a sua magnificência, não havia ninguém diante da entrada grandiosa do templo. Talvez fosse por isso que havia tantas estátuas aglomeradas em seus largos degraus de pedra da lua, dando a impressão de que havia muitos visitantes e vida. Embora qualquer um que olhasse para aquelas esculturas jamais as tomasse por seres humanos.

Tão espessos e altos quanto colunas do templo, os homens tinham braços musculosos tão grandes quanto troncos de árvores, enquanto as mulheres receberam seios fartos e olhos feitos de águas-marinhas. Tella imaginava que deviam ser estrelas. Talvez pudessem ter sido bonitos, se ela não tivesse também notado as outras estátuas. As menores e mais esbeltas, de joelhos diante das estrelas. Perturbadoramente realistas e humanizadas. Tochas ardentes lançavam a luz da lenha avermelhada sobre as estátuas humanas, nas gotas de suor em suas têmporas e nos calos de suas mãos. Seus pés estavam todos descalços, e alguns se encurvavam em submissão, enquanto outros estendiam os braços oferecendo bebês enrolados em panos ou crianças pequenas.

Tella se engasgou com algo que tinha sabor de desgosto enquanto imaginava o que sua mãe poderia ter trocado pelo anel de opala que agora estava em seu dedo.

— Se você não gosta disso, realmente não vai aprovar o que encontrar ali dentro. — Dante estava encostado em um dos pilares que ladeavam a porta gigantesca do templo, com a pele bronzeada e as tatuagens brilhantes...

E... oh, glória, ele estava sem camisa.

Totalmente sem camisa.

Tella se forçou a não olhar, a passar por ele marchando com passos resolutos e ignorá-lo, mas não conseguiu tirar os olhos dele ou impedir a onda de calor que se espalhou pelo seu peito e subiu pelo pescoço. Já havia visto rapazes despidos antes — tinha quase certeza de que havia visto *ele* sem camisa —, mas, de algum modo, Dante parecia diferente no alto daqueles degraus. Mais alto e mais espesso. Mais atraente. Estava vestido como uma das estátuas, apenas com um pedaço largo de tecido branco preso ao redor da metade de baixo do corpo, acentuando a perfeição bronzeada das pernas e do peito.

Tella fechou a boca com força, mas era tarde demais. Ele a vira boquiaberta, e agora aquele desgraçado vanglorioso estava sorrindo. Todo dentes brancos e lábios perfeitos, como se ele fosse uma das estrelas adoradas dentro do Templo. E Tella tinha de admitir que, naquele momento, ele podia tê-la convencido. Assim como conseguira persuadi-la a acreditar que realmente se importava com ela.

Esta era a primeira vez em que ela o via desde que Dante carregara seu corpo estropiado para longe do Castelo Idyllwild. Imaginou que ele esperava um agradecimento por havê-la salvado naquela noite. Mas, depois do que ele dissera a Julian sobre se importar com ela apenas porque Tella podia levá-los até as cartas, Tella não estava disposta a demonstrar nenhum tipo de gratidão.

Queria dizer algo perspicaz ou cortante, mas, para seu horror, a única coisa que saiu foi:

— Você jamais devia usar camisas.

O sorriso dele era devastador. Dante se afastou do pilar com um empurrão e em seguida apoiou o cotovelo em uma das estátuas mais próximas dela. A luz do luar dançou sobre os grossos espinhos negros tatuados ao longo de suas clavículas, enquanto seus olhos escuros faziam o mesmo com Tella. Subiram deslizando por uma das fendas em seu vestido, até que...

Ele fez uma careta.

Alguma coisa fez o estômago de Tella afundar.

— Por que você está me olhando desse jeito?

Dante baixou a mão, pegou a ponta do cordão que prendia o tecido com o qual ela envolvera o corpo e o puxou.

Cada centímetro da pele de Tella esquentou.

— O que você está fazendo?

— Ajudando você. — Ele inclinou a cabeça na direção de uma das estátuas que retratavam mulheres e que usavam uma roupa parecida com a de Tella, exceto pelo fato de que a corda ao redor do tronco ficava logo abaixo dos seios e em seguida se enrolava várias e várias vezes, criando uma trança em formato de diamante até ficar presa com um nó ao redor da cintura, deixando somente duas pontas soltas e curtas perto dos quadris curvilíneos.

— Você fez do jeito errado. — Dante pegou a outra ponta do cordão. — Vamos ter que tirar essa corda e reatá-la.

Tella arrancou as duas extremidades das mãos dele e deu um passo recalcitrante para trás.

— Você não pode abrir o meu vestido nessa escada.

— Isso significa que posso abri-lo em outro lugar? — Aquela voz grave transbordava com promessas sombrias.

Tella bateu nele com a corda.

— Estou só brincando. — Dante ergueu as duas mãos com um sorriso surpreendentemente franco. — Não estava planejando despir você aqui ou em qualquer outro lugar. Mas vamos ter que dar um jeito no seu lençol se você quiser entrar.

— É um sudário, não um lençol — retrucou Tella. — E ninguém se importa com a maneira como ele é atado.

— Se é isso que você pensa, então claramente não sabe o bastante sobre este santuário. Existe um mundo diferente do outro lado daquelas portas de mármore. Se quiser entrar assim, vá em frente. — Ele agitou uma ponta do cordão que ela segurava nas mãos.

Tella o encarou com um olhar furioso.

— Acho que você gosta de me atormentar.

— Se você detesta tanto isso, por que não deu meia-volta e foi embora?

— Porque você está no meu caminho.

Era uma desculpa ruim, e os dois sabiam disso.

Era muito mais fácil detestá-lo em sua cabeça do que frente a frente. Ela continuava enxergando o jeito como Dante olhara para ela quando a carregara para longe do Castelo Idyllwild. Houve um momento em que ele pareceu tão traiçoeiramente jovem e quase vulnerável demais. Mas será que isso era porque ele realmente se importava com a possibilidade de perdê-la? Ou temera por Tella porque perdê-la significava perder a chance de encontrar o Baralho do Destino de sua mãe?

Ela se sentiu tentada a perguntar, a jogar o que ouvira de volta em seu rosto e ver se ele iria se esquivar ou amolecer.

As palavras pesavam na ponta da língua de Tella. Mas nenhuma saiu.

Tella não queria realmente que Dante lhe respondesse, porque, independentemente do que dissesse, não havia uma maneira boa como a história de ambos pudesse terminar. Tella ainda não tinha certeza se um dentre Dante ou Julian era Lenda. Sua conversa com Scarlett semeara dúvidas. Se Dante realmente fosse Lenda, então Tella precisava ter certeza de que quaisquer sentimentos que nutrisse por ele estariam sufocados.

Depois de assistir à peça teatral na noite passada e concluir que Jacks queria libertar todos os Arcanos, Tella refletira sobre seus planos. Não queria ser responsável por libertar os Arcanos e permitir que voltassem ao mundo novamente para poderem reinar sobre o Império como deuses cruéis. Mas não queria morrer outra vez e não queria chegar tão perto de salvar sua mãe — e finalmente lhe fazer todas as perguntas que vinham se acumulando desde o dia em que ela desaparecera de Trisda — simplesmente para fracassar.

Tella não ia ser covarde e fingir que não tinha escolhas simplesmente porque não gostava delas. Ela tinha escolhas e fizera a sua. Ao final do jogo, Tella entregaria Lenda a Jacks.

Aquilo lhe dava esperanças de que Dante não era Lenda. Mas, mesmo se não fosse, ainda não havia futuro para ele e Tella.

Tella não sentia orgulho de si mesma por essa escolha ou por evitar as coisas que não haviam sido ditas entre os dois. Sabia que estava agindo de maneira dissimulada por não dar nem mesmo um indício sobre como quase morrera e como Dante a salvara. Mas ele também não dissera uma palavra a respeito. Provavelmente era isso que ele queria também.

— Tudo bem. — Tella lhe jogou as duas pontas da corda. Poderia deixar simplesmente que ele fizesse aquela coisa e em seguida o mandaria embora. — Mas ande logo com isso.

Ela colocou as duas mãos ao redor da metade de cima do lençol. Lembrou a si mesma que não era pudica. Mesmo assim, Tella sentia que estava segurando a si mesma para não desmoronar, em vez de meramente segurar o lençol no lugar. Cada centímetro de sua pele ia ficando mais sensível, eriçando-se com a percepção conforme ele se aproximava. Dante cheirava a tinta e outras coisas escuras e sedutoras.

Ela segurou o tecido fino com mais força, enquanto ele encontrava o nó em sua cintura e lentamente começava a desfazê-lo. Ele puxou e repuxou, até que Tella estava tão perto dele que tudo que conseguia ver eram as protuberâncias daquele peito tatuado. Os braços estavam cobertos por símbolos, mas o peito dele parecia contar uma história. Um navio naufragado com velas rasgadas se desfraldava em seu abdômen, enquanto estrelas quebradas olhavam para a tragédia de cima. Uma floresta em chamas cobria um dos lados do tórax. Sob o osso das clavículas, um coração negro igual ao que ele tinha no braço chorava sangue de maneira tão realista que ela pensou que o ouvia bater. Quando ele girou ligeiramente para o lado, ela avistou as pontas das penas negro-azuladas que pertenciam às belas asas tatuadas em suas costas.

Tella disse a si mesma que não devia olhar para aquilo tão fixamente. Mas, quando fechou os olhos, tudo se intensificou. O roçar dos nós dos dedos de Dante na curva de seu quadril fez o coração dela acelerar. O polegar largo que pressionava gentilmente sua cintura a fez prender a respiração, enquanto ele continuava a trabalhar com o cordão até que a corda deslizasse da cintura de Tella para as mãos dele. Deixando-a somente com o lençol.

Os olhos de Tella se abriram subitamente.

Dante correu a língua pelos lábios como um tigre que acabava de encurralar um filhote de gato.

Tella segurou o tecido com mais força.

— Não se atreva a sair daqui com esse cordão! Ele ergueu uma sobrancelha.

— Você honestamente pensa que eu a deixaria nestes degraus, desse jeito, depois de me esforçar tanto para conquistar a sua confiança?

— Eu achava que você estivesse trabalhando para *Lenda*.

Ele se aproximou.

— Pense o que quiser, mas, se você honestamente acredita que essa é a única razão para eu estar aqui, neste momento, com as minhas mãos por todo o seu corpo, não é tão inteligente quanto eu pensava.

Em seguida, a corda começou a deslizar ao redor dela.

Uma golfada apressada de sangue correu pelo coração de Tella conforme os braços de Dante se encontraram atrás dela, e ele puxou a corda, retesando-a com firmeza sob seu peito.

— Apertado demais?

— Não.

— Tem certeza? Por um minuto, você parou de respirar. Ou eu simplesmente causo esse efeito em você? — Os lábios de Dante passaram roçando levemente pela orelha de Tella, fazendo cócegas no espaço sensível perto do contorno de sua mandíbula enquanto ele ria baixinho.

Ela o estapearia se isso não fizesse seu vestido cair ao chão.

— Você está adorando isso, não é?

— Você iria preferir que eu detestasse colocar os meus braços ao redor de você? — As mãos de Dante se trançaram novamente ao redor de Tella, e desta vez ele fez um pouco mais do que meramente deslizar por cima do tecido do vestido. Tella sentiu a pressão daqueles dedos deslizando por cima de seu tórax, enquanto ele atava o cordão ao redor dela, até que as pontas se cruzaram logo acima de seu umbigo.

Aquilo não devia fazê-la corar totalmente. Era ali que a história deles terminava, não onde ficava interessante outra vez.

Dante arrastou o cordão para trás dela mais uma vez, com as mãos pousadas agora sobre a cintura de Tella.

— Que tal assim?

— Está ótimo.

— Refiro-me ao cordão.

— Era a isso que eu estava me referindo — disse Tella. Mas estava razoavelmente certa de que suas palavras ofegantes traíam a mentira que acabara de contar. — Conte-me sobre as suas tatuagens — disse ela, esperando conseguir se distrair enquanto ele terminava. — Elas significam alguma coisa ou são somente desenhos bonitos?

— Você os chamou de *bonitos*?

— Você tem alguma coisa contra a palavra?

— Não se você a usar para se referir a mim — respondeu ele. Mas Tella jurava que ele tinha amarrado a corda às suas costas um pouco mais apertado do que o necessário enquanto disse: — Interpreto tantos personagens que as tatuagens ajudam a me lembrar de quem eu sou. Cada uma delas conta uma história verdadeira sobre o meu passado.

— O coração negro com as lágrimas de sangue — disse Tella. — Isso é por causa de uma garota que você amou?

— Sobre essa eu não vou conversar. Mas vou lhe falar sobre o navio com as velas rasgadas. — Os dedos dele deslizaram brevemente sobre as laterais de Tella, lembrando-a exatamente de onde o navio estava tatuado no corpo dele. — Meu pai tentou se livrar de mim quando eu era jovem. Ele me vendeu para uma família nobre de outro continente. Mas ou o destino estava do meu lado ou então estava realmente tentando me destruir. O navio dos nobres foi atacado por piratas que não estavam interessados em capturar prisioneiros. Eu poderia estar entre os mortos também, mas disse a eles que eu era um príncipe que havia fugido de casa.

— E eles acreditaram em você?

— Não. Mas se divertiram o suficiente com a história para me deixarem vivo.

Tella percebeu que estava sorrindo ao pensar no jovem Dante tentando enganar um barco cheio de piratas.

— Quer dizer, então, que você conhece os truques dos piratas?

— Conheço todo tipo de truque. — Dante terminou de atar o cordão. Mas deixou as mãos na curva da cintura de Tella, quentes sobre o tecido fino. — Se você parar de tentar me afastar, eu lhe ensino alguns.

— Parece que estou tentando afastar você?

— Não, mas você quer fazer isso. — Ele pressionou dois dedos sob o queixo de Tella e inclinou o rosto dela para junto do seu. Uma das mãos continuou tocando a corda que ela tinha ao redor da cintura, enquanto a outra se movia para lhe acariciar o rosto devagar. Ela sempre pensara que os olhos de Dante fossem quase negros, mas, sob o brilho ardente das tochas, aqueles olhos pareciam estar contornados por ouro e cheios de algo parecido com desejo. Ele a fitava como se quisesse que Tella se perdesse em algum lugar de seus olhos, de modo que ele poderia ser a pessoa que iria encontrá-la.

Mas Tella sabia que aquela sensação não tinha a ver com ela. Aquela sensação estava ligada à localização de um baralho. Aos Arcanos, ao poder, à vida e à morte. Tella queria saber como seria se perder em alguém como Dante e poder confiar que ele a encontraria. Mas a única pessoa em quem podia confiar era nela mesma.

— Obrigada pela sua assistência, mas acho que posso cuidar de mim mesma daqui por diante. — Ela deu um passo para trás, libertou o queixo da mão de Dante e passou por ele.

Quando seu coração parou por mais um instante, a sensação que ela teve foi mais de tristeza do que a pressão de Jacks, mas ela se forçou a continuar caminhando. A não virar para trás.

O ar escuro ficou doce como o néctar, tingindo-se de uma qualidade quase soporífera quando Tella se aproximou das portas e bateu.

Ouviu Dante chegar a seu lado, mas não se virou de frente para ele.

— Por que você não pode me deixar em paz?

— Posso. Mas não quero, e não creio que você queira que eu faça isso também.

Antes que ela pudesse pedir a ele que fosse embora novamente, a porta perolada diante dos dois se abriu.

Tudo que havia do outro lado era tão pálido quanto as asas esmagadas de pombas brancas ou tão dourado quanto estrelas caídas. Diferentemente da Igreja de Lenda, este lugar se parecia realmente com um templo. E o jovem que abrira a porta se parecia quase exatamente com uma das estrelas divinas das estrelas nos degraus.

32

Tella quase esperava ver Caspar ou Nigel, ou outro dos atores de Lenda, mas o jovem diante dela era completamente estranho.

Parecia uma confirmação de que o jogo havia ficado muito real ou que Tella estava no caminho errado. Ela acreditava que, para vencer o Caraval, tudo que precisava fazer era encontrar o Baralho do Destino de sua mãe. Mas acreditar em alguma coisa não a tornava necessariamente verdade.

A dúvida a atormentava quando entrou no Templo das Estrelas.

O homem que abriu a porta realmente poderia ser uma escultura que ganhara vida. Os braços e as pernas, e todas as partes que Tella conseguia enxergar por baixo das peças de couro que cobriam o peito e as coxas, pareciam-se mais com pedra do que músculo. Talvez ele não fosse tão alto quanto as estátuas do lado de fora do santuário, mas era mais alto do que Dante. Alto a ponto de fazer Tella inclinar o pescoço para enxergar seu rosto completamente.

Ela engoliu um gemido quando observou a bochecha dele.

A metade direita de seu rosto era quase perfeita demais, desde o queixo quadrado até o nariz aquilino e o kajal escuro ao redor dos olhos que se curvavam para o alto. Mas tudo que Tella viu quando olhou para a metade esquerda era a marca queimada a ferro quente na bochecha: uma estrela brutal de oito pontas com um símbolo no centro feito com nós intrincados que Tella não reconhecia.

Ela tentou desviar o olhar, mas teve a certeza de que ele a apanhou olhando fixamente. Como se quisesse provocá-la, deslizou a ponta de um dos dedos pelas linhas cruéis da estrela.

Embora seu rosto estivesse marcado a ferro, uma coroa delgada de prata circundava sua cabeça, e um manto azul-royal lhe caía sobre o corpo do alto do ombro direito, preso ali por um broche de prata que combinava com o anel de sinete no dedo que ele usara para contornar a bochecha. Devia ter uma posição de poder, o que só a deixava mais nervosa. Se o templo fosse tão cruel quanto todos diziam, esse rapaz severo devia ter feito coisas indizíveis para chegar ao topo da hierarquia.

— Eu sou Theron. — Com uma simples flexão do pulso, como se estivesse acostumado a ver pessoas seguindo seus comandos, ele indicou que Tella e Dante entrassem pelo saguão.

O teto acima deles se arqueava como uma série de asas interconectadas, todas negras com salpicos de ouro aglomerados como constelações. Mais abaixo, o espaço octogonal era preenchido primariamente por uma fonte de três andares que fazia escorrer a luz de velas. O piso era de pedra-sabão branca, suficientemente brilhante para refletir o arco luminoso que cobria as portas duplas na parede oposta.

Parecia o tipo de lugar em que uma pessoa devia conversar aos sussurros. Tella teve o impulso súbito de tirar as sandálias, como se elas pudessem macular o piso impecável. Entretanto, mesmo com todo aquele brilho e luzir, havia algo insidioso naquele lugar. Mais estátuas de pedra estavam alinhadas nas paredes, tão realistas quanto aquelas da frente, com a diferença de que todas essas estavam paralisadas com expressões de choque, horror e dor.

— Nosso templo é alimentado pela antiga magia das estrelas — disse Theron. — As câmaras-cofre subterrâneas são mais seguras do que qualquer outra no mundo, mas ocasionalmente alguns tolos pensam que podem invadi-las e roubá-las.

— Que bom que não estamos planejando roubar nada — disse Tella.

Theron nem chegou a esboçar um sorriso.

— O que exatamente vocês querem aqui?

— Tenho uma pergunta sobre...

— Se você veio até aqui por causa do jogo, não temos nenhuma pista — cortou Theron. — E também não somos uma atração turística como tantas das outras basílicas. Para passarem deste salão e receberem respostas às suas questões, vocês terão de provar que seus motivos não são impuros e que procuram verdadeiramente as estrelas. — Ele conduziu Tella e Dante até um pedestal solitário de marfim encimado por uma vasilha de cobre martelado, velha e surrada se comparada a todo o restante. — Para que os examinemos, pedimos uma gota de sangue.

Dante olhou para Tella de soslaio.

Mas ela não precisava que ele a lembrasse de quão poderosa uma gota de sangue pode ser. Dante e Julian usaram sangue para curá-la depois que a Rainha Morta-Viva e Suas Aias a atacaram, mas o sangue também poderia ser usado para roubar coisas, como dias da vida.

— Preciso somente de uma alfinetada em um dedo. — Theron estendeu a mão direita, revelando um anel negro de opala com o formato de uma estrela, afiado o bastante para cortar a pele e mordazmente familiar.

O anel tinha uma similaridade incrível com o de sua mãe.

Elantine tinha razão.

Os olhos de Tella apontaram diretamente para sua mão. As pedras de ambos os anéis eram talhadas e tinham o formato de estrelas. Mas a cor da gema de Theron era diferente. Sua pedra era preta, com veios de azul pulsante e filamentos verdes. A de Tella tinha um tom de alfazema chamejante, luminosa, cercada por um centro vermelho-cereja ardente e uma fina linha de ouro descendo pelo meio que dava a aparência de uma faísca prestes a explodir em chamas. Mas, mesmo antes de ter mudado de cor depois do desaparecimento de sua mãe, ele era muito mais claro que o de Theron.

— O seu anel serve somente para espetar dedos, ou representa alguma outra coisa? — Perguntou Tella.

— Você ainda não fez por merecer a resposta a essa questão.

— E se eu tiver um anel similar? — Tella estendeu a mão.

O olhar de Dante se estreitou e pousou no dedo de Tella. Uma ruga se formou entre os olhos de Theron.

— Como esse anel se tornou sua propriedade?

— Ele pertencia à minha mãe.

— Ela está morta?

— Não.

— Ela não devia ter lhe dado o anel.

— Por que não? O que isso significa?

— Significa que ela tem uma dívida conosco que não foi paga.

Dante ficou tenso ao lado de Tella.

Aquela não era uma boa notícia, mas era melhor do que não ter informação alguma.

— O anel no seu dedo é uma chave — disse Theron. — Se realmente pertenceu à sua mãe, ela deve ter guardado algo em nossas câmaras-cofre que só pode ser recuperado com o anel. Entretanto, a cor da joia significa que ela foi amaldiçoada.

— Como posso quebrar a maldição?

— A única maneira é pagar a dívida — respondeu Theron, sem se abalar. — Até que o pagamento seja feito, a chave no seu dedo não vai funcionar para abrir o cofre dela.

— Tella... — O tom de voz de Dante soava como um alerta.

Mesmo que fosse o caso, Tella não queria ouvi-lo. Sua mãe não somente estivera aqui, mas alguma coisa que lhe tinha pertencido estava nos cofres. Talvez fosse o Baralho do Destino que Tella precisava encontrar. Ou talvez fosse outra coisa que contaria a Tella mais sobre quem fora sua mãe.

— O que ela deve? — perguntou Tella. — O que ela colocou nos seus cofres?

— Não posso responder a essas perguntas — disse Theron. — Mas o anel pode. Ele tem uma memória, ativada pelo sangue. Se pertenceu verdadeiramente à sua mãe, o seu sangue deve produzir uma visão do que ela nos prometeu. Tudo que você precisa é alfinetar o dedo com uma das pontas do anel e deixar o sangue cair na vasilha.

— Tella... — rosnou Dante. — Acho que você não deveria...

Mas Tella já estava pressionando a ponta do dedo no antigo anel de sua mãe. O vermelho brotou, brilhante como as pétalas de uma rosa, antes de cair na vasilha de cobre e ficar branco.

Tella prendeu a respiração quando a gota leitosa de sangue se transformou em uma névoa que refletiu a imagem de uma mulher diante de uma vasilha exatamente como aquela que estava à frente de Tella. Mas não era uma mulher qualquer. Era sua mãe, Paloma. Era mais velha do que parecia no retrato que Tella vira nos Mais Procurados de Elantine; parecia ter a mesma idade que tinha quando desaparecera de Trisda. Mas parecia muito mais severa do que Tella se lembrava. Não havia traços de seu sorriso enigmático, não havia o brilho em seus olhos escuros. Aquela era uma versão impiedosa de sua mãe, com a qual Tella não estava familiarizada.

Na visão, Paloma não estava vestida com um sudário, como Tella; ou, se estava, a peça estava escondida sob o manto azul-escuro que ela usava. Parecia estar conversando com alguém, mas a pessoa com quem ela falava era meramente uma sombra.

— Paradise, a Perdida — disse a sombra. Sua voz soava como fumaça que ganhara vida. Grossa, pesada e sufocante. — Achei que você houvesse jurado nunca mais fazer outra barganha conosco.

— Voto são feitos para serem quebrados — disse Paloma. — E, aparentemente, feitiços também são, porque aquele que vocês colocaram nas minhas cartas para escondê-las perdeu a força.

— É por isso que sugerimos guardá-las nas câmaras-cofre do nosso templo, junto com os outros objetos que estamos guardando para você.

— Sugeriram? — bufou Paloma. — Achei que você tivesse dito que eu não poderia colocá-las no meu cofre.

— Não, nós dissemos que você precisaria pagar um preço extra. Paloma se enrijeceu.

— Então você se lembra — disse a voz. — E, como somos generosos, a oferta continua de pé.

— Pelo mesmo preço de antes?

— Sim. E agradeça por não requerermos mais para proteger um artefato tão terrível.

— O que mais vocês podiam pedir a uma mãe além de entregar a primeira filha que ela concebeu?

— Poderíamos pedir a sua segunda filha também.

— Eu nunca daria as duas para vocês — disse Paloma. — Mas você pode ficar com a minha segunda filha.

— E de que nos adiantaria a sua segunda filha, além de ser um enfeite bonito? — perguntou a sombra.

— Vi o futuro. Ela vai ter grandes poderes. Se vocês não acreditam em mim, tenho as cartas para provar. Embora eu creia que será melhor se jamais as usar novamente. — Paloma ergueu o queixo teimosamente. — A maldição que prende os Arcanos está perdendo força. Ela enfraquece a cada vez que as cartas são usadas.

— Isso não é um assunto que nos diga respeito.

— Deveria ser. Outros Arcanos vão escapar. Deixem-me usar seus cofres para esconder essas cartas enquanto procuro uma maneira de destruí-las. A menos que queiram que este lugar de adoração se transforme no Templo da Estrela Caída. Porque garanto que, se os Arcanos retornarem, vão permitir somente que as pessoas adorem a eles.

A figura sombria pareceu escurecer, passando de um cinza esfumaçado para um quase negro.

— Muito bem — disse a sombra, finalmente. — Dê-nos a sua segunda filha e nós a deixaremos usar os nossos cofres para guardar suas cartas amaldiçoadas.

— De acordo. — Paloma usou uma faca para cortar a palma. — Minha filha...

— Não! — Tella derrubou a bacia de cobre do pedestal, destruindo a imagem antes que ela pudesse lhe mostrar mais coisas horrendas. — Minha mãe não tinha o direito de fazer isso! — Tella balançou a cabeça, passando os dedos furiosamente por entre seus cachos enquanto recuava. — Mesmo que essa imagem seja real, não pertenço a ela para ser usada como moeda de troca.

— E mesmo assim... — disse Theron — ela o fez. Foi selado em sangue. Uma vez que você...

Tella começou a correr antes que Theron pudesse terminar. Ele disse *uma vez que você*, o que deu a Tella a impressão de que teria de fazer algo antes que eles pudessem apanhá-la. E ela não planejava permitir que isso acontecesse, jamais. Tella jamais pertenceria a quem quer que fosse.

Pelos sons que ouvia, Dante também não a perseguia, embora Tella não tivesse se dado ao luxo de olhar para trás enquanto descia as escadas do Templo das Estrelas a toda a velocidade. Seu sudário barato quase se rasgou durante a fuga, mas ela não parou de correr.

Scarlett tinha razão. Sua mãe era pior do que seu pai. Pelo menos ele esperou até que Scarlett fosse maior de idade para vendê-la como um cabrito. Tella nunca tinha sentido seu peito tão vazio. Havia sacrificado tudo por sua mãe, arriscou sua liberdade e sua vida, acreditando que a mãe ainda a amava e precisava dela. Mas a verdade é que ela nunca se importara. Não somente abandonara Tella, mas decidira dá-la a outras pessoas como se fosse um vestido usado.

Tella podia ter continuado a correr, mas suas sandálias estavam começando a arrebentar e as ruas não lhe pareciam mais tão familiares.

A grama acidentada, tornada escura pela noite, se esfregava contra seus calçados. Em vez de incenso e óleos, o ar cheirava a cervejas viscosas e cidras de frutas ácidas. Com um ligeiro correr de olhos, Tella viu palcos temporários e cortinas teatrais dependuradas em árvores.

Havia corrido para o interior de um parque. Mas Tella não fazia ideia da parte da cidade à qual o lugar pertencia.

Não ao Bairro das Especiarias. Tudo era bonito demais. Desde os confeitos fritos dos vendedores de rua salpicados com violetas maceradas e açúcar até os vestidos decorados com joias usados pelas mulheres e os cintos reluzentes para portar armas que ornamentavam os homens. Com a diferença que as espadas nos cintos não pareciam reais, nem as joias das mulheres.

Parecia que ela havia chegado durante um pequeno festival feito de peças teatrais encenadas no parque, ou a algum tipo de feira para celebrar o aniversário vindouro da imperatriz — talvez para todos os valendanos que não participavam do Caraval. Olhares curiosos estavam apontando para sua direção. Mas Tella duvidava de que alguém a confundiria com algum dos atores. A menos que estes espetáculos em particular envolvessem o sacrifício de uma mulher, Tella estava vestida de maneira totalmente errada. As mulheres aqui estavam todas cobertas com vestidos com mangas boca de sino e saias esvoaçantes, enquanto Tella estava com as pernas nuas e os braços expostos. De repente, ela estava congelando. Agora que parara, a fadiga a atingiu como uma onda de gelo, deixando-a abalada e sem fôlego, e sem um coração que funcionasse adequadamente para aquecê-la.

Ao avistar um mascate que vendia mantos, Tella afanou uma peça escura que parecia ter o seu tamanho.

— Ladra! — gritou o vendedor. Tella começou a correr.

— Devolva isso! — Um par de braços pesados a derrubou no chão, e um peito sólido a pressionou contra a grama áspera.

— Saiadecimademim! — Ela tentava se desvencilhar. — Podeficarcomessetecidosujo!

O mascate rolou para sair de cima dela e arrancou o manto que lhe cobria os ombros. Mas deixou uma mão no pescoço de Tella, e apertou. Duramente e com força. Até Tella sentir as pregas de sua garganta se esfregando. — Sua ladra suja. — Ele continuou apertando o rosto dela contra o chão. — Isso vai ensiná-la a não...

— Solte-a! — rugiu uma voz.

A mão foi arrancada do pescoço de Tella. Em seguida, braços a levantavam do chão, puxando-a com força para um peito arfante que cheirava a tinta, suor e fúria.

— Acredito que seja contra a lei matar alguém por pegar um manto emprestado — rosnou Dante para o mascate.

Borrões de um vermelho irritado tingiram o rosto barbado do homem.

— Ela não estava pegando emprestado. Ela o roubou!

— Não foi isso que me pareceu — disse Dante. — O manto está nas suas mãos agora. Não vi a peça nas mãos dela. Mas vi que você estava tentando matá-la.

O mascate cuspiu uma série de xingamentos.

— Dê-nos a peça e não vou mandar que o prendam — disse Dante.

Tella só conseguia ver o peito dele deste ângulo, mas imaginou que ele parecia um guerreiro — em pé ali, sem camisa, em todo o seu esplendor divino e trajado como uma estrela vingadora que acabara de cair do céu.

— Está bem — resmungou o homem. — Não quero mais esse manto sujo.

— E vou ficar com um para mim também, mas preto. — A voz de Dante era impiedosa, um tom que Tella jamais ouvira lhe cruzar os lábios, mas tudo que fizera com ela fora gentil. Ele prendeu a capa cuidadosamente ao redor dos ombros nus e das pernas trêmulas de Tella.

— Está tudo bem com você? — perguntou ele.

Tella desejou poder confirmar com um aceno de cabeça ou rir e provocá-lo por se preocupar tanto. Mas, quando tentou rir, sua risada soou como se estivesse estrangulada, e, quando tentou assentir, sua cabeça caiu pateticamente contra o peito de Dante.

Ela não queria chorar. Nem aquele mascate imundo e nem sua mãe valiam uma única lágrima. Mas, embora Tella fosse capaz de se livrar facilmente da sensação causada pelas mãos rudes do mascate, não conseguia fazer o mesmo com as palavras que sua mãe dissera. Não somente sua mãe a deixara como também usara Tella em uma barganha. Não Scarlett; sua irmã nem chegara a ser considerada. Parecia que sua mãe não era uma criatura incapaz de amar. Ela simplesmente não amava Tella.

Mais lágrimas caíram dos olhos de Tella.

— Espero que ela morra! — Tella não sabia se havia murmurado aquela frase ou se a havia berrado. — Durante anos orei para qualquer santo que pudesse estar escutando para que, por favor, a mantivesse viva até eu conseguir encontrá-la. Desperdicei todas as minhas orações com ela, e ela me entregou como se eu fosse um pano sujo. Mas volto atrás em tudo!

Tella realmente gritou aquilo.

— Volto atrás! Você pode deixar que ela morra ou apodreça em sua prisão de papel. Não me importo mais. Não me importo mais...

Tella não sabia quantas vezes tinha murmurado aquelas últimas cinco palavras.

Dante apenas continuou a acariciar seus cabelos e suas costas com dedos fortes e reconfortantes enquanto continuava a carregá-la consigo. Ocasionalmente ele pressionava algo que se parecia com um beijo no alto de sua cabeça. Mas foi somente quando ela ficou em silêncio que ele finalmente perguntou:

— Para onde você quer que eu a leve?

— A algum lugar para esquecer.

33

Tella apertou a cabeça contra o peito quente de Dante. Estava muito cansada. Cansada de jogos e mentiras, de corações partidos, e cansada de tentar resgatar a si mesma e a sua mãe. Queria se esquecer de tudo aquilo. Talvez fechasse os olhos e dormisse ou talvez só demorasse um momento para que ele a levasse até algum lugar distante do parque. Parecia que muito pouco tempo se passara até que ela ouvisse a voz de Dante outra vez.

— Está bem para caminhar?

Tella conseguiu fazer um sinal afirmativo com a cabeça, e Dante a colocou suavemente diante de uma escadaria com degraus que começavam a se despedaçar, cobertos de musgo e enredados por teias de aranha expulsas. Ruínas tão abandonadas que nem mesmo os insetos haviam ficado ali. Mas elas pareciam ser iluminadas pelas estrelas. Tella ergueu os olhos e viu que eles estavam na borda do coração branco e cintilante que Lenda colocara no céu.

— Que lugar é este?

— Os mitos mais velhos de Valenda dizem que isto pertenceu a um governador que governou muito tempo antes de o Império Meridiano começar, na época em que os Arcanos reinavam na Terra. — Dante a guiou até o alto da escadaria, rumo ao esqueleto de uma velha mansão. Anna, a avó de Tella, sempre dissera que a beleza de uma pessoa era determinada pelos ossos. Se isso fosse verdade, os ossos desta mansão faziam Tella pensar que o lugar devia ter sido resplandecente em tempos antigos.

Os pilares desmoronados e os pátios cobertos pela vegetação falavam sobre uma riqueza antiga, enquanto as estátuas rachadas e os fantasmas de tetos pintados deixavam indícios sobre uma arte que desaparecia. Somente uma relíquia parecia ter evitado a carícia mortal do tempo. Uma fonte no pátio central, esculpida no formato de uma mulher vestida de um jeito similar ao de Tella, segurando uma jarra que vertia uma torrente infindável de água vermelho-groselha no chafariz que lhe cercava os tornozelos.

— Dizem que este lugar é amaldiçoado — prosseguiu Dante. — Durante uma das muitas festas do governador, a esposa descobriu que ele planejava envenená-la e então se casar com uma amante mais jovem. Em vez de tomar o veneno, a esposa acrescentou três gotas do seu próprio sangue e o despejou no chão como oferenda a um dos Arcanos: o Envenenador. Ela jurou viver o restante da sua vida servindo-o como uma das suas aias, desde que ele atendesse a um pedido seu.

— E o que ela pediu?

— A esposa não sabia quem era a amante do marido, mas sabia que a mulher estava na festa. Assim, ela desejou que o marido somente se lembrasse da esposa.

— O que aconteceu, então?

— O Envenenador concedeu o desejo. Depois de beber uma taça de vinho envenenado, o marido se esqueceu de todas as pessoas que conhecia, exceto a esposa. — Dante olhou de lado para a estátua que despejava o conteúdo da jarra sem fim.

— Essa estátua é a esposa? — perguntou Tella.

— Se você acreditar na história. — Dante sentou-se na beirada da fonte, deixando a água vermelha correr por trás dele em tons musicais suaves enquanto continuava a contar a história. — A esposa não ficou contente. O Envenenador havia apagado todas as pessoas da memória do marido. Um governador não é útil se ele conhecer somente uma pessoa. Quando as notícias sobre a sua condição escaparam, ele foi removido do cargo e não demoraria muito até que fossem forçados a sair da casa. Assim, embora sua primeira barganha não houvesse terminado bem, a esposa derramou mais sangue e invocou o Envenenador novamente, pedindo-lhe que restaurasse a memória do marido. Ele a avisou que, se fizesse isso, o marido tentaria matá-la mais uma vez. Assim, a mulher prometeu servir o Envenenador após a morte também, e pediu outro favor. Pediu o poder de fazer o marido se esquecer de apenas uma pessoa. O Envenenador concordou, mas novamente ele a acautelou de que haveria consequências. A mulher não se importou, desde que conseguisse manter sua casa e o título.

— Acho que sei como essa história vai terminar — disse Tella.

— Quer tentar terminar a história? — ofereceu Dante.

— Não. — Tella sentou-se ao lado dele na beirada do chafariz. — Você tem a voz boa para contar histórias.

— É claro que tenho.

— Você é muito cheio de si. — Ela se inclinou para mais perto para lhe acertar nas costelas com o cotovelo, mas Dante aproveitou a oportunidade para deslizar o braço pesado ao redor da cintura de Tella e trazê-la para o seu lado.

Ele era tão caloroso, um escudo humano que a protegia do resto do mundo. Ela se permitiu aconchegar-se junto a Dante, enquanto ele dizia:

— O Envenenador restaurou a memória do marido. Depois, o Arcano disse à esposa que, se pegasse uma jarra de água e a despejasse na fonte que ficava no centro do pátio, ela se transformaria em um vinho que teria o poder de fazer seu marido se esquecer da outra mulher que amava. A esposa obedeceu, mas, quando despejou a água e o líquido se transformou em vinho, ela também começou a mudar, transformando-se em pedra, enquanto o marido a observava da sacada acima. Ele só havia recobrado a memória umas poucas horas antes, mas fora o bastante para invocar um Arcano também.

— Então ele pediu que ela fosse transformada em pedra? — perguntou Tella.

— Ele desejou que ela morresse, mas o Envenenador prometeu que ela manteria sua casa e seu título. E os Arcanos sempre cumprem o que prometem.

Tanto Tella quanto Dante se viraram para olhar outra vez a mulher petrificada. Ela não parecia estar furiosa, como Tella suspeitava de início, nem tentando lutar contra o terrível feitiço.

Em vez disso, parecia até mesmo contente com a situação, derramando seu vinho amaldiçoado da mesma maneira que outra pessoa poderia verter uma aposta ou um desafio.

— Acredita-se que qualquer pessoa que beba desta fonte pode esquecer qualquer coisa que escolha — disse Dante.

— E pensei que você estivesse me contando a história para me ajudar a esquecer.

— Fiz isso? — perguntou ele.

— Por um minuto — admitiu ela. Mas, infelizmente, aquele momento já havia passado. Tella mergulhou o dedo na fonte, cobrindo-o com redemoinhos do vinho mordaz. Seria muito fácil colocar o dedo na boca, fechar os olhos e esquecer o que a mãe dissera e fizera.

Entretanto, mesmo se acreditasse no mito trágico de Dante, ela não tinha certeza de que realmente queria se esquecer. Tella deixou a mão cair, esfregando o vinho amaldiçoado contra o branco de seu sudário.

— Sabe qual é a parte mais triste? Eu já devia saber disso o tempo todo. Fui avisada — disse Tella. — Quando era criança, li a minha sorte. Ela continha o Príncipe de Copas. Assim, durante quase toda a minha vida eu soube que estava destinada a um amor não correspondido. Nunca me permiti aproximar de qualquer pessoa, exceto minha irmã, pelo medo de que as outras pessoas fossem partir meu coração. Nunca me ocorreu que a pessoa de quem eu realmente precisaria me proteger fosse minha própria mãe.

Tella tossiu em um som que mais se parecia com um soluço choroso e uma risada magoada.

— Parece que as pessoas que dizem que não podemos mudar o destino têm razão.

— Não acredito nisso — disse Dante.

— Então no que acredita?

— O destino é somente uma ideia, mas penso que, quando acreditamos nele, nós o transformamos em algo além. Você acabou de dizer que evitou o amor porque acreditava que isso não fazia parte do seu futuro, e, por isso, não fez.

— Essa não foi a única carta que puxei. Também virei a Morte Donzela, e pouco tempo depois minha mãe desapareceu.

— Apenas uma coincidência. Pelo que ouvi a respeito da sua mãe, parece que ela teria ido embora independentemente de você ter virado a carta ou não.

— Mas... — Tella quase lhe contou sobre o Aráculo e todas as previsões que a carta havia lhe mostrado. Mas será que ela realmente havia lhe revelado o futuro ou a carta a vinha manipulando durante todo esse tempo, como ela suspeitou na noite anterior? Será que o Aráculo havia usado vislumbres de possíveis futuros não para ajudá-la, mas para guiá-la até Jacks para que ele pudesse libertar os Arcanos?

Tella pensara em si mesma como uma pessoa ousada e audaciosa que tentaria mudar o destino da irmã e da mãe. Mas talvez o noivo de Scarlett realmente fosse uma pessoa decente. E talvez o Aráculo também tivesse mentido sobre sua mãe. A carta a mostrara na prisão e morta, mas, se Tella não vencesse o Caraval, se deixasse as cartas trancadas no cofre das estrelas, sua mãe não morreria nem acabaria ensanguentada em uma prisão. Simplesmente continuaria onde estava, presa em uma carta.

Como merecia.

Como se estivesse lendo seus pensamentos, Dante emendou:

— Não acredito que aquilo que você viu hoje prova que sua mãe não a amava. O que ela fez pareceu terrível, mas julgá-la com base em um momento como aquele é o mesmo que ler uma página de um livro e presumir que conhece toda a história.

— Você acha que ela tinha uma boa razão para fazer o que fez?

— Talvez. Ou talvez eu só queira ter a esperança de que ela é melhor do que a minha mãe. — Dante disse aquilo da mesma maneira descuidada como lhe contara a história de suas tatuagens, como se os eventos tivessem acontecido tanto tempo antes que não importassem realmente. Mas as pessoas não tatuam no corpo histórias com as quais não mais se importam, e Tella percebeu que Dante sentia o mesmo em relação à própria mãe. A mãe de Dante talvez não fizesse mais parte de sua vida, mas ele ainda sentia a mágoa que ela lhe causara.

A mão de Tella encontrou os dedos de Dante no escuro. Em algum lugar no espaço, entre o Templo das Estrelas e este lugar amaldiçoado, alguma coisa entre os dois havia mudado. Antes, o relacionamento entre os dois era muito parecido com o Caraval. Parecia um jogo. Mas, no momento em que ele a colocou nos degraus destas ruínas, parecia que haviam entrado no mundo real. Quando ela fez sua próxima pergunta, não foi porque estava tentando descobrir se Dante era Lenda; na verdade, ela desejava desesperadamente que ele não fosse.

— O que sua mãe fez com você?

— Acho que você poderia me dizer que ela me deixou com o circo.

— Está falando sobre o Caraval?

— Não era o Caraval naquela época, mas apenas um grupo sem qualquer talento de atores que moravam em tendas e viajavam pelo continente. As pessoas gostavam de dizer que minha mãe só fez o que acreditava ser o melhor para mim, mas meu pai era mais honesto. Ele gostava de beber e certa noite me contou exatamente que tipo de mulher ela era.

— Ela era uma...

— Sei no que você está pensando, e não. Embora eu a respeitasse mais se ela fosse uma prostituta. Meu pai disse que ela só dormiu em sua cama para poder roubar algo que ele conseguiu recolher em suas viagens. Os dois passaram uma noite juntos, e, quando ela retornou, pouco depois de eu nascer, para me deixar com ele, escreveu uma carta para a esposa do meu pai contando tudo sobre a experiência e garantindo que eu jamais seria realmente bem-vindo na família.

Tella imaginou um Dante mais jovem, todo braços e pernas desengonçados e cabelos escuros encobrindo a mágoa em seus olhos.

— Não sinta pena de mim. — Dante apertou a mão ao redor da cintura de Tella e pressionou os lábios contra sua cabeça, perto da orelha, enquanto dizia: — Se a minha mãe fosse uma pessoa melhor ou mais gentil, talvez eu me tornasse uma pessoa boa. E todo mundo sabe que ser bom é muito chato.

— Eu definitivamente não estaria aqui com você, se você fosse bom. — Tella visualizou a palavra *bom* murchando ao lado de Dante. *Bom* era a palavra que as pessoas descreviam como dormiram à noite e pão recém-saído do forno. Mas Dante tinha mais a ver com o fogo. Ninguém chamava o fogo de bom. Fogos eram quentes e queimavam as coisas com as quais as crianças eram advertidas para não brincar.

E, mesmo assim, pelo menos daquela vez, Tella nem pensara em se afastar dele. Costumava pensar que era ridícula a ideia de que uma garota daria seu coração a um rapaz, mesmo que soubesse que aquilo também daria a ele o poder para destruí-la. Tella trocara coisas com outros rapazes, mas nunca corações, e, embora ainda não tivesse planos de entregar aquela parte de si para Dante, estava começando a compreender como os corações podem ser lentamente entregues, sem que uma pessoa perceba. Como, às vezes, um simples olhar, ou um raro momento de vulnerabilidade como aquele que Dante acabara de compartilhar com ela eram o bastante para roubar parte de um coração.

Tella arqueou o pescoço para olhar para ele. Acima da cabeça de Dante, o céu havia mudado, enchendo-se com fitas de nuvens arroxeadas como hematomas que davam a impressão de que a noite havia caído ao contrário. Em vez de se mover para a frente, o céu parecia estar se dirigindo rumo ao poente, para uma época em que não havia nenhuma estrela bisbilhoteira, deixando-os sem vigilância e sozinhos no jardim amaldiçoado.

— Então... — disse ela cautelosamente. — Essa é a sua maneira de me dizer que você é o vilão?

A risada contida de Dante foi sombria. — Eu definitivamente não sou o herói.

— Eu já sabia disso — disse Tella. — Esta é a minha história, então claramente sou a heroína.

Os dois cantos da boca de Dante se ergueram, e seus olhos faiscaram, ficando tão quentes quanto o dedo que agora se erguia para traçar o contorno do queixo de Tella.

— Se você é a heroína, quem sou eu?

O dedo dele mergulhou em direção aos ossos de sua clavícula.

O calor se espalhou pelo peito de Tella. Este seria o momento de se afastar; em vez disso, ela deixou que um toque de desafio escorregasse para sua voz.

— Isso é algo que ainda estou tentando descobrir.

— Gostaria da minha ajuda? — Dante deixou a mão cair até tocar os quadris dela.

A respiração de Tella acelerou.

— Não. Não quero a sua ajuda... quero você.

O olhar de Dante se incendiou, e ele tomou a boca de Tella na sua.

Aquilo não foi nem um pouco parecido com o beijo embriagado que eles trocaram no chão da floresta, uma combinação grosseira de sedução e desejo por um entretenimento temporário. Este beijo era mais próximo de uma confissão, brutal, cru e honesto de uma maneira que os beijos raramente eram. Dante não estava tentando seduzi-la; ele a estava convencendo de quão pouco a bondade importava, porque nada que ele estava fazendo com as mãos podia ser considerado bom. Mesmo assim, cada roçar de seus lábios era doce. Onde outros haviam exigido, Dante pedia, deslizando vagarosamente a boca sobre a dela até que Tella entreabrisse os lábios, deixando a língua dele deslizar para dentro, enquanto o parceiro a puxava para seu colo.

Talvez o encantamento da fonte estivesse agindo, porque Tella imaginou que, quando terminasse de beijar Dante, iria se esquecer de todos os outros garotos que já haviam lhe tocado a boca.

Os lábios de Dante se moveram até a mandíbula de Tella, mordiscando e lambendo suavemente enquanto suas mãos encontravam a corda que ele lhe atara ao redor da cintura. Enredando os dedos na corda, ele a puxou para mais perto, até que tudo fosse feito apenas dos dois. De suas mãos, de seus lábios e dos lugares onde as peles se encontravam.

Eles não haviam nem se afastado, e Tella já estava pensando em beijá-lo de novo, e de novo, sentindo o sabor não apenas de seus lábios, mas de cada uma daquelas tatuagens e cicatrizes, até que o mundo acabasse e eles não fossem nada além de sombras e fumaça. E Tella não conseguia mais se lembrar da sensação de puxar o manto dos ombros de Dante e deslizar as mãos por suas costas. Ou o sabor que aqueles lábios tinham quando falavam palavras contra sua boca que se pareciam com promessas que ela esperava que ele cumpriria.

E, pela primeira vez em sua vida, Tella queria ainda *mais*. Queria que a noite se estendesse para sempre e que Dante lhe contasse mais histórias sobre Arcanos, sobre seu passado e qualquer outra coisa que ele quisesse dizer. Naquele momento, dentro daquele beijo, ela queria saber tudo a respeito dele. Ela o queria, e aquilo não mais a assustava.

Ele tinha razão. Tella quisera culpar os Arcanos por seus infortúnios, mas ela era aquela que sempre fugira da possibilidade de amar. E, no fundo, ela sabia que aquilo não tinha realmente a ver com os Arcanos. Tinha a ver com sua mãe e como ela havia ido embora sem jamais olhar para trás. Tella dizia que não queria o amor; gostava de dizer que o amor prendia, controlava e despedaçava corações. Mas a verdade era que ela também sabia que o amor curava e mantinha as pessoas unidas. Ela gostava dos beijos, mas uma parte sua sempre desejara que, sempre que se afastasse de um rapaz, ele viria correndo atrás dela, imploraria para que ficasse e depois prometeria que jamais a deixaria.

Ela aceitara as cartas que recebera e as transformara em seu destino, porque aquilo parecia ser a única maneira de se proteger depois que a mãe partira. Mas talvez, se Tella escolhesse rejeitar o que vira nas cartas, pudesse ter um novo destino. Um destino em que não tivesse que ter medo do amor.

Quando o beijo finalmente terminou, os mantos dos dois estavam amontoados no chão, os braços de um estavam ao redor do outro, e o céu havia voltado para onde devia estar, para a hora negra logo antes do nascer do sol. Apenas a lua continuava no céu, sem dúvida desejando ter lábios depois de testemunhar o que Dante e Tella acabaram de fazer.

Dante falou contra sua boca, desta vez alto o bastante para que ela conseguisse ouvir as palavras.

— Acho que eu gostaria de você mesmo se fosse a vilã. Ela sorriu contra os lábios dele.

— Talvez eu gostasse de você, mesmo se fosse um herói.

— Mas eu não sou o herói — ele a lembrou

— Então talvez eu esteja aqui para salvá-lo. — Desta vez foi ela quem tomou a iniciativa do beijo. Mas não foi tão doce quanto antes. Tinha um gosto acre. Metálico. Errado.

Tella se afastou e, naquele momento, jurou que as estrelas tinham retornado e brilhavam com um pouco mais de intensidade apenas para serem cruéis. A luz caiu sobre Dante, iluminando o sangue que lhe escorria pelo canto da boca. Lento, vermelho e amaldiçoado.

34

Tella se levantou da fonte com um empurrão e virou-se de costas. Nem prestou atenção para onde estava indo enquanto enxugava os lábios com as mãos. O sangue continuava a escorrer pelos cantos da boca, trazendo-a impiedosamente de volta à realidade da situação e ao jogo em que ela e Dante estavam em lados diferentes. Sua mãe talvez não merecesse mais ser salva, mas Tella ainda precisava ser.

Bate...

Nada.

Bate...

Nada.

Bate...

Nada.

Era quase como se Jacks estivesse observando, esperando que Tella tivesse um único momento de felicidade para poder arrancá-lo.

Entre as batidas agonizantes de seu coração, ela ouviu os passos pesados de Dante quando ele se levantou da fonte e a seguiu, até estar diretamente atrás dela.

— Tella, por favor, não corra. — Sua voz era tão gentil quanto a mão que ele colocou no alto das costas nuas dela. O corpo inteiro da jovem ficou subitamente gelado, exceto pelo lugar onde a palma dele repousava. Um contraste enorme ao toque eternamente frio de Jacks e seu coração que não batia. E ainda assim, ao final de tudo, o triunfo seria de Jacks.

Tella podia ser a única pessoa capaz de recuperar o Baralho do Destino de sua mãe dos cofres das estrelas e vencer o Caraval, mas Jacks e os Arcanos que ele planejava libertar seriam os verdadeiros vitoriosos. Quando entregasse Lenda a Jacks, Tella não estaria mais amaldiçoada, mas estaria escravizada pelas estrelas por usar o anel da mãe. A liberdade pela qual ela tanto lutara iria desaparecer. E haveria uma boa chance de que Lenda e o Caraval desapareceriam também.

Tella realmente era a vilã, afinal de contas.

Ela anda poderia sentir que dar Lenda a Jacks era o caminho certo a trilhar se acreditasse que sua mãe era uma pessoa digna de ser salva. Mas, naquele momento, Tella preferia a ideia de manter Paloma aprisionada em uma carta.

— Tella, por favor, fale comigo — disse Dante.

— Não vou correr. Mas preciso de um instante.

Sem deixar Dante ver seu rosto, Tella retornou à fonte. Tomou o vinho nas mãos, com cuidado para não engolir nem um pouco enquanto enxaguava o sangue da boca. Quando terminou, cuspiu o líquido nos arbustos e apanhou o manto para enxugar os lábios antes de colocá-lo novamente sobre os ombros. Estava tentando ganhar tempo. Dante a vira chorando, sangrando e às portas da morte. Um pouco de sangue em sua boca não iria fazê-lo se assustar.

— Você ainda não confia em mim, não é? — perguntou ele.

Finalmente ela se virou para trás.

A noite havia ficado mais escura, mas Tella conseguia ver que a testa de Dante estava coberta de linhas de preocupação e suas mãos estavam rígidas ao lado do corpo, como se estivessem contendo o desejo de tocá-la.

— Não confio em mim mesma — admitiu ela.

Dante deu um passo vagaroso adiante, aproximando-se dela.

— É porque agora você acredita que não é um jogo?

— O que eu disser tem importância? Você me contaria a verdade se eu perguntasse se tudo isso foi real?

— Se você precisa perguntar, imagino que não acreditaria em mim.

— Tente — disse Tella.

— Sim. — Dante avançou mais um passo. — Em relação a tudo.

— Até mesmo o que houve entre nós?

A cabeça de Dante baixou um pouco.

— Depois de tudo o que aconteceu, eu imaginaria que isso já seria óbvio.

— Mas talvez eu ainda queira ouvir. — Mais importante ainda, ela precisava ouvir. Tella acreditava que o jogo era real. Queria acreditar que qualquer coisa que estivesse acontecendo entre ela e Dante era real também. Mas sabia que o simples fato de finalmente admitir para si mesma que queria mais com ele não significava que Dante sentisse o mesmo. O jogo podia ser genuíno, mas isso não significava que tudo que acontecia na relação entre os dois também fosse. — Dante, por favor. Preciso saber se você só está aqui por causa de Lenda ou se isto é real.

— O que faz uma coisa ser real, Tella? — Dante enganchou um dedo por dentro da corda que ela tinha ao redor da cintura. — Ver alguma coisa a faz ser real? — Ele puxou a corda e a trouxe para perto de si, até que tudo que ela conseguia ver era seu rosto. — Ou ouvir alguma coisa a torna real? — A voz dele ficou um pouco áspera. — E o que me diz de sentir alguma coisa? Isso é o bastante para torná-la real? — A mão livre de Dante subiu deslizando pelo corpo de Tella até pousar sobre seu coração. Se o coração de Tella estivesse funcionando como deveria, talvez tivesse saltado para a palma de Dante com a intensidade daquela voz áspera e seus olhos escuros e incrivelmente profundos conforme ele baixava a cabeça, aproximando-se dela.

— Juro a você, isto... *nós*... nós nunca fomos parte do plano de Lenda. Na primeira vez que a beijei, fiz isso porque havia acabado de morrer e voltado à vida, mas não estava me sentindo vivo. Eu precisava de algo real. Mas hoje a beijei porque queria você. Não paro de querer desde a noite do Baile Predestinado, quando você estava disposta a arriscar a vida porque queria me ver irritado. Depois daquilo, não consegui me afastar.

A mão de Dante deslizou lentamente do coração de Tella até chegar à nuca, pressionando a pele macia enquanto ele se aproximava ainda mais.

— Continuo voltando até você, não por causa de Lenda e nem do jogo. Mas porque você é tão real, viva, destemida, audaciosa e bonita que, se o que há entre nós não for real, então não sei o que é.

Os dedos de Dante se retesaram ao redor do pescoço de Tella, e ele a beijou outra vez, como se fosse a única maneira que conhecia de concluir o que estava dizendo.

O beijo não durou pelo tempo suficiente. Mas a virou de cabeça para baixo. Fez Tella se perguntar se joias escondidas em caixas secretas às vezes desejassem ser roubadas por ladrões... porque agora ele estava definitivamente lhe roubando o coração, e ela queria que Dante tomasse ainda mais.

Quando Dante terminou o beijo, suas mãos se envolveram gentilmente ao redor da cintura dela, um contraste suave com o tom farpado de sua voz enquanto dizia:

— Agora, diga-me por que você está sangrando. Tella se esforçou para respirar fundo.

Chegara a hora de confessar a verdade.

— Aconteceu na noite do baile, quando Jacks me beijou — disse ela. Queria manter a explicação curta e simples, mas, no momento em que abriu a boca, tudo começou a transbordar, de um modo tão rápido e atabalhoado quanto água escorrendo por uma ânfora despedaçada. Toda a história de seu relacionamento com Jacks, a razão pela qual fizera um acordo com ele, como havia fracassado em cumprir sua parte, como ele lhe dera uma carta na qual sua mãe estava aprisionada e tudo que ele ameaçara fazer se Tella falhasse novamente.

Diante dela, Dante continuou imóvel e indecifrável enquanto a estátua vertia uma torrente infindável atrás dele, exceto no momento em que Tella dizia o nome de Jacks; os dentes de Dante rangiam naquele momento. Caso contrário, ele continuava dolorosamente calmo.

— Deixe-me ter certeza de que entendi isso certo — disse Dante. — Se você não vencer este jogo e entregar Lenda a Jacks, então você vai morrer.

Tella assentiu.

Dante moveu o queixo como se estivesse preparando outra saraivada de insultos.

— Jacks disse o motivo pelo qual quer Lenda?

— Ele me disse que quer ter todos os seus poderes de volta, mas acho que é mais do que isso. Acredito que Jacks quer manipular o poder de Lenda para libertar todos os Arcanos das cartas onde estão presos.

As mãos de Dante se apertaram ao redor de Tella.

— Foi minha culpa. Eu devia ter admitido que foi um erro o fato de você não constar da lista. Se eu não tivesse contado aquela mentira sobre você estar noiva...

— Eu provavelmente ainda o teria beijado — concluiu Tella. Não queria mais acreditar em destino, mas aquela noite parecia estar predestinada. Mesmo sem a mentira de Dante, Jacks a encontraria no baile. Ela não teria o que ele queria, e as coisas iriam progredir da mesma maneira. — Não foi culpa sua. Foi Jacks quem me amaldiçoou. Foi ele quem fez isso.

— Eu podia matá-lo. — As mãos de Dante se afastaram de Tella quando uma farpa da luz do luar lhe atravessou o rosto, cortando entre os dois lados da expressão dividida. Era a aparência que uma pessoa exibia no meio de uma briga, quando debatia entre o que deveria dizer e o que queria dizer.

Em seguida suas mãos se fecharam ao redor dela outra vez, como se tivesse tomado uma decisão súbita.

— Você confia em mim?

Tella tomou fôlego, ainda com a respiração entrecortada. Quando Dante estava longe, ela o queria ali. Quando ele estava ali, ela o queria perto. Gostava de sentir aquelas mãos e do som daquela voz. Gostava das coisas que ele dizia e queria acreditar nelas. Queria confiar nele. Simplesmente não tinha certeza de que confiava.

— Sim — respondeu ela, esperando que dizer aquelas palavras as transformaria em verdade. — Confio em você.

Um pequeno sorriso.

— Que bom. Há uma maneira de reparar tudo isso, mas preciso da sua confiança. Lenda chega ao ápice do seu poder durante o Caraval, e sua magia tem a mesma origem que a de Jacks. Se você vencer o jogo, Lenda irá curá-la. Você não precisa de Jacks.

— Mas, para vencer, tenho que me entregar para as estrelas, e não sei se posso fazer isso.

— Você não vai fazer isso — prometeu Dante. — Vou encontrar outra maneira de fazer com que você entre nos cofres deles.

— Como? Você ouviu Theron. Ele disse que apenas o meu anel pode abrir o cofre, mas ele está amaldiçoado até que a dívida da minha mãe seja paga.

— Então vou encontrar outra maneira de pagá-la.

— Não!

O sorriso de Dante cresceu.

— Se você está com receio de que eu vá me entregar para as estrelas no seu lugar, então não tenha. Não sou tão altruísta.

— Então... o que você vai fazer?

— Toda maldição tem uma maneira de ser quebrada, e uma brecha. Se as estrelas não aceitam outro pagamento para quebrar a maldição do seu anel, vou encontrar a brecha.

Tella nunca ouvira a situação ser descrita dessa maneira, mas supôs que fazia sentido. Aquilo se alinhava com o que Jacks dissera sobre haver somente duas maneiras de libertar alguém do interior de uma carta — ou quebrar a maldição ou tomar o lugar de uma pessoa. Esta última devia ser a brecha. Mas a ideia de que aquilo poderia acontecer assustava Tella mais do que a ideia de quebrar a maldição.

— Não se preocupe. — Dante pressionou os lábios contra a testa de Tella, o beijo quente em sua pele enquanto ele sussurrava. — Confie em mim, Tella. Não vou deixar que nada lhe aconteça.

Subitamente, era com Dante que ela estava preocupada. E Tella não estava acostumada a confiar seus segredos a outras pessoas, e menos ainda sua vida. Ela sentiu que Dante estava tendo emoções conflitantes também.

Uma nuvem cobria a lua que já desaparecia, deixando o rosto de Dante completamente encoberto pela escuridão quando ele se afastou, mas Tella teve a impressão de que ele ainda estava batalhando com alguma questão.

— Você acha que consegue chegar até o palácio em segurança?

— Por quê? — perguntou ela. — Para onde você vai?

— Ainda tenho um trabalho a cumprir esta noite. Mas não se preocupe, vou encontrá-la nos degraus do Templo das Estrelas depois dos fogos de artifício de amanhã à noite.

A noite seguinte seria a última do Caraval. A queima de fogos de artifício seria à meia-noite, marcando o fim da Véspera de Elantine e o início do Dia de Elantine. Seria bem próximo do momento em que o jogo terminaria, ao amanhecer.

Tella queria discutir, mas Dante já estava indo embora. Alcançara os limites do jardim. Ainda estava suficientemente próximo para que ela o chamasse. Mas preferiu segui-lo silenciosamente em vez disso.

Dizia a si mesma que confiava nele; só estava seguindo Dante porque estava preocupada com o que ele poderia fazer para salvá-la. Mas a verdade era que queria confiar nele mais do que realmente confiava. Uma parte dela ainda não havia eliminado a possibilidade de que Dante pudesse ser Lenda. Mas, se ele fosse Lenda e se realmente se importasse com Tella, teria quebrado a maldição que Jacks lançara sobre ela no jardim com seu sangue, em vez de estimulá-la a vencer o jogo e recuperar as cartas da mãe.

Ou Dante realmente se importava com Tella ou era o mestre do Caraval e não se importava nem um pouco.

Se descobrisse para onde ele sempre corria, talvez tivesse a resposta. Mas Tella foi lenta demais. Ou talvez Dante soubesse que ela o seguia. Quando ela alcançou a saída do jardim, ele já desaparecera.

Tella procurou por entre as ruínas próximas por algum tempo. Ousou até mesmo voltar ao parque onde roubara o manto. Mas não havia nenhum sinal dele, e suas pernas estavam começando a fraquejar pela fadiga.

O sol já estava quase nascendo quando a carruagem celeste se aproximou do palácio. A constelação em forma de coração de Lenda desaparecera. Tochas pontilhavam o chão com luz, mas o ar ainda estava frígido depois de passar uma noite separado do sol. Tella queria fechar os olhos e desabar dentro de seu quarto na torre, mas a carruagem parou. A pessoa que estava na carruagem à frente da sua demorava uma eternidade para desembarcar.

Tella abriu a janela e colocou a cabeça para fora, como se olhar feio para o veículo na frente do seu pudesse apressar o passo de seus ocupantes. Para seu espanto, o plano deu certo.

A porta da carruagem se abriu, e ela notou um lampejo de um tecido familiar cor de cereja. Tella não tinha certeza absoluta; além do vestido, tudo que viu foi uma cortina de cabelos grossos e escuros. De costas, a moça se parecia exatamente com Scarlett.

Tella continuou a observar, mas a irmã não se virou para trás. Ela acelerou o passo, escapulindo do atracadouro antes que a carruagem de Tella tivesse avançado. Em seguida, a porta da carruagem que estava à frente se abriu outra vez. Tella só viu as costas daquela pessoa também, mas reconheceu instantaneamente o caminhar descuidado, as roupas amarrotadas e a cabeça encimada por uma cabeleira dourada. *Jacks.*

35

Tella esperava que o sol nascesse logo, porque aquela noite bizarra precisava terminar. Se seu mundo virasse de cabeça para baixo mais uma vez, ela enlouqueceria.

O que sua irmã estava fazendo com Jacks?

É claro que Tella ainda não tinha certeza de que a jovem que saíra da carruagem era Scarlett. Tella não tinha conseguido dar uma boa olhada em seu rosto. Mas ela conhecia a irmã e conhecia Jacks, que era suficientemente vil para arrastar Scarlett para essa situação.

Tella saltou da carruagem no momento em que o veículo tocou o chão e quase torceu o tornozelo. Aquilo não a impediu de sair correndo da casa das carruagens, mas a atrasou o suficiente para que perdesse a irmã de vista.

— Está fugindo de alguém ou correndo atrás de alguém? — O Príncipe de Copas saiu da beirada do jardim de pedra, bloqueando a passagem de Tella enquanto jogava uma maçã roxa de um lado para outro entre as pontas dos dedos ágeis. Novamente, Jacks não vestia casaca, e a camisa não estava totalmente passada, como se ele tivesse ficado impaciente e a tirado de uma arrumadeira antes que ela pudesse terminar seu trabalho. As calças não estavam amarrotadas, mas, quando o sol nascente iluminou o couro macio, Tella pensou ter visto um respingo que parecia ser sangue.

Ela respirou fundo várias vezes, tentando acalmar o coração que batia aceleradamente.

— O que você estava fazendo com a minha irmã?

— Por acaso estou detectando um toque de ciúme?

— Você é louco.

— Sou? — Jacks saltitou por entre criados eternamente petrificados, adentrando no jardim de pedra, forçando Tella a segui-lo.

— Este relacionamento não é real — resmungou Tella. — Como eu poderia sentir ciúme?

— Talvez você deseje que ele seja real.

— Você tem uma opinião muito boa sobre si mesmo.

— Somente porque a minha noiva não tem uma opinião tão boa a meu respeito. — A voz de Jacks tinha um tom petulante, e mesmo assim ele não tirava os olhos de Tella enquanto apoiava a bota calçada em um dos pés contra a estátua aterrorizada ao lado dela. Em seguida, puxou uma adaga de dentro da bota e começou a descascar sua maçã, como se houvesse subitamente perdido o interesse naquela conversa.

— Você ainda não me disse o que estava fazendo com a minha irmã — exigiu saber Tella. — Quero que você fique longe dela.

Jacks levantou os olhos da faca.

— Foi ela quem me procurou.

— E por que ela faria isso?

— Prometi que não contaria a ninguém.

— Não aja como se você tivesse consciência. — Tella bufou.

Jacks cortou o último pedaço da casca da sua maçã e deu uma mordida profunda.

— Simplesmente porque o meu código moral é diferente do seu, não significa que eu não tenho um.

— Talvez você devesse reavaliá-lo — disse Tella. — De acordo com o padrão da maioria das pessoas, matar uma pessoa é pior do que trair a confiança de alguém.

— Matei alguém desde que você me conheceu? — Jacks deslizou a língua sobre as pontas dos dentes brancos e afiados antes de enfiá-los na maçã outra vez. O suco luminoso, vermelho como sangue, escorreu pelo canto da boca. Zombando dela enquanto comia.

Ele agia de maneira descuidada e preguiçosa, mas era o mais calculista e autoconfiante de todos. Provavelmente a via da mesma forma que via aquela maçã: algo suculento da qual podia tirar uma mordida e em seguida descartar.

Outra gota vermelha caiu dos lábios de Jacks, e em seguida Tella se jogou sobre ele. Ela arrancou a maçã daquelas mãos pálidas. E tentou agarrar a garganta dele.

As mãos de Jacks se fecharam ao redor dos pulsos dela em um instante.

— Você não pode me matar.

— Mas posso tentar. — Ela o chutou.

Jacks se esquivou facilmente.

— Você só vai se cansar — disse ele calmamente. — Parece que já está exausta. Salve suas forças para vencer o jogo esta noite.

Ela continuou a chutar.

Ele se evadiu outra vez, sem fazer qualquer esforço. Seu rosto cruel parecia estar entediado.

Mas Tella jurava que sentia o sangue correr pelas veias dele, aquecendo as mãos que ainda lhe prendiam os pulsos. Podia dar a impressão de que estava indiferente, mas seu coração estava batendo tão rápido quanto o dela.

Tella interrompeu um chute quando a perna já estava no ar. O coração de Jacks estava batendo.

Ela cambaleou para trás e ele a soltou.

— Você tem um coração... e ele bate.

— Não. Meu coração não bate há muito tempo. É você que está louca agora. — A voz dele era mais fria do que ela jamais a ouvira, e ainda assim o frio que ela trazia não apagava a memória ardente das mãos quentes de Jacks ao redor de seus pulsos.

— Posso ser muitas coisas, mas sei o que senti — disse Tella.

Somente uma pessoa poderia fazê-lo bater novamente: seu verdadeiro amor. Falavam que seu beijo fora fatal a todas, exceto a ela — sua única fraqueza...

— Fiz o seu coração bater — crocitou Tella. Aquilo era insano e absurdo, uma ideia realmente animalesca. Mas Tella sentiu a verdade na batida de seu coração também, que agora começava a acelerar em vez de se refrear. Bate. Bate. Bate. Bate. Bate. Bate. Bate. Nunca o sentira tão forte. Tão livre. — Eu sou o seu verdadeiro amor. O seu beijo não pode me matar.

A careta de Jacks ficou ainda mais retorcida.

— Você não devia acreditar em qualquer história que ouve. Por acaso pareço estar apaixonado por você?

— Você sempre parece um monstro para mim, mas isso não significa que o mito não seja verdade. — E Tella imaginou que não teria de amá-lo para ser seu verdadeiro amor. Considerando que ele era um Arcano e pura maldade, Tella também imaginou que o amor para ele não era o mesmo que seria para um ser humano. Mas essa parte não importava. O que importava era que ser o verdadeiro amor de Jacks significava que ela era imune a seu beijo. Não precisava mais vencer o jogo para viver.

— Isso não muda nada. — A expressão de Jacks ficou tão penetrante que um punhado de facas pareceria macio em comparação.

Mas Tella estava acostumada àquela aparência. Não podia feri-la, nem seus lábios venenosos.

— Não — disse Tella. — Isso muda tudo.

— Não para a sua mãe. — Jacks esmagou a maçã que Tella derrubara no chão com o salto da bota, até que a fruta não fosse nada além de polpa sangrenta e suco. — Você ainda precisará de mim se quiser libertá-la.

— Talvez não me importe mais em salvá-la. — Tella disse aquilo como se realmente estivesse sendo sincera, mas as palavras lhe deixaram um gosto amargo na boca. Não era exatamente uma mentira, mas também não era a verdade.

Jacks pareceu sentir que lhe faltava convicção. Ele sorriu, exibindo uma covinha conforme se aproximava.

— Você me chamou de monstro, mas até mesmo eu acho que isso é de uma frieza impressionante, Donatella.

Aquela covinha desapareceu, e por um momento ela viu o rosto de Jacks repuxado pelo terror, da mesma maneira como ele falou sobre estar preso dentro de uma carta. — Se alguma parte de você quiser ver sua mãe viva outra vez, é melhor reconsiderar a ideia de me ajudar. Lenda teme que os Arcanos se libertem e roubem seu poder, e ele quer nossos poderes mais do que qualquer outra coisa. Se conseguir colocar as mãos no Baralho do Destino com os Arcanos, ele vai destruir todos nós, incluindo a sua mãe. A menos que você seja tola o bastante para tomar o lugar dela, e, com base no que acabou de dizer, duvido que esteja disposta a fazer isso.

Jacks ergueu o queixo de Tella com um dedo esguio antes de saltitar para fora do jardim, como se a conversa que acabaram de ter não houvesse mudado absolutamente nada.

Quando Tella entrou novamente no palácio, logo depois do alvorecer, a torre dourada havia sido transformada para a Véspera de Elantine. Os corrimãos estavam cobertos com ramos de tecido reluzente, que lembravam o véu de lágrimas da Noiva Abandonada. E, para desconforto de Tella, todas as arrumadeiras que viu haviam pintado marcas vermelhas nos lábios imitando linhas de costura, transformando-se nas Aias da Rainha Morta-Viva.

A ala de safira onde Scarlett se hospedara estava igual. Tella passou por lá antes para descobrir por que a irmã estava com Jacks. É claro que Scarlett não atendera à porta.

Tella poderia ter esmurrado a porta com um pouco mais de força, ou esperado por mais algum tempo, mas seu corpo implorava para dormir, e talvez Jacks estivesse dizendo a verdade. Talvez Scarlett tivesse vindo atrás dele para mandar que não machucasse a irmã. Parecia realmente algo que Scarlett faria.

Tella passou por mais arrumadeiras com os lábios costurados no caminho que levava de volta a seus aposentos na torre. Elas deviam estar trabalhando desde antes do nascer do sol. Quando Tella saiu, na noite anterior, não havia adornos em nenhuma porta, mas agora máscaras diferentes estavam dependuradas sobre cada pórtico e entrada, uma velha tradição criada em honra dos Arcanos, na esperança de que eles trouxessem bênçãos em vez de maldições.

A jaula de pérolas da Morte Donzela estava pendurada sobre a porta de Tella. Tella sabia que aquilo era simplesmente outra tradição da Véspera de Elantine, mas ainda assim parecia ser um aviso, outra lembrança do que ela tinha a perder se decidisse desistir do jogo. Não precisava mais vencer o Caraval para continuar viva, mas seria capaz de deixar a mãe presa em uma carta?

Tella queria odiá-la. Falara sério quando gritara aos céus que a mãe poderia apodrecer naquela prisão de papel. Mesmo assim, metade de Tella queria libertá-la ainda mais do que antes. Queria provar a Paloma que ela não era somente um ornamento inútil para ser dado a alguém, que era destemida, inteligente, corajosa e digna de ser amada.

O anel amaldiçoado da mãe pesava no dedo de Tella. Talvez Dante conseguisse encontrar a brecha que mencionara ou uma forma de suplantar a maldição, mas, se não conseguisse, Tella sabia que não poderia se entregar como escrava às estrelas para resgatar uma mulher que talvez nunca a amasse.

Mas e se Dante tivesse sucesso e encontrasse uma maneira de Tella usar o anel para chegar aos cofres das estrelas sem ter de se entregar?

Se Dante realmente fosse Lenda, Tella poderia se voltar contra ele e entregá-lo a Jacks, sabendo o que este planejava fazer?

Tudo aquilo era confuso demais.

Tella disse a si mesma que, se Dante fosse Lenda, isso significava que não se importava com ela. Mas talvez ele não tivesse se oferecido para curá-la naquela mesma noite porque acreditava que ela não estava mais amaldiçoada. Podia ter pensado que, quando lhe dera seu sangue anteriormente, ela havia sido salva. Se isso fosse verdade, por que ela começara a sangrar de novo?

Tella queria pensar coisas boas sobre Dante, mas o fato de se importar com ela não era o principal. Se Dante fosse Lenda, não hesitaria em destruir os Arcanos.

Tella não era o tipo de pessoa dada a fazer escolhas seguras. De acordo com sua experiência, a escolha segura frequentemente dava a sensação de não ter feito escolha nenhuma, como recuar educadamente e permitir que outros com mais poder fizessem o que quisessem. Tanto Lenda quanto Jacks tinham mais poder do que Tella. Mas ambos precisavam dela para conseguir aquilo que queriam: o Baralho do Destino de sua mãe. Sem Tella, nenhum deles poderia tocar naquele baralho amaldiçoado. Sem Tella, Lenda não poderia destruir os Arcanos e a mãe de Tella, e, sem Tella, Jacks não poderia libertar os Arcanos nem roubar a magia de Lenda para reconquistar plenamente seus poderes e ter a capacidade de controlar corações, sentimentos e emoções.

Algo parecido com culpa formigou por dentro de Tella quando ela pensou em permitir que a mãe continuasse aprisionada em uma carta. Mas Paloma tratara a vida de Tella como se fosse a garantia de um pagamento. Sua mãe não era melhor do que Jacks ou Lenda, e Tella jamais permitiria que qualquer um deles a usasse outra vez como um peão num tabuleiro.

36

Tella se levantou da cama com um movimento brusco. Coração acelerado, pulsação rápida... duas novas confirmações de que não estava mais amaldiçoada. Aquilo devia fazê-la se sentir pronta para conquistar o mundo. Em vez disso, ela não conseguia afastar a sensação pesada de que o mundo estava se preparando para conquistá-la.

Seu primeiro instinto foi verificar o Aráculo para ver se seu futuro havia mudado, mas Tella não conseguia mais confiar na carta. E estava farta de deixar que os Arcanos controlassem seu futuro.

As sombras que rastejavam pelo chão e as linhas que o sono marcara nos braços indicavam que ela havia dormido por várias horas. Embora não mais planejasse terminar o jogo, não queria ter passado tanto tempo dormindo.

Já estava quase na hora do crepúsculo. A luz que entrava pela janela tingia tudo que havia naquela suíte de um vermelho esquisito, com exceção da carta branco-pérola colocada discretamente ao pé de sua cama, como se estivesse esperando por ela.

Tella rasgou o envelope com os olhos um pouco borrados enquanto começava a ler. Mas, depois das duas primeiras linhas, sua visão ficou mais aguçada e sua mente terminou de acordar.

Minha querida Donatella,

Obrigada pela dádiva de sua companhia durante o meu pequeno jantar há algumas noites. Foi um prazer inesperado conhecê-la. Eu só percebi depois da sua partida o quanto você me lembra de alguém especial que conheci certa vez. Você não se parece fisicamente com ela, mas tem o mesmo espírito indomável e a energia de Paradise, a Perdida. Isso me fez pensar se ela não seria sua mãe desaparecida. Eu provavelmente não deveria dizer isso, considerando quem ela foi, mas Valenda perdeu um pouco de seu brilho no dia em que Paradise, a Perdida, desapareceu. Ela era um tesouro. Se ela for a sua mãe e eu puder ajudar de qualquer maneira em sua busca para encontrá-la, basta me informar.

Até que nos encontremos novamente,

Elantine

Tella se sentia totalmente desperta quando terminou de ler. Talvez houvesse lido a carta mais de uma vez. Quando ergueu os olhos e olhou pela janela outra vez, o sol já havia quase se posto. A qualquer minuto Lenda formaria uma nova constelação no céu, mostrando à cidade que o Caraval estava começando outra vez.

Antes de ler a carta de Elantine, Tella já havia se contentado com a ideia de desistir do jogo, abandonar a mãe desleal e o baralho amaldiçoado exatamente onde estavam. Desde que Tella jamais abrisse o cofre, os Arcanos não seriam libertados e Lenda não poderia destruir sua mãe. Parecia ser uma proposta aceitável. Mas agora, depois dessa mensagem de Elantine, aquela escolha se assemelhava muito a desistir. Dava-lhe a sensação de acatar o quase fim que Armando mencionara.

Tella sabia que era tolice imaginar uma versão melhor de sua mãe do que aquela que vira dentro do Templo das Estrelas. Ainda assim, a carta de Elantine a fez esperar que houvesse mais na história de sua mãe, exatamente como Dante sugerira.

— Entrega — chamou uma voz airosa do outro lado da porta.

Tella escondeu o bilhete de Elantine em sua cama, enquanto uma criada de aparência muito ansiosa entrou na suíte.

A intrusa trazia consigo uma gigantesca caixa cor de ameixa enfeitada com um laço roxo do tamanho de um melão. Devia ser a fantasia de Tella para a Véspera de Elantine.

— Imagino que você vá precisar de ajuda para se vestir esta noite. — A arrumadeira levantou a tampa da caixa. — Oh, este é o mais bonito que já vi! Você certamente vai atrair todos os olhares.

Uma chuva de faíscas prateadas flutuou pela sala quando a camareira tirou um vestido esfumaçado prata-azulado da caixa. A costureira podia ter discordado de Tella sobre sua escolha de se fantasiar como o Herdeiro Perdido, mas havia feito um trabalho sublime com o vestido, mesmo que a peça a lembrasse um pouco demais dos olhos de Jacks.

Era um vestido que deixava as costas nuas, coberto apenas por uma capa diáfana de prata derretida. Depois de ajudá-la a colocar o vestido, a camareira prendeu a capa fina às alças delicadas sobre os ombros de Tella, que se ligavam a um corpete transparente azul-esfumaçado. Seria um vestido indecente se não fosse pelas folhas reluzentes e banhadas em prata que ficavam justas a seu peito e que lhe desciam pelo tronco, como se tivessem sido jogadas ao vento por uma tempestade mágica. A saia rodada era uma combinação de azul da meia-noite e metal líquido, reluzindo em ondas etéreas com cada movimento que fazia.

— É magnífico — disse a garota. — Está pronta para a...

A frase da garota foi interrompida quando ela tirou a coroa com as velas e o véu negro e soturno do fundo da caixa.

— Você vai trajada como o Herdeiro Perdido de Elantine? Tem certeza de que é uma boa ideia?

— Tenho certeza de que isso não é da sua conta. — Tella arrancou a coroa das mãos da criada.

— Eu só estava tentando ajudar — desculpou-se a garota, com uma rápida mesura. — Perdoe-me outra vez, mas ouvi rumores sobre o seu noivo e, depois do que aconteceu da última vez, achei que você gostaria de um aviso.

Tella tentou refrear o impulso de pedir mais informações. Da última vez que conversara com uma criada insolente, os resultados não foram nada bons. Mas esta arrumadeira parecia genuinamente nervosa, e Tella talvez houvesse reconhecido sua voz da primeira noite que passara no palácio. Parecia a mesma voz da criada que a fizera se lembrar de um coelho e que sentira pena de Tella. — O que aconteceu da última vez?

— Você realmente não soube? O palácio inteiro está borbulhando com a notícia. Estão dizendo que o verdadeiro Herdeiro Perdido, o filho desaparecido de Elantine, ressurgiu. Claro que ninguém confirmou nada ainda. — A criada baixou a voz. — A imperatriz ficou adoentada logo depois que os rumores começaram a circular.

— O que houve com ela?

— Não tenho acesso a esse tipo de informação — disse a criada. — Mas parece algo sério.

— Provavelmente é tudo parte do Caraval — disse Tella. Se a imperatriz realmente tivesse um filho desaparecido, parecia uma coincidência enorme que ele aparecesse exatamente durante o Caraval.

Mas... e se a imperatriz estivesse genuinamente doente? O simples ato de pensar naquilo deixou Tella mais desconfortável do que imaginaria. Na carta, Elantine falou sobre a mãe de Tella como se a conhecesse. E a chamara de tesouro. Tella queria saber por que, mas não conseguiria aquela resposta se alguma coisa acontecesse à imperatriz.

— Obrigada pela sua assistência — disse Tella para a camareira. — Está livre para ir embora.

Tella estava vestida. Tudo de que precisava era coroar a si mesma.

Infelizmente, o círculo encerado de velas que formava a coroa do Herdeiro Perdido era pesado e desajeitado, e era impossível enxergar por entre o tecido grosso do véu que pendia dele.

Antes de colocá-lo na cabeça, Tella puxou o tecido do véu. Mas aquela coisa teimosa não queria ceder.

Ela o puxou outra vez.

O véu se soltou da coroa com um rasgão, mas a mesma coisa aconteceu com o anel de velas negras. Elas se soltaram em lágrimas grossas e cerosas, esfacelando-se até que restassem apenas cinco pontas afiladas como navalhas com opalas-negras nas extremidades.

Parecia ser uma versão inteiriça da Coroa Despedaçada. A mesma coroa que Tella vira quando Armando leu seu futuro.

A Coroa Despedaçada predizia uma escolha impossível entre dois caminhos igualmente difíceis. Tella sabia que o círculo em suas mãos não era a mesma coroa. Aquela coroa estava presa em um maço de cartas, e esta coroa ainda não havia se quebrado. Mas não gostava de sentir que seus dedos ficavam entorpecidos sempre que a tocavam.

Sentiu vontade de socá-la de volta na caixa. Parecia má ideia colocar aquela coroa na cabeça. Mas Tella se recusava a ter medo do objeto ou das ideias que ele lhe trazia à mente.

Tella se olhou no espelho quando a colocava na cabeça. A coroa não tinha nem metade do peso que tivera quando as velas faziam parte dela, mas, no momento em que tocou seus cachos, Tella sentiu um calafrio, como se usar a coroa fosse o primeiro passo rumo a uma escolha impossível que ela não estava pronta para fazer.

Ela tentou ignorar a sensação. Só porque ia conversar com a imperatriz sobre sua mãe não significava que Tella fosse se sacrificar para as estrelas apenas a fim de vencer o jogo e salvar Paloma. E ainda assim Tella apanhou-se guardando a moeda sem sorte de Jacks no bolso de sua fantasia, juntamente com o Aráculo e a carta que aprisionava sua mãe.

VÉSPERA DE ELANTINE: A ÚLTIMA NOITE DO CARAVAL

37

As estrelas estavam espetacularmente brilhantes naquela noite, iluminando toda a Valenda com seus esplendor e luz. Lenda as havia disposto na forma de uma ampulheta gigante. Ela brilhava em dourado-deserto e vermelho ardente, despejando estrelas de carmim como grãos de areia, sem dúvida fazendo uma contagem regressiva até o alvorecer e o fim do Caraval.

A ampulheta pairava suspensa sobre o palácio, onde a última noite do jogo estava acontecendo. Tella a avistara quando olhara pela janela do quarto. O pátio de vidro, abaixo, que enchia o espaço entre a torre dourada e as outras alas do palácio, estava começando a se encher com pessoas trajadas para se parecerem com os malditos Arcanos.

Por sorte, nenhum dos participantes do jogo tinha permissão para entrar na torre. Aquela estrutura antiga estava quase silenciosa, algo bastante esquisito. Tella só conseguia ouvir o bater dos próprios passos contra as escadas raquíticas de madeira conforme subia, subia, subia.

Durante o jantar, algumas noites antes, Elantine mencionara assistir à queima de fogos de artifício da Véspera de Elantine no andar mais alto. Chegara a dizer a Jacks que esperava que Tella se juntasse a eles para o espetáculo. Aquilo não foi realmente um convite, e Jacks não voltara a mencionar a questão, mas Tella esperava que a imperatriz houvesse falado sério.

Guardas a barraram no alto. Devia haver uma dúzia deles, com as armaduras retinindo de maneira ruidosa e ríspida enquanto bloqueavam o caminho de Tella.

Suas pernas queimavam depois daquela subida, mas ela conseguiu se endireitar e falar sem ofegar:

— Sou noiva do herdeiro, e Sua Majestade me convidou para assistir aos fogos de artifício com ela esta noite. — Tella brandiu a carta que recebera de Elantine, exibindo o selo real como se fosse um convite. Mas não foi necessário.

Os guardas se perfilaram para Tella como se estivessem à sua espera. Imaginou se aquilo estaria acontecendo porque o convite da imperatriz para assistir aos fogos de artifício fora genuíno ou se a imperatriz sabia que sua carta traria Tella até ali. Estava farta de deixar que o destino ou os Arcanos ditassem seu futuro, mas havia alguma coisa nesta reunião com Elantine que Tella sentia ser inevitável.

O alto da torre era muito mais estreito do que a base: somente um cômodo, e não era particularmente grande; mesmo assim, ela se lembraria daquele lugar como um espaço sem fim. As paredes e o teto eram formados de uma peça inteiriça de vidro, um observatório construído para observar, sonhar e desejar. A ampulheta gotejante de Lenda estava tão próxima que Tella jurou que era capaz de ouvir as estrelas caindo em seu interior, sibilando e faiscando uma canção perigosa conforme Tella adentrava aquele lugar.

A suíte em si era de uma elegância singela. Uma árvore branco-acinzentada crescia no meio, cheia de folhas prateadas que pareciam estar prestes a cair. Ao redor havia um círculo de divãs felpudos, e todos davam vista para o vidro imaculado, prateados e brancos, exatamente como a árvore. O único ponto com cores ousadas naquele aposento vinha do buquê de rosas vermelhas ao lado de Elantine.

A imperatriz estava recostada em um assento tão próximo das janelas que quase tocava o vidro. Não parecia estar fantasiada, embora houvesse algo de fantasmagórico na monarca — e não era meramente o vestido branco que ela usava.

Duas noites antes, quando Tella a conhecera, a Imperatriz Elantine era a definição da vivacidade, transbordando em sorrisos e abraços. Mas talvez ela os tivesse distribuído em demasia. Agora, ela estava com o corpo largado sobre o assento, pálida e adoentada, exatamente como a arrumadeira ansiosa dissera.

Até mesmo a voz de Elantine soou febril quando ela falou.

— Se você subiu todo o caminho até aqui, minha querida, então talvez queira fazer a pergunta que está queimando a sua língua.

— O que aconteceu com você? — disse Tella abruptamente.

Elantine ergueu o rosto. Seus olhos escuros eram maiores do que Tella se lembrava, ou talvez seu rosto houvesse ficado mais magro. Elantine parecia ter envelhecido duas décadas em dois dias. Tella jurava que a mulher envelhecia ainda mais enquanto se sentava ali. Rugas frescas se formaram em suas faces pálidas quando ela disse:

— Isso se chama morrer, meu bem. Por que você acha que eu queria ter uma celebração tão magnífica do meu septuagésimo quinto aniversário?

— Mas... mas você parecia estar tão bem naquela noite.

— Um tônico dado por Lenda. — Os olhos de Elantine apontaram para as rosas vermelhas na mesa, ao seu lado. — Ele vem ajudando a esconder minha saúde debilitada de Jacks.

— Então você conhece Lenda?

Um sorriso enrugado moveu a boca da imperatriz.

— Depois de toda a sua ajuda, mesmo se eu soubesse quem é Lenda, não trairia o seu segredo. E não creio que você subiu tantos andares para perguntar a respeito dele.

O olhar de Elantine pousou na carta que Tella tinha na mão.

Tella ainda queria questionar mais a imperatriz sobre Lenda, que parecia estar em todos os lugares e em lugar nenhum ao mesmo tempo.

Mesmo que Elantine estivesse morrendo, quando falou novamente, seu tom de voz foi afiado o bastante para cortar quaisquer outros argumentos.

— Paradise, a Perdida, é sua mãe, não é?

— Eu a conheci como Paloma — confessou Tella. — Mas meu pai sempre ficava irritado quando eu a chamava assim em vez de "mãe".

Elantine estalou a língua.

— Paradise tinha um gosto muito infeliz para homens.

Tella concordaria, mas não estava com vontade de falar mais nada sobre seu pai.

— Como você a conheceu? — perguntou Tella enquanto se sentava. Ainda não conhecia toda a etiqueta apropriada sobre como se portar com uma imperatriz, mas olhar de cima para a mulher que governava o Império Meridiano lhe parecia estranho.

Elantine respirou fundo, o corpo tremendo mais do que deveria com aquele movimento.

— Na última vez em que vi Paradise, ela estava roubando o Baralho do Destino que mencionei no jantar. Eu a avisei de que as cartas só lhe trariam problemas, mas devia ter escolhido uma palavra diferente. Como tristeza ou agonia. Paradise meramente disse que adorava problemas. Mas acredito que o que ela realmente amava era a vida.

Elantine olhou pela janela, onde as estrelas carmim de Lenda continuavam a brilhar sobre o jogo que se desenrolava abaixo.

— Paradise podia ter sido muito mais do que um retrato na loja de pôsteres dos Procurados. Era inteligente e perspicaz, rápida para rir e para amar. Mas tentava não deixar que as pessoas percebessem toda a profundidade dos seus sentimentos. "Criminosos não amam", ela me disse certa vez. Acho que Paradise temia o amor, porque, quando amava, ela o fazia com a mesma ferocidade do que quando vivia.

Tella imaginou que tudo isso devia fazê-la se sentir melhor, mas, na verdade, lhe doía ainda mais saber que sua mãe podia amar tão intensamente, e mesmo assim não se importava com a própria filha.

Tella devia ter ido embora e parado de se torturar. Mas havia algo que era quase íntimo no conhecimento da imperatriz. Apenas aquelas duas sentenças lhe pareciam muito mais profundas do que praticamente qualquer coisa que Aiko compartilhara. Tella ouvira dizer que Elantine era selvagem em sua juventude, mas ela não fora jovem na mesma época da mãe de Tella.

— Como você a conheceu? — perguntou Tella.

A imperatriz lentamente se virou de volta para Tella.

— Essa é uma história que você terá de pedir a Paradise para contar.

— Não creio que isso vá acontecer. — Tella se levantou lentamente da poltrona. — É aqui que a minha busca por ela termina.

— É uma pena — disse Elantine. — Não achei que você seria do tipo que desiste tão facilmente.

— Foi ela quem desistiu de mim primeiro.

— Não estou certa se consigo acreditar nisso. — A voz de Elantine ficou mais baixa. Tella podia ter pensado que aquilo se devia à fadiga, mas não havia nenhum sinal de fraqueza ali. — A Paradise que conheci não acreditava em desistir. E, se você realmente é filha dela, então tenho certeza de que ela não teria desistido de você. Na verdade, imagino que, se era a sua mãe, ela a amava profundamente.

Tella bufou, irritada.

— Vou fingir que não ouvi isso — disse Elantine. — Tenho certeza de que existe alguma lei que diz que você não pode zombar da imperatriz quando está diante dela. Mas imagino que o que você acabou de fazer tem mais a ver com a sua mãe do que comigo. E devo admitir: suspeito de que o meu filho sinta por mim o mesmo que você sente pela sua mãe. Eu também fracassei como mãe. Cometi erros que fizeram com que eu me afastasse do meu filho por muito tempo. Mas isso não significava que eu não amasse o meu filho. Muitas das escolhas que fiz, que acreditava serem as melhores, serviram somente para nos separar.

— Mas ouvi dizer que o seu filho desaparecido havia retornado.

— Eu me esqueci da rapidez com que as notícias se espalham neste palácio. — Elantine sorriu, mas de algum modo a expressão fez seus olhos parecerem tristes em vez de felizes. Embora os lábios enrugados se inclinassem para cima, as pálpebras se curvaram para baixo. Essa não era a expressão de uma mãe que acabara de reencontrar o filho.

Mas a imperatriz não estava desmentindo os boatos. Aquilo fez Tella pensar se essa pessoa que havia surgido realmente era o filho de Elantine ou apenas uma maneira de impedir que Jacks assumisse o trono, agora que a imperatriz estava morrendo.

— Durante a maior parte da minha vida, coloquei o Império Meridiano acima de tudo, até mesmo do meu filho. E agora me arrependo de muitas dessas escolhas, mas já é tarde demais para mudar o que fiz. Suponho que tenha sido por esse motivo que eu estava pensando em você na manhã de hoje. — A tristeza nos olhos de Elantine se intensificou. — Não sei o que aconteceu com a sua mãe depois que ela partiu, mas espero que você a encontre, Donatella. Não seja como eu; não se contente com a facilidade de um quase fim quando você pode conquistar um fim verdadeiro.

— Não sei se consigo entender o que isso significa — disse Tella.

— Nem todo mundo consegue um fim verdadeiro. Há dois tipos de fim, porque a maioria das pessoas desiste na parte da história em que as coisas estão piores, em que a situação parece não ter nenhuma esperança. Mas é aí que a esperança é mais necessária. Somente aqueles que perseveram são capazes de encontrar seu fim verdadeiro.

Elantine sorriu, mais feliz do que triste desta vez, enquanto olhava para a mão de Tella.

— Olhe. Creio que até mesmo o anel da sua mãe concorda.

Tella saltou para trás bruscamente quando a opala em seu dedo pulsou. As cores dentro dela estavam se movendo. A linha dourada no centro explodiu como uma chama dentro da pedra, devorando o violeta e o vermelho-cereja ao redor das pontas até a gema inteira arder em um âmbar luminescente.

A torre tremeu, agitando as pernas de Tella. Durou somente um segundo. Mas Tella jurou que, naquele momento, até mesmo as estrelas do lado de fora piscaram. O anel sempre fora bonito, mas agora era sobrenatural, brilhando com força suficiente para iluminar toda a sua mão.

O que Dante havia feito?

Um pânico branco como o aço em brasa correu pelas veias de Tella. Ele devia ter encontrado a brecha que permitiria quebrar a maldição do anel. Por que ele tinha que fazer isso por ela? Dissera-lhe que não se preocupasse, que ele não era tão altruísta, mas devia ter pago um preço para que a pedra perdesse a maldição.

Tella tremeu, e a coroa em sua cabeça ficou bamba. Ela levou a mão até o artefato para firmá-lo. Mas sua mão estava tão trêmula quanto as pernas. Em vez de ajustar a coroa, Tella a derrubou. A coroa caiu e acertou o chão com um baque lírico.

— Oh, céus. — Elantine cobriu a boca com a mão.

Tella engoliu um palavrão. Cinco peças afiadas de obsidiana, com opalas-negras reluzentes nas pontas, olhavam para ela no chão. A imagem era um reflexo da Coroa Despedaçada.

A voz de Tella estava entrecortada quando ela disse:

— Eu lamento muito.

— Lamente, criança. Tenho pessoas que podem limpar isso para mim, e você não fez nada de errado.

Mas Tella faria algo errado.

Ainda tremendo, ela olhou fixamente para a coroa no chão conforme sua escolha impossível foi ficando cada vez mais clara. Dante encontrara uma maneira de fazer com que ela entrasse na câmara-cofre da sua mãe que não exigiria que Tella fizesse um sacrifício. Claro, Tella não sabia se Dante fizera aquilo para salvá-la das estrelas ou para garantir que ela conseguisse as cartas. Tella não sabia nem mesmo qual das alternativas queria que fosse verdade. Se Dante houvesse sacrificado alguma coisa para salvar Tella, que tipo de pessoa ela seria se em seguida o traísse para Jacks? Isso se presumisse que Dante era Lenda. Tella ainda não sabia quem Lenda era.

E não saberia se não vencesse o jogo.

Mas talvez fosse melhor *não* vencer o jogo.

Vencer o jogo vai custar um preço do qual você irá se arrepender depois. Nigel avisara Tella a respeito disso, embora, mesmo que não o tivesse feito, ela sabia que haveria arrependimentos em seu futuro. Se escolhesse trair Lenda para que Jacks tomasse o poder dele, o Príncipe de Copas libertaria os Arcanos e muito provavelmente destruiria Lenda no processo. Mas, se Tella não traísse Lenda, se desse a ele as cartas com os Arcanos, ele os destruiria. Fazendo isso, Lenda destruiria a mãe também, já que todas as cartas estavam conectadas.

O olhar de Tella atravessou a janela. Daquela altura, as pessoas lá embaixo eram pouco mais do que partículas de cor iluminadas pelas estrelas faiscantes, pelas lamparinas brilhantes e pela animação febril da última noite do Caraval e da Véspera de Elantine.

Em outra história, Tella poderia ter descido até lá e se juntado àquelas pessoas. Poderia ter bebido o vinho quente com especiarias e dançado com estranhos. Talvez até mesmo beijasse alguém sob as estrelas. Devia ser o que ela queria. Ela disse a si mesma para querer aquilo. Para se afastar do jogo em separado no qual fora enfiada e da mulher que se afastara dela. E para não mais fingir que a mãe se importava com ela. Mas as palavras de Elantine sobre fins verdadeiros e quase fins continuavam a atormentar Tella.

Queria virar as costas para sua mãe, mas aquilo lhe dava a sensação de estar mais próxima de desistir do que de se desapegar. Tella não queria deixar que a mãe a magoasse outra vez. Mas... e se Elantine tivesse razão e sua mãe realmente a amasse?

A mãe de Tella havia colocado as cartas nos cofres das estrelas para que ninguém pudesse chegar até elas. Talvez sua mãe jamais planejasse tocá-las outra vez. E se ela tivesse oferecido Tella às estrelas, sem jamais ter a intenção de entregar a filha para cumprir sua parte na barganha? Talvez trancafiar as cartas em um cofre que pudesse somente ser aberto por uma chave amaldiçoada fosse a maneira que Paloma encontrou de mantê-las em segurança. Mas então, de algum modo, sua mãe acabou sendo aprisionada em uma carta.

Tella não sabia quando deixou a torre — mas subitamente estava descendo as escadas a toda a velocidade, correndo até o pátio onde o Caraval estava acontecendo e pensando somente na mãe.

38

O ar estava tão carregado de magia que parecia açúcar de confeiteiro na língua de Tella, doces boas-vindas a um mundo sombriamente encantado. Arcanos e seus símbolos estavam por toda parte.

O pátio do palácio fora transformado em um mercado que parecia algo arrancado de algum mito. Havia tendas que ostentavam nomes como:

Vestidos Mágicos de Sua Majestade

Empório dos Amuletos da Sacerdotisa, Sacerdotisa

Facas de Assassinos e Acessórios Mortíferos para Pescoços

Lentes Mágicas do Aráculo

E havia também as placas, pôsteres gigantes em homenagem a muitos outros Arcanos:

Dê um beijo na Senhora da Sorte, e ela realizará o maior desejo de seu coração.

Para se divertir um pouco, mas intensamente, encontre o Bufão Louco!

Se vir a Criada Grávida, seu futuro estará prestes a mudar...

Tella se recusava a se deixar distrair; precisava chegar até o Templo das Estrelas, embora fosse um pouco mais difícil atravessar o pátio quando as pessoas começaram a se aproximar dela. Uma figura obscura fantasiada como o Envenenador convidou-a para provar de seu veneno. Várias Estrelas Caídas lhe ofereceram uma lambida de pó de estrelas.

Tella nem se incomodou em responder; passou por entre a multidão o mais rápido possível. O único momento em que se deteve foi quando pensou ter visto Scarlett, vestida como a Noiva Abandonada, com um véu de lágrimas que lhe caía sobre o rosto como diamantes chorosos. Mas, se Scarlett soubesse o que Tella estava prestes a fazer, certamente tentaria impedi-la.

Tella não queria ser impedida. Esta era a única chance de salvar a mãe, e, se não a aproveitasse, iria se arrepender pelo resto da vida.

Durante o trajeto de carruagem até o Distrito do Templo, ela sentiu pontadas de culpa com a ideia de entregar Lenda a Jacks. Mas Tella imaginava que aquilo se devia ao afeto que sentia por Dante. Sentia que trair Lenda era o mesmo que trair Dante. Mas talvez eles não fossem a mesma pessoa. E, se Dante realmente fosse Lenda, então era ele que vinha traindo Tella durante todo esse tempo.

Ela alcançou o Templo das Estrelas depois do dobrar de dez sinos.

Não precisou bater quando chegou às portas opressivas do santuário. Elas se abriram sem qualquer som, como se o templo estivesse lhe fazendo uma saudação silenciosa.

Theron estava do outro lado; o homem era impávido como uma torre e ainda mais imponente pela estrela brutal de oito pontas marcada a ferro quente em seu rosto impiedoso. Vestia-se da mesma maneira que na ocasião em que Tella o conhecera, na noite anterior — roupas grossas de couro e uma capa azul-royal.

Em seu favor, Theron não mencionou a partida ligeira de Tella na noite anterior. Qualquer que fosse sua opinião sobre o desaparecimento e posterior reaparecimento da garota, aquilo continuou sendo um segredo guardado por sua postura estoica.

O estalar das sandálias de Tella contra o piso polido eram os únicos sons, enquanto ela o seguiu para dentro daquela entrada obscurecida. A fonte de fogo no centro do templo ainda não havia sido acesa, permitindo que uma grossa camada de frio assentasse.

Tella perdera sua capa em algum lugar do pátio real, o que a deixou com as costas e os braços expostos; assim, ela devia estar praticamente congelando com o frio da noite. Mesmo assim, o suor lhe escorria pelo pescoço quando disse:

— Vim aqui para abrir o cofre da minha mãe.

Os olhos de Theron baixaram para olhar o anel de Tella.

— Você é uma pessoa de sorte por ter um amigo tão bom.

Um formigar renovado de inquietação se juntou ao suor que lhe escorria pelo pescoço quando ela pensou em Dante.

— O que ele lhe deu para quebrar a maldição do anel?

— Só existe uma maneira de quebrar a maldição. Mas sempre existe uma maneira de burlar qualquer maldição. Neste caso, nós fizemos uma troca que afastou temporariamente a maldição do seu anel. Agora, você deseja continuar fazendo perguntas ou gostaria de ver o seu cofre?

— Primeiro, diga-me o que Dante lhe deu nessa troca.

— Ele nos fez prometer. Não posso lhe dizer o que é, mas, se você se importa com ele, vai querer ter a certeza de que ele cumprirá sua palavra.

— E o que acontecerá se ele não o fizer?

Theron contornou a marcação a ferro quente em forma de estrela em seu rosto.

— Se o seu Dante falhar conosco, ele vai morrer.

A boca de Tella ficou seca.

Sem dizer outra palavra, Theron guiou Tella para a porta no fundo do saguão, aquela que era vigiada por estátuas de pedras agoniadas. Ele usou seu anel para destrancar o portão.

O ar morno com cheiro de mistérios enterrados e magia antiga encheu o anexo octogonal do outro lado. Diferentemente da entrada, essa área não era toda de dourados brilhantes e brancos perolados. Era feita de madeira e envelhecida, e cheia com o mesmo tipo de gravidade sussurrada quanto o primeiro piso da torre dourada de Elantine. Uma luz primeva bruxuleava pelo piso granuloso, enquanto a magia, muito mais velha que a de Lenda ou a de Jacks, tocava os dorsos das mãos de Tella, provando-a com línguas invisíveis.

Theron dissera a verdade quando lhe falara que este templo não era uma atração turística.

As câmaras-cofre ficavam enterradas bem profundamente. Após o anexo, Theron levou Tella por uma porta que dava para uma escadaria em espiral construída com degraus escavados na terra. Não chegou a contar os degraus, mas foi o bastante para fazer suas pernas suarem por baixo do vestido cintilante. Quando finalmente chegaram ao fundo, as passagens eram estreitas e escuras, iluminadas apenas por uma fileira de velas que pareciam ter brotado do chão. Theron e Tella tiveram de contorná-las cuidadosamente.

Na metade de um corredor tão escuro que Tella mal conseguia discernir os contornos de Theron, ele finalmente parou diante de uma porta de pedra sem maçaneta.

— Esta porta vai se abrir somente para você. Para entrar, tudo o que precisa fazer é pressionar o anel contra a porta. Mas esteja avisada: a barganha que o seu amigo Dante fez conosco só permite que você abra este cofre uma vez. Se decidir remover ou deixar um objeto aqui dentro, tenha certeza absoluta de sua escolha. Uma vez que fechar esta porta, a única maneira de abri-la novamente é pagando a dívida da sua mãe.

— Se eu jamais a abrir, isso vai cancelar a barganha que foi feita em meu nome? — perguntou Tella.

— Não. Esse acordo já foi selado. Deixar o cofre trancado seria um desperdício do sacrifício que ele fez.

O suor cobria as palmas de Tella. Dante não devia ter vindo em seu socorro. Aquilo lhe dava mais esperanças de que ele não era Lenda. Lenda não era conhecido por fazer sacrifícios, e, por mais lisonjeiro que seria se ele houvesse mudado por ela, Tella orava silenciosamente para que esse não fosse o caso, porque não poderia fazer o mesmo por ele. Viera até aqui para salvar a mãe, não importa a que custo.

Tella esperou até que Theron saísse antes de abrir a porta do cofre. Diferentemente do corredor estreito, a sala do outro lado da porta era ampla e bastante clara; a iluminação vinha de alguma fonte que ela não conseguia identificar. O centro não estava ocupado, mas as paredes estavam cheias de estantes brancas como o leite cheias de tesouros fantásticos. Pinturas vívidas, instrumentos dourados, armamentos elaborados, miniaturas que dançavam, relíquias muito antigas, tiaras cravejadas de joias, livros pesados e garrafas sem rótulo cujo conteúdo ainda se agitava, como se fossem mágicas.

Essa era a vida de Paloma antes de chegar a Trisda.

Tella aguardou um momento para observar cada milímetro roubado. Ela ardia com a curiosidade — e o desejo por alguns dos itens mais bonitos —, mas não queria perder tempo nem se arriscar a tocar em qualquer coisa que pudesse ser amaldiçoada como as cartas da mãe.

Tella manteve as mãos unidas diante de si, enquanto seus olhos continuavam a procurar, até que avistou a caixa. Uma brisa sobrenatural e fantasmagórica atravessou os ombros de Tella. Era uma caixa simples de madeira, sem quaisquer características notáveis, com exceção da aura de escuridão que pulsava ao redor dela, como se a luz no restante da câmara não pudesse tocá-la.

Tella não viu mais nada enquanto foi até a caixa e levantou a tampa. As cartas tinham a mesma aparência de que ela se lembrava. Um tom tão escuro de erva-moura que elas eram quase negras, com minúsculos detalhes dourados que brilhavam contra a luz e traços espiralados de um vermelho-violeta escuro em alto-relevo que havia tempos faziam Tella pensar em flores úmidas, no sangue das bruxas e em *magia*.

Tella pensou no que as cartas mostrariam se tentasse ler seu futuro agora, mas não se atreveu a virar nenhuma.

Com cuidado para não tocar em nenhuma das espirais, Tella colocou o Aráculo sobre o baralho. Em seguida, pegou a carta que aprisionava sua mãe de onde a guardara em segurança, dentro do vestido.

A aura ao redor das cartas pulsou com uma escuridão ainda mais intensa, como se adicionar cartas houvesse, de algum modo, tornado o baralho mais poderoso.

Tella ignorou a sensação ruim que surgiu com aquilo. Exalou o ar, expulsando a pressão forte que havia contra seu peito e que a advertia para parar. Estava quase lá. Tudo o que precisava fazer agora era pegar o baralho e vencer o jogo. Em seguida, poderia ter sua mãe de volta.

Sua mão pairou sobre a pilha de cartas, perguntando-se quanto tempo demoraria até que Lenda a encontrasse. Dante devia ter contado a Lenda que as cartas estavam no templo. Havia uma chance de que Lenda já estivesse à sua espera nos degraus. E Nigel lhe prometera: *Se você vencer o Caraval, o primeiro rosto que verá será o de Lenda.*

Tella respirou fundo. Se isso fosse funcionar, ela precisava invocar Jacks antes de vencer oficialmente o jogo ou sair do templo das estrelas. Levou a mão ao bolso, os dedos tateando em busca da moeda sem sorte.

A voz de Theron instantaneamente encheu o espaço do cofre.

— Não use essa magia vil aqui, ou eu vou fechar essa porta e você jamais vai conseguir sair.

Tella afastou imediatamente a mão do vestido. Seus dedos tremiam. Ela devia ter invocado Jacks antes de entrar no templo. Estar proibida de chamá-lo agora parecia ser mais uma oportunidade de mudar de ideia. Mas a decisão de Tella estava tomada. Quando pegasse as cartas e saísse da câmara-cofre, não haveria como voltar atrás. Teria simplesmente de pegar a moeda sem sorte.

Mas ela ainda estava assumindo um risco. Assim que pisasse fora do templo, todas as pessoas e todos os Arcanos que estavam presos dentro das cartas seriam libertados por Jacks quando ele recuperasse todo o seu poder de Lenda — ou então todos os Arcanos, assim como a mãe de Tella, seriam destruídos por Lenda se Jacks não chegasse suficientemente rápido.

O mundo estava prestes a mudar. Ou todos os Arcanos e a mãe de Tella ficariam livres, ou Lenda destruiria a todos e se tornaria o ser humano mais poderoso do mundo.

Não era de espantar que as estrelas houvessem piscado mais cedo naquela noite. Tella as imaginou fazendo o mesmo quando estendeu a mão e tocou na caixa de madeira, pegou audaciosamente o Baralho do Destino amaldiçoado da mãe e venceu oficialmente o Caraval.

39

O coração de Tella batia aceleradamente quando ela saiu do santuário. Depois de tudo que ocorrera naquela noite, ele já devia ter exaurido as próprias batidas, mas conseguiu bater ainda mais rápido conforme o ar frio da noite lanhava o rosto de Tella e fazia farfalhar as folhas prateadas de seu vestido. Ignorando o frio, sua mão mergulhou no bolso mais uma vez em busca da moeda sem sorte de Jacks.

— Tella. — Uma voz grave e dolorosamente familiar chamou da base das escadas, seguida pelo eco dos passos pesados de Dante.

Se você vencer o Caraval, o primeiro rosto que verá será o de Lenda.

Não. Não. Não.

Tella fechou rapidamente os olhos antes que pudesse vê-lo. Talvez, se não abrisse os olhos, ele fosse embora, ela visse outro rosto e Dante não fosse Lenda.

Ela o ouviu subindo as escadas, chegando mais perto. Botas pesadas e ansiosas contra as escadas.

— Achei que fôssemos nos encontrar depois da meia-noite — disse ela.

— Eu tive a impressão de que você viria até aqui cedo. — A voz de Dante estava um pouco mais próxima.

— Você não devia ter vindo.

— Tella, olhe para mim. — Outro passo. Em seguida, ela sentiu o calor inebriante que sempre parecia cercá-lo. A sensação pressionava os ombros e o peito, como se Dante estivesse bem diante dela. — Não posso falar com você assim.

Ela manteve os olhos firmemente fechados. Não era assim que as coisas deveriam acontecer. Ela suspeitava de que Dante fosse Lenda, mas não deveria ter razão.

— Não quero falar com você — disse ela. — Quero falar com Lenda.

— Então abra os olhos e fale comigo.

As pernas de Tella cederam.

Os braços de Dante serpentearam ao redor de seu corpo, mantendo-a firme, enquanto o mundo que ela conhecia se estraçalhava.

Dante era Lenda.

Lenda era Dante.

E ele ainda a segurava nos braços. Uma daquelas mãos deixou sua cintura, subindo até que os dedos deslizaram gentilmente no rosto de Tella antes de pousarem em seu queixo e inclinarem sua cabeça para ficar de frente para ele. Ela conseguia sentir as palavras dele nos lábios conforme falava.

— Tella, diga alguma coisa.

Ela abriu a boca para responder, mas Dante estava tão perto que tudo o que ela conseguiu sentir foram os lábios dele tocando os seus. Eram suaves e se entreabriram, e em seguida estavam pressionando sua boca com mais firmeza.

Ela nem quis tentar resistir a ele. Mas era muito mais do que isso.

Eles se beijaram como se o mundo estivesse acabando, os lábios se chocando como se os céus estivessem se rasgando e o chão desmoronando, como se uma guerra irrompesse ao redor dele e esse beijo fosse a única coisa suficientemente poderosa para impedi-la. Enquanto eles se beijavam, apenas ela e Dante existiam.

Tella não queria jamais abrir os olhos; assim que o fizesse, o mundo mudaria. Dante desapareceria e só restaria Lenda.

Era brutalmente injusto. Ela acabara de decidir o quanto queria Dante, mas, mesmo se ele conseguisse sobreviver à noite, Lenda era alguém que ela jamais poderia ter. Ele era como um momento no tempo; era possível senti-lo, mas jamais segurá-lo.

Os lábios dele pressionaram com mais força, enquanto uma das mãos se enredou nos cabelos de Tella e a outra circundou seus quadris, apertando e puxando-a para mais perto, como se ele também não quisesse que o beijo terminasse.

Mas aquilo tinha de parar. Não importa quão boa fosse aquela distração. Quanto mais tempo durasse, maior seria o perigo em que ela estaria.

Tella se aproximou dele por um instante espetacular, provando-lhe os lábios uma última vez. Em seguida, forçou-se a se afastar. Nunca conseguiria fazer o que precisava se permitisse a si mesma cair ainda mais profundamente.

Os olhos de Tella se abriram relutantemente.

Queria que ele tivesse uma aparência diferente. Queria que o olhar fosse frio e distante. Queria que ele a olhasse como se realmente fosse a pessoa que fosse vencer este jogo. Queria que os lábios dele se curvassem cruelmente enquanto ele tentasse lhe roubar o baralho das mãos. Mas ele nem mesmo olhou para as cartas. Estava olhando fixamente para ela. Uma das mãos ainda estava ao redor de sua cintura. E mais quente do que deveria estar numa noite tão fria.

— Você venceu o jogo — disse ele. Dante ergueu a outra mão, como se fosse tocar seu rosto.

Ela vislumbrou rapidamente a rosa negra tatuada em sua pele. Podia ter rido do quanto aquela imagem tornara a sua identidade óbvia o tempo todo. Mas, em seguida, o braço dele girou e Tella avistou o lado de baixo do pulso, logo abaixo da cicatriz que ele conseguira durante o último Caraval.

Ela o agarrou. Ele gemeu, mas não resistiu enquanto ela puxava para trás o punho de sua manga.

Ela arfou com tanta força que chegou a doer.

— Pelo sangue dos deuses!

Na parte de baixo do seu pulso, maculando uma daquelas belas tatuagens, havia uma marcação feita a ferro quente com o formato de uma estrela violenta, exatamente como a que havia no rosto de Theron.

Tella disse a si mesma que ele fizera aquilo somente pelas cartas, não por ela. Isso estava relacionado com o poder dos Arcanos, ela disse a si mesma. Mas ainda parecia errado ele ter deixado que o marcassem de maneira tão permanente.

— O que você prometeu a eles? — perguntou Tella.

— Não importa. Fiz isso por você e faria outra vez. — Dante girou o pulso até que, de algum modo, estava segurando sua mão outra vez. Ele ainda nem havia olhado para as cartas. Seus olhos escuros continuaram fixados nela, como se Tella fosse seu prêmio.

E, maldição, ela acreditava nele.

Tudo aquilo era muito errado.

Se ele fosse Lenda, não deveria se importar. Não deveria continuar a fitá-la como se ela houvesse acabado de despedaçar seu mundo com um beijo. Devia rir dela por ser tola o suficiente, a ponto de se apaixonar por ele. E ele não devia inclinar o corpo para junto dela, como se houvesse se apaixonado por Tella também. Devia arrancar as cartas de suas mãos e abandoná-la nos degraus de pedra da lua. Devia lhe despedaçar o coração.

Não era Tella quem devia despedaçar o coração de Dante.

Finalmente, o coração de Tella parou de bater aceleradamente. Ela não podia fazer isso. Não podia tirar mais dele do que já havia tirado. Jacks teria de encontrar outra fonte de poder para libertar sua mãe e os Arcanos.

— Você precisa ir embora. Imediatamente. — Tella arrancou as mãos de Dante que estavam ao redor das suas. — Eu usei a moeda sem sorte de Jacks logo antes de você chegar. Ele já está a caminho, vindo para cá. Quando chegar, ele vai roubar os seus poderes e libertar todos os Arcanos.

Os olhos de Dante finalmente baixaram para as cartas que estavam nas mãos de Tella. Ela ainda não estava inteiramente pronta para pensar nele como Lenda. Lendas deviam ser melhores do que a verdade. Perfeitas, sonhos idealizados e esperanças cristalinas que eram imaculadas demais para existirem na realidade. E ela poderia ter descrito o homem diante de si exatamente daquela maneira, se a expressão nua que lhe atravessou o rosto não a cortasse mais profundamente do que a decepção. — Você quer dar as cartas para Jacks?

— Desculpe — disse Tella. Ela segurou o baralho com mais força, mas Dante não fez nenhum gesto para pegá-lo, embora um músculo lhe saltasse no queixo e as articulações dos dedos ficassem brancas, como se tudo dentro dele estivesse lutando contra aquele impulso.

— Isso tudo é por causa da sua mãe, não é? — perguntou ele.

— Achei que seria capaz de me desapegar, mas ela é minha mãe. Tenho tantas perguntas para fazer a ela... e, apesar de tudo que ela fez, não consigo parar de amá-la. — A voz de Tella ficou entrecortada. — Não posso permitir que você a destrua junto com todos os Arcanos.

A expressão dele se dividiu, como se houvesse sido rasgada ao meio, uma máscara de dois lados formada de arrependimento e determinação.

— Se eu pudesse libertar a sua mãe, eu o faria. Mas a única maneira de libertar alguém de uma carta sem quebrar a maldição é tomar seu lugar.

— Não estou pedindo que você a liberte — disse Tella. — Estou pedindo que você vá embora antes que Jacks chegue aqui. — Ela colocou as mãos no peito de Dante e o empurrou, mas ele era indômito. Não se moveu. O pânico cresceu dentro de Tella, e ela o empurrou outra vez. Mas ele não reagiu, e também não fugiu. Não estava com medo. Tinha algo bem pior. Tinha a esperança de que ela o escolheria. Ele não saía dali e não pegava as cartas porque queria que ela lhe desse o baralho voluntariamente.

E talvez ele imaginasse que, se Jacks chegasse, poderia vencê-lo em uma batalha. De qualquer maneira, Tella ainda perderia a mãe ou perderia Dante.

A menos que salvasse os dois.

A ideia lhe pareceu frágil a princípio, mas, como todos os pensamentos, foi ganhando força quanto mais ela a considerava. Durante todo esse tempo, ela pensara que Jacks era o único que podia libertar sua mãe. Mas Tella podia tomar o lugar da mãe. Caspar mencionara como isso era feito durante a peça de teatro. Tudo que ela precisava era escrever seu nome na carta com sangue. Ela ainda tinha o sangue que Dante e Julian usaram para curá-la pulsando nas veias; se seu sangue mortal não fosse o suficiente, aquele outro sangue teria o poder necessário.

Não era uma das opções que ela considerara antes. Tella temia ser aprisionada mais do que qualquer coisa. Mas talvez o Amor fosse uma entidade tão sobrenatural quanto a Morte. E, como Tella se abrira à possibilidade do Amor, ele não pararia de vir atrás dela, e parecia que essa força era muito mais poderosa do que a Morte.

Ela subestimara o Amor no passado. Imaginara que o tipo romântico seria uma forma mais forte de luxúria — mas este momento não tinha nada a ver com a luxúria, e tudo a ver com o fato de que se importava mais em salvar Dante e a mãe do que salvar a si mesma. Aquilo a deixou destemida de uma maneira que jamais fora antes.

Usando o anel pontiagudo de opala da mãe, Tella perfurou a ponta do dedo com força suficiente para fazê-lo sangrar.

— Tella, o que você está fazendo?

— Você pode levar as cartas, mas me prometa que vai embora antes que Jacks chegue.

Ela pressionou o dedo que sangrava contra a carta que prendia sua mãe.

— Tella — repetiu Dante. — O que você está fazendo?

— Estou sendo a heroína.

— Não! — Dante bradou a palavra no momento em que percebeu o que ela queria dizer. — Tella, não faça isso. Sua mãe não iria querer uma coisa dessas.

Ele estendeu a mão para pegar a carta com a mãe de Tella, mas já era tarde demais. O nome de Tella já estava escrito com sangue na carta.

— Está terminado — disse Tella.

Ela tentou sorrir naquele momento. Finalmente, ela era a heroína. E aquilo havia lhe custado simplesmente tudo.

Seus lábios tremeram, e lágrimas quentes rolaram pela face.

— Tella. — Dante forçou-se a dizer o nome dela como se estivesse prestes a chorar também. — Sei que você não quer acreditar em mim, mas eu nunca tive a intenção de que isso lhe acontecesse. Quando preparei o jogo, eu sabia que a sua mãe havia escondido as cartas, mas não sabia que ela estava presa dentro de uma delas. — Ele pressionou a polpa dos polegares nas faces dela. Mas, quanto mais lágrimas ele enxugava, maior a quantidade que começava a escorrer. — Lamento muito. Falhei com você.

Ela se inclinou para encostar nas mãos dele. Não pensou que Lenda seria o tipo de pessoa que pedisse desculpas, mas ele não teve culpa. Aquela fora uma escolha de Tella. Podia ter feito outra escolha se assim quisesse. Não sabia quanto tempo levaria até que os efeitos do feitiço começassem a agir, mas imaginava que aconteceria em breve. E, como sua história não teria um final verdadeiro feliz, ela pelo menos poderia tentar ter um último bom momento durante seu quase fim.

— Menti para a minha irmã sobre o nosso beijo — disse Tella.

Dante pressionou os lábios contra a testa dela.

— Eu sei.

— Não terminei de falar — ralhou ela. — Quero que você saiba o motivo pelo qual menti. Não foi porque estava envergonhada. Disse aquilo para que a minha irmã não se preocupasse, porque acho que sabia que mesmo que pudesse ter...

A noite. O mundo. As estrelas que observavam acima, tudo desapareceu.

Em seguida, Tella desapareceu também.

40

Aqueles que olhavam para o céu ainda à procura de pistas, embora o jogo tivesse acabado de ser vencido, poderiam ter percebido o surgimento de mais estrelas, estrelas que não eram vistas havia séculos. Fazia muito tempo que não se viam sacrifícios dessa magnitude.

Humanos eram criaturas egoístas. As estrelas testemunharam aquilo muitas, muitas, muitas vezes.

Mas esta noite, conforme as estrelas olhavam para o mundo, viram o que pareciam ser atos verdadeiramente altruístas.

Primeiro, aquele que foi feito por aquela jovem.

Jovem tola.

Ela parecia promissora. Agora era inútil. Papel.

Mas foi interessante observar como o jovem que estava com ela respondeu.

As estrelas se aproximaram para olhar. Ele estava distraído, permitindo que elas se movessem mais livremente do que acontecera em várias das últimas noites. Era delicioso vê-lo sofrer. Esse rapaz, que nunca pareceu se importar com ninguém além de si mesmo, estremeceu de raiva. Havia a esperança de que não tivesse feito nada que fosse tolo demais. Fizera um acordo com as estrelas que elas ansiavam para que ele cumprisse.

Não seria bom para elas se o jovem terminasse preso dentro de uma carta ou morto.

Não que elas acreditassem que ele se sacrificaria por ela. Humanos não eram tão altruístas. Mas, é claro, ele não era totalmente humano.

Ele pegou o anel que caíra da mão da garota quando ela se transformou em uma carta. A pedra do anel ardia em vermelho e violeta, novamente amaldiçoada, mas ainda suficientemente afiada para rasgar a pele. O garoto deslizou o anel pela palma. O sangue verteu, vermelho como corações partidos e o terror, e cheio de poder.

As estrelas observaram com um interesse mórbido conforme ele cobria o baralho com a magia de suas veias, mais magia do que um humano deveria possuir. Em seguida ele falou as palavras, antigas e terríveis palavras que não deveria conhecer e muito menos estar disposto a pronunciar.

O sangue que cobria o baralho ficou negro, e o mundo mudou mais uma vez.

41

Tella não devia ter a capacidade de abrir as pálpebras. Um momento antes, ela não conseguia respirar, mover-se nem sentir nada além do fato de que estava aprisionada. Estava inanimada, impotente.

Mas agora conseguia sentir a brisa da meia-noite brincando com seus cachos e a mão quente contra suas costas, segurando-a junto a um corpo ainda mais quente: o corpo de Lenda.

Ele era Lenda agora, não Dante. Tella conseguia sentir aquilo na magia que lhe pulsava das mãos aquecidas — mãos com poder suficiente para destroçar mundos. Mas seu toque era gentil nas costas de Tella, segurando-a para que ficasse em pé e impedindo que seu corpo, que ainda se recuperava, desabasse no chão. Ela não sabia quanto tempo ficara presa na carta, mas os efeitos que lhe drenaram a vida continuavam ativos. As batidas do coração estavam firmes, mas as pernas estavam líquidas, e os braços, sem ossos. Mal conseguia se mover.

Ela se concentrou em piscar os olhos, agitando as pálpebras para cima e para baixo, enquanto a visão lentamente retornava e recobrava o foco. Eles ainda estavam nos degraus de pedra da lua do Templo das Estrelas. A noite não havia mudado, como se nenhum tempo houvesse passado, embora talvez o céu estivesse um pouco mais iluminado do que antes.

Reluzindo com estrelas adicionais. Mas Tella não queria olhar para as estrelas. Queria olhar para ele.

A expressão nos olhos dele era tão severa que parecia ter roubado um pedaço da escuridão da noite. Ela queria estender a mão e alisar a ruga profunda que havia entre seus olhos, aliviar a dor daquela expressão, mas não tinha forças para se mover.

— O que aconteceu? — sussurrou ela. — Por que não funcionou?

— Funcionou, sim. — O toque dele ficou mais firme, pressionando-a com mais força junto ao peito enquanto deslizava as mãos pelas costas de Tella, como se quisesse ter certeza de que ela ainda era corpórea. — Eu vi você desaparecer e ressurgir no lugar da sua mãe, dentro da carta.

— Mas, então, por que estou aqui? E onde está minha mãe? — O olhar de Tella vagou pelos degraus luminosos, pelas estátuas imóveis que ela poderia jurar que observavam os dois atentamente.

— Não se preocupe. Ela está bem — disse Lenda. Sua voz baixa estava estrangulada, dolorida, como se, para cada palavra que dissesse, houvesse outra que ele não conseguia chegar a enunciar. — Imagino que a sua mãe esteja no mesmo lugar em que estava logo antes de ser transformada em uma carta. Caso contrário, estaria aqui conosco.

— Ainda não consigo entender — disse Tella.

As mãos que lhe tocavam as costas pararam de se mover.

— Sei que você estava disposta a se sacrificar por ela, mas eu não estava disposto a sacrificar você.

Ele removeu uma das mãos que estava ao redor dela, e um raio de luar caiu sobre sua palma bronzeada, iluminando um corte irregular no centro.

— Quebrei a maldição das cartas.

— Mas... — interrompeu Tella, sem saber ao certo contra que parte daquilo devia protestar. Estivera disposta a sacrificar tudo, preparada para ficar presa em uma carta para salvar a mãe e Lenda, e para impedir que os Arcanos se libertassem para governar o Império mais uma vez. Mas uma parte muito egoísta dela estava bastante aliviada. Parecia que sua história poderia, enfim, ter um verdadeiro final feliz algum dia.

Tella poderia ter afundado nos degraus e chorado com alívio e descrença. Lenda poderia ter destruído as cartas e tomado o poder de todos os Arcanos. Poderia ter tudo o que quisesse. Se houvesse destruído os Arcanos, sua magia não estaria limitada a chegar ao ápice durante o Caraval. Ele teria o poder dos Arcanos: a capacidade do Aráculo de enxergar o futuro; a boa fortuna da Senhora da Sorte; o poder da Assassina de viajar pelo espaço e pelo tempo; a sabedoria da Dama Prisioneira. E ele escolhera salvar Tella.

— Não consigo acreditar que você fez isso por mim. — Ela ergueu os olhos da palma ferida de Lenda até seu rosto bonito. — Acho que isso significa que você é o herói, afinal.

A expressão dele ficou mais sombria quando ouviu a palavra *herói*, como se não desejasse ser chamado daquilo. Mas ela não se importava. Ele era o seu herói.

Tella ainda mal era capaz de mover os braços e as pernas, mas conseguiu colocar a mão ao redor do pescoço de Lenda quando o primeiro de muitos fogos de artifício explodiu no céu. Ela ouviu os fogos zunirem e estourarem quando se aproximou e puxou a boca carnuda dele contra a sua. No início, os lábios dele não se moveram. O pânico atravessou Tella, pois algo podia estar errado; talvez ele se arrependesse do que fizera. Ela moveu os lábios com mais sofreguidão, prestes a se afastar, quando ele beijou suavemente o canto da boca de Tella.

Talvez antes estivesse com medo de machucá-la.

Ele agia de modo impossivelmente gentil enquanto a beijava novamente; mãos que mal lhe tocavam a cintura, enquanto os lábios viajavam lentamente ao longo do contorno da mandíbula e em seguida descendo pelo pescoço. Tão leves que era quase doloroso. Era o som delicado da música, o arrebentar distante das ondas do oceano; ali, mas ainda assim muito distante. Tella queria apagar a distância. Aquilo deveria dar a sensação de que era o começo de algo, mas, de algum modo, parecia mais um fim. Como se cada pressão leve como uma pena dos lábios dele fosse um adeus silencioso.

Mais fogos de artifício explodiram no céu, dourados e violeta e mais brilhantes do que antes.

Ela segurou com mais força ao redor do pescoço dele, tentando prendê-lo juntamente com este momento, mas ele já estava recuando enquanto a deixava sobre os degraus.

— O que há de errado? — perguntou Tella.

— Preciso partir. — O olhar dele se fechou, os lábios se fecharam em uma linha severa, e ele se afastou completamente de Tella. Deixou o corpo fraco da jovem no chão, abandonando-a no alto dos degraus frios de pedra da lua. — Adeus, Tella.

Ela sentiu um vazio no estômago. Se estivesse em pé, as pernas provavelmente cederiam.

Ele estava se afastando. Deixando-a para trás.

— Espere. Aonde você vai?

Ele continuou a descer os degraus.

Por um momento, ela temeu que Lenda não fosse se virar para trás. Mas foi quase pior quando ele o fez. Os olhos dele, que até pouco tempo antes eram tão calorosos, tão cheios de emoção, não brilhavam, cintilavam nem luziam mais. Estavam opacos, negros, ficando mais frios a cada batida do coração, assim como os fogos de artifício no céu, que começavam a perder o viço. — Há um outro lugar onde preciso estar. E, não importa como isso lhe pareça, ainda não sou o herói na sua história.

Alguma coisa se quebrou dentro de Tella. Podia ser seu coração, despedaçando-se conforme ele ia embora — como se ele não houvesse simplesmente libertado os Arcanos e condenado o mundo inteiro por ela.

42

Os degraus sob o corpo de Tella estavam frios, mas nem de longe tão gelados quanto o rapaz sem coração que a deixara ali. Ela fora deixada por rapazes antes, mas nunca isso lhe doera tanto. Queria se levantar, ir embora com a cabeça erguida, como se ele lhe importasse tão pouco quanto ela aparentemente importava para ele. Mas os braços e as pernas de Tella ainda pareciam ser feitos de papel, fracos, delgados e patéticos.

Um suspiro dramático passou cortando pelo coro de fogos de artifício que ainda crepitavam no céu. Em seguida, Jacks veio subindo as escadas aos saltos, balançando a cabeça enquanto caminhava. Parecia que havia se vestido de maneira elegante e logo depois se envolveu em uma briga. A casaca justa estava coberta por espirais de bordados dourados puídos. A camisa creme poderia até ser elegante se as rendas não houvessem sido arrancadas dos punhos e da gola. Dois dos botões perto do pescoço estavam faltando também.

— Eu lhe disse que seria má ideia se enfiar em uma carta.

— Como você sabe o que aconteceu? — perguntou Tella.

— Sou um Arcano. Sei das coisas.

Ela tentou empurrar o corpo para que ficasse em uma posição mais digna, mas os membros continuaram firmemente plantados contra a rocha fria.

— Você sabia o tempo todo que isso iria acontecer?

— Era uma possibilidade. — Jacks continuou sua subida despreocupada. Se estava decepcionado por ter perdido Lenda, sua voz não dava indicação alguma. Seu rosto bonito era ilegível. Parecia estar perfeitamente indiferente, exceto por uma ruga miúda entre as sobrancelhas.

— Ficar se lamuriando não combina com você.

— Não estou me lamuriando. Estou irritada — disse Tella. Jacks era a última pessoa para quem ela queria chorar suas mágoas, mas, considerando que era o único que estava por ali e que seu coração já estava totalmente despedaçado, foi impossível refrear as palavras. — Metade da razão pela qual me coloquei naquela carta foi para que você não tirasse os poderes dele ou o matasse. E depois ele simplesmente me largou aqui, nesta escadaria.

— Você honestamente esperava mais de Lenda?

Talvez ela não esperasse mais de Lenda, mas quisera mais de Dante. Como alguém que abrira mão de tudo por que trabalhara simplesmente a abandonava? E por que ele se incomodara em retribuir os beijos? Devia tê-la deixado no momento em que ela pressionou seus lábios contra os dele.

— Você definitivamente está se lamuriando. — A boca de Jacks se retorceu com o asco.

— Pare de me julgar. Só parece que estou fazendo isso porque não consigo me mover. Se conseguisse, não estaria deitada aqui. Estaria com a minha mãe.

— Você sabe onde ela está? — provocou Jacks, com a voz arrastada. Tella fez uma careta irritada.

— Você não tem nada melhor para fazer? Não devia estar em algum outro lugar, celebrando com todos os outros Arcanos que Lenda acabou de libertar?

— Percebeu o quanto você fica fraca depois de estar dentro de uma carta por um punhado de minutos? Os outros Arcanos ficaram presos por séculos. Eles podem estar fora das cartas, mas, na melhor das hipóteses, serão necessárias várias semanas antes que eles, ou mesmo a sua mãe, tenham força suficiente para abrir os olhos. Quando realmente despertarem, ainda assim não terão todos os seus poderes por causa de Lenda.

— Então por que você não está em algum lugar distante planejando como recuperar o resto da sua magia que está com ele?

— E quem disse que não estou fazendo isso? — O sorriso de Jack era todo covinhas, as mesmas bem pronunciadas que ela vira na primeira vez que se encontraram. Ela agora as detestava tanto quanto o fizera naquela ocasião. Covinhas deviam ser charmosas e gentis, mas as dele sempre lhe davam a sensação de que eram uma forma de ataque.

Os braços e as pernas de Tella ainda não estavam funcionando, mas ela conseguiu retribuir com um olhar de irritação.

— Vá embora.

— Tudo bem. Mas vou levá-la comigo.

— Com um movimento ágil, Jacks a tomou nos braços esguios, o que eram bem mais fortes do que pareciam.

— O que você está fazendo? — berrou Tella.

— Estou levando você até sua irmã. Não gaste sua energia débil lutando.

Se ao menos Tella pudesse lutar contra ele... mas ela não tinha forças e já estava muito cansada de lutar. Seu espírito de batalha havia morrido naquela escadaria, no momento em que Lenda foi embora. Tudo o que ela queria agora era que a noite terminasse e que o sol retornasse, para que, quando olhasse para o céu, não visse mais todas as estrelas sangrando nem pensasse em Lenda. Seu único triunfo era o fato de sua mãe estar livre, mas, até que Tella a visse em carne e osso, ainda teria a sensação de que estava desaparecida.

— Você está chorando? — perguntou Jacks.

— Não se atreva a me criticar por isso.

As mãos de Jacks se retesaram. Uma onda gelada beijou Tella, uma lembrança de Jacks antes que seu coração começasse a bater outra vez.

— Se você está chorando por Lenda, deixe disso. Ele não merece. Mas, se for pelas cartas... — Jacks baixou o rosto para olhar para ela, e por um momento breve como um relâmpago toda a indolência e o desleixo deixaram sua expressão. — Fiz a mesma coisa. Você não seria humana se não chorasse.

— Eu pensava que você não era humano.

— Não sou. Mas houve um tempo em que fui. Por sorte, não durou muito — emendou ele, mas Tella pensou ter ouvido um toque de arrependimento.

Ela esticou o pescoço para olhar para ele. O olhar de Jacks se fixou no de Tella e ela jurou que a expressão dele ficou menos dura, parecida com preocupação, os olhos prata-azulados inclinados para baixo e lágrimas prestes a cair.

— Por que você está sendo tão gentil?

— Se você acha que sou gentil, então realmente precisa passar seu tempo com pessoas melhores.

— Não, você está sendo gentil. Está me segurando junto ao peito e dizendo coisas pessoais. Você me ama agora?

Ele respondeu com uma risada zombeteira.

— Você realmente adorou essa ideia, não foi?

Tella abriu um sorriso torto bastante sedutor.

— Fiz o seu coração bater. Isso praticamente me torna um Arcano.

— Não — respondeu Jacks, sucintamente, com todos os indícios de seu humor desaparecendo. — Você ainda é bastante humana, e eu não a amo.

Aquelas mãos ficaram tão frias que ela quase esperava que ele lhe permitiria cair no chão e a deixaria para trás como Lenda o fizera. Mas, por alguma razão, Jacks a segurou junto de si. Seus braços continuaram ao redor dela, enquanto ele a levou para o interior de uma carruagem aérea. O veículo tinha almofadas cor de manteiga com detalhes espessos em azul-royal, a mesma cor das cortinas que emolduravam as janelas ovais. Ela se perguntou se aquela seria a carruagem na qual se conheceram, a mesma caixa pequena da qual ele ameaçara jogá-la apenas para ver o que aconteceria. Ela ficou um pouco mais rígida nos braços de Jacks quando se lembrou daquilo. Mesmo que a estivesse tratando bem, ele não era nem um pouco gentil ou seguro.

— Lembrou-se do quanto você não gosta de mim? — perguntou ele.

— Nunca esqueci. Estava pensando em quando nos conhecemos. Você sabia quem eu era?

— Não.

— Quer dizer, então, que você é sempre tão encantador com todo mundo que conhece como foi comigo?

As mãos dele acariciaram lentamente os braços de Tella; os dedos não estavam tão gelados quanto antes de o coração começar a bater, mas ainda eram frios ao toque.

— Quando eu tinha todos os meus poderes, era capaz de fazer as coisas mais vis. Podia falar palavras muito piores do que lhe disse na carruagem, e as pessoas ainda assim trairiam por livre e espontânea vontade suas mães ou seus amantes apenas para me agradar. Embora esses poderes tenham desaparecido, ser o herdeiro de um trono tem um efeito similar.

— Os olhos que cruzaram com os dela tinham a cor da geada, sem qualquer toque de paixão ou remorso. — Ninguém gosta de mim, Donatella, mas as pessoas concordam com qualquer coisa que eu diga. Às vezes a minha única forma de entretenimento é ver até onde consigo levar as coisas antes que alguém ceda.

— Você realmente não tem sentimento algum, não é?

— Eu sinto.

— Mas não como os humanos?

— Não. É preciso muito mais para que eu sinta alguma coisa, e, quando sinto, é infinitamente mais forte. — Jacks removeu a mão do braço dela, mas, por um momento estilhaçante, Tella sentiu que os dedos dele endureciam como metal.

Quando a carruagem pousou no palácio, o ar estava espesso com a fumaça da celebração. Jacks nem perguntou se os membros de Tella estavam funcionando novamente. Pegou o corpo inerte mais uma vez e a tirou da casa das carruagens, enquanto um último fogo de artifício azul explodia, fazendo chover safiras brilhantes sobre cada centímetro do palácio cravejado de joias de Elantine.

Os olhos de Jacks refletiam o mercúrio contra a luz com algo que era um pouco inumano demais para ser chamado de tristeza, e mesmo assim essa foi a única palavra que Tella encontrou para descrever a situação.

— Por que você não está assistindo à queima de fogos de artifício com a imperatriz? — perguntou ela.

— Você não soube? O filho desaparecido dela retornou, e Elantine o reconheceu oficialmente. Isso significa que não sou mais o herdeiro-sucessor.

Tella não sentiu pena dele. O reinado de Jacks seria uma praga para todo o Império Meridiano. Mesmo assim, havia alguma coisa em relação àquela situação que lhe despertou uma sensação de inquietude. Quando Elantine lhe falara sobre o filho perdido, no início daquela noite, não soou como se uma mãe e um filho tivessem sido reunidos. Isso fez Tella pensar que o novo herdeiro de Elantine fosse um impostor, um farsante que só existia para impedir que Jacks ascendesse ao trono.

Tella devia ter ficado impressionada pelo fato de que a imperatriz fizera o que foi necessário para proteger o Império da influência de Jacks. Mas havia alguma coisa ali que parecia não estar certa.

— Não vá desmaiar bem nos meus braços — disse Jacks. — Prefiro não ter que enfrentar a fúria da sua irmã.

— Não estou a ponto de desmaiar — mentiu Tella. — E, por falar na minha irmã, você nunca me contou o que ela estava fazendo com você naquela outra noite, na carruagem.

— Estava me beijando apaixonadamente.

Tella se engasgou com a própria respiração.

O canto da boca de Jacks se agitou num espasmo.

— Não vá morrer enquanto estiver nos meus braços. Foi uma piada. Você disse à sua irmã que encontrei a sua mãe, e por isso ela queria que eu também a ajudasse a encontrar alguém.

Isso era muito melhor, mas ainda era desconcertante.

— Quem ela estava procurando?

— Não era o rapaz em cuja companhia ela está neste momento. — Jacks girou lentamente na direção do jardim de pedra.

O ar estava mais quente, como se este canto do palácio continuasse intocado por qualquer coisa capaz de causar mal. Mesmo assim, as estátuas pareciam mais angustiadas do que da última vez que Tella as vira. Todas se encolhiam ou se esquivavam mais do que antes. Era como se soubessem que Lenda acabara de libertar os Arcanos — os mesmos Arcanos que, muito tempo antes, transformaram este jardim cheio de servos humanos em pedra imóvel porque queriam decorações mais realistas.

Tella estremeceu nos braços de Jacks.

Scarlett parecia não perceber nada daquilo. Ela e Julian estavam sentados, abraçados, em um banco no centro das estátuas, parecendo estar gloriosamente apaixonados novamente. Tella podia jurar que havia borboletas noturnas dançando ao redor das cabeças deles.

Pelo menos uma das irmãs encontrou a felicidade naquela noite.

— Vocês finalmente se entenderam? — balbuciou Tella.

Scarlett e Julian se endireitaram abruptamente. Em seguida, Scarlett se levantou no banco, voando rumo a Jacks e à silhueta torpe de Tella.

— O que você fez com a minha irmã? — As luvas de renda branca de Scarlett se transformaram em um couro negro formidável enquanto ela apontava para o Arcano.

Ela poderia ter feito mais do que apontar se Julian não houvesse lhe colocado um braço restringente ao redor da cintura. Ele estava fantasiado como Caos, trajando uma armadura pesada e um par de manoplas espinhosas que faziam parecer que estava pronto para entrar em batalha. Mas Tella viu um medo genuíno ferver sob a superfície daquelas feições escarpadas. Diferentemente de Scarlett, ele devia saber que Jacks era o Príncipe de Copas. E, se Julian realmente fosse o irmão de Lenda, provavelmente se perguntara por que o Arcano ainda estava vivo.

Jacks simplesmente suspirou.

— Ninguém nessa família diz obrigado?

— Toda vez que o vejo, a minha irmã se machuca — disse Scarlett.

— Nem todas as vezes. — Jacks exibiu os dentes enquanto seus olhos voltavam rapidamente de Julian para Scarlett. Tella não sabia o que Jacks estava dizendo silenciosamente, mas, fosse o que fosse, aquilo fez Scarlett fechar a boca com força.

— E isso não aconteceu por minha culpa — prosseguiu Jacks. — A sua irmã venceu o jogo. Mas isso a deixou bem esgotada. Ela desmaiou no Distrito do Templo, e Lenda, sendo o cavalheiro que não é, simplesmente a deixou ali.

— Você encontrou Lenda? — perguntou Scarlett, com a voz igualmente curiosa e desconfiada. Combinava com a expressão fraturada no rosto de Julian, como se ele também estivesse simultaneamente surpreso e nervoso. Sempre que Scarlett estava em uma sala, os olhos dele se fixavam nela, mas agora ele observava Tella atentamente, como se tivesse receio do que ela diria a seguir.

— Eu... — a língua de Tella subitamente ficou grossa e os braços de Jacks ficaram instantaneamente tensos. Devia ser por essa razão que ele agia como se estivesse preocupado; ainda queria a identidade de Lenda para recuperar seu poder total, de modo que pudesse fazer mais do que apenas matar com um beijo. Mesmo se Tella estivesse disposta a compartilhar com ele o segredo de Lenda, o peso de sua língua e a pressão da magia contra a garganta a fizeram sentir que não conseguiria revelá-lo, não importa o quanto tentasse.

— Não me lembro muito do que aconteceu — esquivou-se Tella. Em seguida, deu uma rápida olhada para Julian. — Assim que venci o jogo, Lenda foi embora.

Um lampejo de alívio iluminou os olhos de Julian.

A expressão de Scarlett ficou um pouco mais desconfiada.

Jacks respirou fundo, o peito se movendo lentamente para cima e para baixo contra as costas de Tella.

— Acho que chegou a hora de eu ir embora. Sua mãe ainda precisa ser encontrada.

— Não! — disse Tella.

Scarlett se enrijeceu.

As sobrancelhas de Jack se ergueram, dançando.

— Depois de tudo isso, você não quer vê-la?

— É claro que quero vê-la. Mas não quero que você a toque.

— Vou calçar um par de luvas — disse Jacks. Em seguida, mais suavemente ao ouvido de Tella: — As pessoas sabem que nunca é uma boa ideia fazer um acordo com um Arcano, e mesmo assim continuam a fazer isso, porque nós sempre cumprimos nossa palavra. Eu lhe disse que, se vencesse o jogo, eu a reuniria com a sua mãe. E é isso que vou fazer.

Jacks colocou Tella cuidadosamente sobre os braços estendidos de uma das estátuas.

Por um momento, ela sentiu um impulso perverso de agradecer-lhe. Mas ele era o último ser a quem ela agradeceria por qualquer coisa.

— Ainda odeio você — disse ela.

— Provavelmente é melhor que seja assim.

Seus passos não fizeram nenhum som quando ele saiu do jardim. Assim que ele se foi, Scarlett ajudou Tella a descer do abraço pétreo da estátua. Ela se escorou na maciez da irmã. O ar no jardim continuou morno, mas o frio estava começando a penetrar. Uma fina camada de gelo estava se formando sobre as estátuas tristonhas, e as borboletas noturnas haviam desaparecido.

— Podemos voltar ao palácio? — balbuciou Tella.

— É claro — disse Scarlett.

— Precisam de ajuda? — perguntou Julian.

Scarlett fez um rápido movimento negativo com a cabeça, e algum código silencioso passou entre os dois. Julian lhe deu um rápido beijo na bochecha e, em seguida, olhou para Tella. Alguma coisa parecida com simpatia enchia seus olhos cor de âmbar.

— Lamento — disse ele. Não mencionou o nome, mas Tella sabia que estava falando sobre Lenda. — Ele pode tornar alguém o centro do seu mundo quando essa pessoa é parte do seu jogo. Mas, quando o jogo termina, ele *sempre* vai embora e jamais olha para trás.

Tella percebeu que Julian estava tentando ajudar, mas de algum modo estava tornando as coisas um pouco piores.

— Não tem importância — disse ela. — Eu simplesmente fico feliz pelo jogo ter terminado.

Julian levou a mão até a nuca. Tella receava que ele fosse dizer mais alguma coisa, algo que seria mais difícil de ignorar sem demonstrar emoção. Mas imaginou que ele estivesse mais ansioso para encontrar seu irmão do que para continuar uma conversa com ela. Julian devia ter percebido que as coisas não ocorreram conforme o planejado no instante em que ela surgiu nos braços de Jacks.

Sem dizer outra palavra, ele deixou o jardim e desapareceu na noite.

No minuto em que ele se foi, Scarlett olhou para Tella com os olhos cheios de suas próprias perguntas. Tella não sabia se a irmã queria perguntar sobre sua mãe, sobre o jogo ou sobre o que Tella fizera para ficar naquele estado tão enfraquecido.

Tudo o que Tella sabia era que não queria brigar, discutir ou ver qualquer traço de decepção no rosto da irmã. Scarlett merecia respostas, mas Tella não estava pronta para revelar os detalhes da história em sua totalidade. Queria simplesmente alguém que a reconfortasse e que cuidasse dela até o amanhecer.

Scarlett a abraçou com força.

— Eu estou pronta para escutar no momento em que você quiser conversar.

— Prefiro esquecer. — Tella murchou junto da irmã. Não queria dizer nada, mas, quando começou a falar, o restante acabou lhe escapando.

— Cometi um erro, Scar. Nunca quis me apaixonar por ninguém, mas acho que me apaixonei por Lenda.

O DIA DE ELANTINE

43

Foi o Dia de Elantine mais tranquilo que o Império Meridiano já testemunhara. Depois de uma semana de constelações ardentes e expectativas, todas as celebrações do aniversário da imperatriz tinham sido canceladas por causa da saúde precária de Elantine. O povo fora informado sobre a condição dela naquela manhã, e toda Valenda parecia tomada por um humor taciturno. Nem mesmo o sol tinha o mesmo brilho; parecia contente em se esconder atrás de nuvens. Somente um canto do astro surgiu, mandando um raio de luz para o quarto onde Donatella Dragna estava sentada junto com a irmã Scarlett.

Por sua vez, Tella sentia como se houvesse entrado num mundo onde tanto seus sonhos quanto seus pesadelos haviam colidido.

Sonhara com a mãe por tantas vezes. Geralmente eram pesadelos em que a mãe a abandonava novamente. Mas, ocasionalmente, Tella tinha sonhos em que a mãe retornava. Sempre acontecia do mesmo jeito. Tella estaria adormecida no sonho, e em seguida a mãe a acordava com um beijo suave na testa. Os olhos de Tella se abriam, agitados, e os braços voavam até envolver o pescoço da mãe. E uma alegria indescritível tomava conta dela.

A sensação era sempre a vontade de chorar mesclada com a necessidade de rir; o tipo de felicidade que era quase dolorosa. Aquilo pesava sobre o peito de Tella, tornando difícil respirar e complicado formar palavras. E devia ser ainda mais potente agora que a mãe fora devolvida.

Ela estava deitada na cama de Scarlett, tão pacífica quanto uma donzela em perigo, toda faces pálidas, cabelos escuros e lábios incrivelmente vermelhos. Tella tentou não ficar preocupada com as cores exageradas dos lábios e da pele de sua mãe, lembrando a si mesma de que, durante anos, ela tinha sido uma pintura em uma carta, não uma mulher.

Sua mãe agora estava livre, e era por causa de Tella. Essa vitória única deveria ter dado a Tella asas para voar pelo quarto, sair pela janela e passar por cima do pátio de vidro. Mas a imagem de asas fez Tella pensar em um par de asas tatuadas em costas bonitas. O que, por sua vez, conjurou pensamentos centrados na única pessoa na qual ela não deveria estar pensando. *Lenda*.

Suas veias se aqueceram quando pensou naquele nome.

Ela não fazia ideia do lugar para onde ele tinha ido depois que a deixara na escada diante do Templo das Estrelas. E não queria ficar pensando naquilo. Não queria rememorar cada encontro que tivera com ele, cada palavra que ele lhe dissera, cada olhar que dirigira a ela ou cada beijo que compartilharam. Cada lembrança lhe doía atrás dos olhos, nos pulmões e na garganta, que ficava desconfortavelmente embargada toda vez que se lembrava do último momento que tiveram juntos.

Ela tinha a sensação de que era uma fraqueza continuar a pensar nele. Tella sabia que teria de ser completamente insensível para bani-lo de seus pensamentos depois de tudo o que passaram. E Tella jamais iria querer ser insensível. Mas também não queria se deixar consumir por ele.

A única maneira de refrear os pensamentos nele era continuar a se concentrar em sua mãe, que estava ali e que, cedo ou tarde, acabaria despertando.

Tella ainda estava atordoada por Jacks ter cumprido sua promessa e lhe devolvido Paloma. Talvez ele estivesse apaixonado por Tella, afinal. Ela *era* seu verdadeiro e único amor. Mesmo que Tella imaginasse que ser o objeto da afeição de um Arcano era algo perigoso. Mas não estava preocupada com os Arcanos por enquanto. Jacks deixara claro que demoraria mais tempo até que os Arcanos despertassem do que para sua mãe.

Tella enxugou a cabeça de Paloma com um pano frio. Não que isso fizesse qualquer diferença; sua mãe não estava com febre. Mas Tella se sentia melhor se estivesse fazendo alguma coisa.

— Ela não parece ter envelhecido nem um pouco desde que partiu — disse Scarlett. — Não é natural.

— Imagino que não seja nada natural ficar aprisionado dentro de uma carta — disse Tella.

Isso lhe rendeu uma expressão ainda mais séria.

Assim que as irmãs alcançaram o palácio na noite anterior, Tella adormecera na cama de Scarlett. Acordara quando Jacks retornou com sua mãe, totalmente inconsciente. Não mencionou onde a havia encontrado, mas deixou escapulir algo sobre como ela havia sido aprisionada dentro de uma carta e como Tella fizera um grande sacrifício para salvá-la.

Tella esperava que esta seria uma daquelas ocasiões em que a sua irmã decidiria ignorar qualquer conversa sobre a mãe. Mas é um pouco difícil ignorar alguém quando essa pessoa está deitada em seu quarto, parecendo estar amaldiçoada. Scarlett questionou Tella incansavelmente, até que ela lhe confessou tudo.

Scarlett não lidou muito bem com a maior parte da história, especialmente a parte em que Tella tomara o lugar da mãe dentro de uma carta. Depois de implorar a Tella que jamais se arriscasse a fazer outra coisa como aquela novamente, Scarlett concentrou sua raiva na mãe; não conseguia olhar para Paloma sem fazer uma careta.

Tella não conseguia culpar a irmã. Sob toda aquela raiva, Tella percebeu que Scarlett guardava uma bela quantidade de culpa por não saber de tantas das coisas que aconteceram durante o Carnaval e que o jogo fora muito real desta vez. Mas nada daquilo foi por culpa de Scarlett. E, surpreendentemente, Tella não conseguiu se arrepender de nada do que fizera. Mas desejou não ter ficado tão caída por Lenda, o que, por sorte, sua irmã não estava mencionando.

Tella estava curiosa para saber se Julian contara a Scarlett que Dante era Lenda, já que sua identidade parecia ser a única coisa sobre a qual Scarlett parecia ser incapaz de falar. Scarlett dividira com Tella que estava dando uma segunda chance a Julian. Ciente das sensações atuais de Tella em relação a Lenda e ao Caraval, Scarlett não havia pedido muitos detalhes a respeito. Mas Tella imaginava que a irmã não teria perdoado Julian completamente, a menos que ele lhe desse mais do que alguns olhares e beijos ardentes, o que a fazia desconfiar que Scarlett tinha uma noção melhor sobre a verdadeira identidade de Lenda do que deixara escapar na noite anterior.

— Que tal um jogo? — sugeriu Tella. — Você tem um baralho comum por aqui? — Ela abriu a gaveta da mesinha de cabeceira ao lado da cama de Tella.

— Não mexa nisso! — Scarlett se levantou com um salto.

Se não tivesse reagido com tanto ímpeto, Tella poderia ter fechado a gaveta sem lhe dar tanta atenção. Mas, no minuto em que Scarlett gritou, o interesse de Tella se intensificou.

Havia um livro dentro da gaveta, um volume elegante de couro vermelho com uma carta igualmente elegante aparecendo logo embaixo.

— O que é isso? — Tella puxou a carta que estava embaixo do livro. Estava endereçada a Scarlett. Tella não reconheceu o endereço do remetente, mas o nome escrito acima dele lhe era familiar: Conde Nicolas d'Arcy.

Tella ficou sentada ali, sem conseguir dizer uma palavra, porque não achou que gritar seria uma boa ideia.

O rosto de Scarlett ficou inteiramente rosado.

— Posso explicar.

— Achei que você estivesse dando uma segunda chance a Julian.

— E estou. Mas estou dando uma chance a Nicolas também.

— Nicolas? Você já está tratando o seu ex-noivo pelo primeiro nome? — Tella esperava desesperadamente que a irmã estivesse brincando, uma pequena retribuição por todos os segredos que ela escondera. Embora, se isso fosse verdade, os olhares estrangulados que Scarlett e Jacks haviam trocado no jardim agora fizessem sentido. — Esta é a pessoa que você pediu a Jacks para ajudá-la a encontrar?

— Jacks lhe disse que pedi a ajuda dele? — Scarlett parecia estar surpresa, como se realmente confiasse no Príncipe de Copas.

— Vi você sair da mesma carruagem onde ele estava naquela noite — disse Tella.

Scarlett levou as mãos até as bochechas, cobrindo o rubor que estava cada vez maior.

— Eu o encontrei depois que você me disse que ele conseguiu localizar a nossa mãe. Eu estava procurando por Nicolas por conta própria, mas não tive sorte. E pedir ajuda a Jacks me deu a oportunidade de interrogá-lo sobre as intenções que ele tinha em relação a você. Não que ele fosse honesto sobre qualquer coisa.

— Acho que nenhuma de nós pode criticar ninguém por ser desonesto — esbravejou Tella.

— Planejei lhe contar sobre Nicolas, mas estava esperando pelo momento certo. — Scarlett deu uma olhada na mãe delas, um lembrete silencioso de que Scarlett não era a única que tinha segredos. — Eu não esconderia isso de você, mas sei que nunca gostou dele.

— E continuo não gostando. Trocar cartas com ele é um erro.

— Não se preocupe — disse Scarlett. — Não estou planejando me casar com ele. Mas agradeceria se você não mencionasse isso para Julian. Acho que um pouco de rivalidade pode fazer bem a ele.

— Então, do que se trata isso? — Tella estava mais do que somente um pouco atordoada. — Você quer uma competição entre o conde e Julian?

— Eu não chamaria isso de competição — disse Scarlett. — Não planejo dar a nenhum deles tarefas para completar. Mas como posso saber com certeza que Julian é a pessoa certa para mim se não tiver ninguém com quem compará-lo? Achei que você fosse ficar orgulhosa de mim. Você é aquela que sempre quis que eu tomasse minhas próprias decisões.

— Scarlett sorriu, marota como um gato que acabara de aprender a escapulir de uma casa para explorar o mundo lá fora.

Tella sempre pensou que a irmã a subestimara — mas talvez fosse ela quem havia subestimado Scarlett.

Tella ainda não gostava da ideia do conde. Embora não confiasse mais no que o Aráculo havia lhe mostrado, tinha uma sensação horrível em relação ao Conde Nicolas d'Arcy. Suas cartas sempre pareceram um pouco perfeitas demais. Ele era a definição do dicionário de um cavalheiro; ninguém era tão cortês na vida real. Ou ele era terrivelmente entediante ou então era uma fraude. E, mesmo com todas as suas ressalvas, Tella estava orgulhosa da irmã por ter feito uma escolha tão audaciosa.

— Scarlett, eu...

Sinos. Sinos longos, baixos e tristonhos dobraram pelo palácio.

Tella estremeceu com aquele som trágico, esquecendo-se instantaneamente do que estava dizendo conforme os sinos continuavam a chorar. Não eram relógios indicando as horas. Eram sinos tristes, entoando uma canção lamentosa de perda.

Na cama, a mãe de Tella se agitou. Não acordou de seu sono amaldiçoado, mas os sinos claramente a haviam perturbado. Por entre a música soturna, Tella ouviu um burburinho de atividade no corredor. Passos apressados. Vozes que conversavam. Mais do que uns poucos soluços incontidos. E ela soube.

A Imperatriz Elantine havia morrido.

Tella só encontrara a imperatriz duas vezes, mas sentiu uma onda surpreendente de emoção quando pensou que a vida dela se encerrava, o corpo esmorecendo e os olhos se fechando para sempre.

Scarlett talvez não tivesse tanta certeza ou talvez não soubesse do que se passava. Levantou-se de seu assento e abriu a porta bem quando uma criada cruzava o corredor às pressas.

— Que comoção é essa?

— Sua Majestade faleceu — confirmou a criada. — Estão dizendo que o novo herdeiro, o filho que estava desaparecendo, agora está fazendo a sua primeira aparição na torre dourada. Todos estão indo até o pátio de vidro para ver. A senhora provavelmente consegue ver a torre da sua janela.

A arrumadeira voltou a correr, e Tella atravessou o quarto para abrir ainda mais as cortinas de sua maior janela. A luz entrou no quarto, espessa como o mel e intensa. O sol havia finalmente saído de trás das nuvens e parecia estar compensando o trabalho desleixado que fizera naquela tarde. Com os sinos de luto ainda dobrando, parecia errado que o sol estivesse tão forte, iluminando todo o pátio, que estava realmente se enchendo de gente.

— Não consigo acreditar que a imperatriz esteja morta — disse Scarlett.

— Você teria gostado dela — murmurou Tella. — Ela dava abraços do jeito que sempre desejei que a nossa avó Anna fizesse.

— A vovó lhe deu abraços? De verdade?

— Uma vez — disse Tella. — Pode acreditar no que digo, você não perdeu nada.

Tella não chorou quando sua avó Anna morreu. Embora a mulher tivesse se esforçado para criá-la, Tella nunca sentira nenhum afeto por ela. Mas Tella gostava da imperatriz. A amizade que fizeram foi breve, mas Elantine mudou o destino de Tella; se seus caminhos nunca tivessem se cruzado, a mãe de Tella ainda poderia estar aprisionada em uma carta. Tella esticou o pescoço quando olhou para além do pátio de vidro, na direção da torre dourada. Todas as janelas e sacadas estavam abertas; nelas, arrumadeiras e criadas jogavam pétalas negras sobre a multidão que se agrupava abaixo. O tributo sombrio era ainda mais triste do que os sinos.

Somente uma das sacadas não derramava flores. Em vez disso, naquele terraço estavam desfraldadas bandeiras azul-royal com o brasão branco e ousado do Império Meridiano. No seu centro havia uma silhueta.

Cada pelo do corpo de Tella se eriçou quando ela o viu.

Tella não conseguia divisar claramente o rosto, mas podia ver a cartola que ele usava. Elegante, negro e inconfundivelmente Lenda.

Aquele patife.

Tella sabia que Lenda era cheio de segredos, mas este era um dos quais ela jamais havia considerado. Estava posando como o filho desaparecido de Elantine. Foi por essa razão que ele a deixara nos degraus assim que os fogos de artifício começaram a estourar; havia partido para assistir a eles com a imperatriz. Mas Tella imaginou que ele a teria abandonado de qualquer maneira.

Era incrivelmente inapropriado, mas Tella não conseguiu conter o riso que borbulhava dentro dela. Ela pensou que fosse a chave para todo o jogo dele. Mas, é claro, Lenda estava participando de mais do que um jogo. Não fora a Valenda meramente para destruir os Arcanos e tomar todos os seus poderes para si. Ele escolhera esta cidade para ser seu tabuleiro e para que pudesse reclamar seu trono.

EPÍLOGO

Nos contos de fadas, a idade de dezesseis anos é sempre o momento em que as garotas aprendem que têm poderes mágicos, que são princesas disfarçadas ou que foram amaldiçoadas e precisam de um príncipe encantado para ajudá-las a quebrar o encantamento maligno. Tella não sabia o que a esperava durante seu décimo sétimo ano, mas, o que quer que fosse, seria mais espetacular do que qualquer uma dessas coisas.

Com toda a tristeza do Dia de Elantine, ela quase se esquecera do próprio aniversário. Mesmo assim, acordara magicamente à meia-noite, exatamente no primeiro momento.

O coração ainda estava um pouco pesado, mas ela decidiu que carregá-lo consigo acabaria por torná-la mais forte.

Duas noites antes, quando tomara o lugar da mãe naquela carta, Tella temeu que aquele fosse o seu fim verdadeiro. Mas ela era jovem demais para fins. Suas aventuras só estavam começando. Seriam maiores do que promessas e mais brilhantes do que constelações. Ao final delas, Tella seria lendária.

Lenda se arrependeria de tê-la deixado naqueles degraus sem nem mesmo um adeus.

Ou talvez já estivesse arrependido.

Tella ergueu calmamente o corpo para se sentar na cama. O quarto estava escuro, cheio da noite e de sombras, e mesmo assim Tella viu o presente tão nitidamente como se o dia estivesse claro. Uma única rosa vermelha com um caule branco imaculado estava na mesa ao lado de sua cama. Embaixo dela um envelope prateado conseguia brilhar, porque, é claro, tudo o que vinha de Lenda brilhava no escuro.

Tella pegou o envelope e se levantou da cama silenciosamente, indo até a janela. Ainda estava furiosa com ele. Iria fazê-lo se arrepender de tê-la abandonado. Mas seu coração parecia ter se esquecido do que ocorreu. Ele tropeçava, batia e rebatia num ritmo desengonçado enquanto ela abria a carta que recebera de Lenda.

A carta cheirava como ele, a tinta, segredos e magia perversa. A caligrafia vinha toda em traços grossos e escuros. Conforme lia, Tella se recusou a sorrir, mas alguma coisa parecida com a esperança começou a crescer em seu coração.

Donatella,

Creio que seja o seu aniversário. Creio também que tenhamos assuntos inacabados; eu ainda lhe devo um prêmio por vencer o Caraval. Venha me encontrar assim que quiser pegá-lo.

Estarei à sua espera.

– Lenda

GLOSSÁRIO DE ARCANOS E TERMOS

BARALHO DO DESTINO: Um método de previsão do futuro. Os Baralhos do Destino contêm trinta e duas cartas, consistindo em uma corte de dezesseis imortais, oito lugares e oito objetos.

OS ARCANOS: De acordo com os mitos, os Arcanos retratados nos Baralhos do Destino já foram seres mágicos e corpóreos. Acredita-se que tenham chegado a governar um quarto do mundo inteiro há séculos, até que desapareceram misteriosamente.

OS ARCANOS MAIORES	OS ARCANOS MENORES
O Rei Assassinado	O Bufão Louco
A Rainha Morta-Viva	A Dama Prisioneira
O Príncipe de Copas	Sacerdotisa, Sacerdotisa
A Morte Donzela	As Aias
A Estrela Caída	A Noiva Abandonada
A Senhora da Sorte	Caos

A Assassina
O Envenenador

A Criada Grávida
O Boticário

OS OBJETOS MÍSTICOS
A Coroa Despedaçada
O Vestido de Sua Majestade
A Carta Vazia
O Trono Sangrento
O Aráculo
O Mapa de Tudo
O Fruto Imaculado
A Chave dos Sonhos

OS LOCAIS MÍSTICOS
A Torre Perdida
O Pomar Fantástico
O Zoológico
A Biblioteca Imortal
O Castelo da Meia-Noite
O Imaginarium
O Mercado Desaparecido
O Fogo Imortal

MOEDAS SEM SORTE: Moedas com o poder mágico de rastrear a localização de uma pessoa. Quando os Arcanos ainda reinavam na Terra, se um deles desenvolvesse uma fixação por um humano, colocaria uma moeda sem sorte em sua bolsa ou bolso para que pudesse segui-lo aonde quer que fosse. As moedas eram consideradas maus presságios.

ALCARA: A antiga cidade de onde os Arcanos governavam, agora conhecida como a capital do Império Meridiano, Valenda.

Agradecimentos

Fui avisada de que escrever um segundo livro era difícil, mas escrever *Lendário* me pareceu quase impossível. Eu não conseguiria ter feito isso sozinha. Agradeço a Deus os milagres, as preces atendidas e as pessoas maravilhosas que me ajudaram com esta história.

Sou muito grata à minha família: mãe, pai, irmão, irmã e cunhado. Quando comecei a escrever, não fazia ideia da jornada que seria para todos nós. Este livro foi uma parte especialmente difícil dela, e não tenho certeza se conseguiria passar por esse processo sem o amor e o estímulo infindáveis de vocês. Obrigada por terem me ouvido nas muitas vezes em que chorei.

Sarah Barley, você é realmente a fada-madrinha dos livros. Obrigada por espalhar sua magia por toda esta história; você me ajudou a fazer de *Lendário* um livro melhor do que eu jamais poderia ter escrito sozinha. Obrigada pela paciência conforme eu mandava manuscrito após manuscrito, pelo entusiasmo e amor por estas irmãs e esta série, e por conhecer tão bem o coração do Caraval. Houve momentos em que realmente me afastei demais da trilha original, e fico feliz por você estar por perto para me trazer de volta.

Jenny Bent, você é maravilhosa. Eu podia encher estas páginas com uma lista com todas as razões pelas quais sou grata por tê-la como minha agente. Obrigada por nunca desistir de mim, especialmente durante os momentos em que eu mesma havia desistido de mim.

Ida Olson, nunca vou deixar de ser grata a você por ter chegado voando como um super-herói para me ajudar a salvar este livro.

Para a incrível equipe da Flatiron Books, eu não poderia querer um lar melhor para esta série. Muito obrigada a todos os que trabalharam neste livro, com agradecimentos especiais para Amy Einhorn e Bob Miller. Sou muito grata por tê-los como meus editores.

Para a maravilhosa equipe da Macmillan Audio, muito obrigada por seu entusiasmo infindável e por incluir *Lendário* em sua lista. Rebecca Soler, minha incrível narradora dos audiolivros, sou muito grata a você e à maneira como conseguiu dar vida tanto a *Caraval* quanto a *Lendário* com sua narração fantástica.

Outro agradecimento especial vai para Patricia Cave. Se algum dia você deixar o mercado editorial, vou chorar. Obrigada por ser a primeira a amar Jacks e por todas as suas palavras tão sábias.

Erin Fitzsimmons, você se superou com esta capa. Muito obrigada por trazer sua magia para este livro.

Por falar em magia, obrigada a Kate Howard e a todas as pessoas incríveis da Hodder and Soughton, por darem a esta série um lar verdadeiramente fantástico no Reino Unido. Muito obrigada, Molly Ker Hawn, por encontrar essa casa e por dar esse apoio tremendo.

Sinto-me incrivelmente abençoada por todas as minhas maravilhosas editoras estrangeiras; obrigada a todos por colocarem *Lendário* e *Caraval* nas mãos de leitores por todo o mundo.

Um obrigada imenso a todos os meus amigos maravilhosos! Stacey Lee, obrigada por compartilhar sua criatividade comigo quando a minha havia esgotado, pelos *brainstormings* sem fim, pelas ideias brilhantes e por ser a amiga de que eu precisava. Amanda Roelofs, obrigada por sempre ser a minha primeira leitora e ainda ser minha amiga, apesar de todas as confusões que criei para você; esta história é muito mais feliz por sua causa. Obrigada, obrigada, obrigada, Liz Briggs e Abigail Wren, por lerem e me ajudarem tão generosamente com os primeiros manuscritos (leitores, talvez vocês também queiram agradecer a Liz — por causa dela há mais beijos). Katie Nelson e Roshani Chokshi, obrigada pelas muitas e necessárias ligações telefônicas e por largarem tudo o que estavam fazendo para ler os primeiros fragmentos desta história quando eu não tinha certeza se a estava levando na direção certa. Kerri Maniscalco, Julie Dao e Julie Eshbaugh — obrigada pela maratona de conversas por telefone, pelo estímulo e tesouro que é a amizade de vocês. Para todas as autoras e escritoras locais que me deram apoio, Jessica, Shannon, Val, Jenny, Kristin, Adrienne, Rose e Joanna — sou muito grata pelos jantares e por chamar todas vocês de amigas.

Quero também agradecer a todos os maravilhosos leitores desta série! Meu coração está preenchido pelo amor e apoio de vocês. Obrigada pelo entusiasmo, pela empolgação, pelos comentários, pelas fotos e por escolherem este livro.

GRUPO EDITORIAL
Novo Conceito

Editora Novo Conceito
Rua Dr. Hugo Fortes, 1885 – Pq. Industrial Lagoinha
Ribeirão Preto/SP • Brasil • 14095-260
+55 16 3512.5500
contato@nceditora.com.br